FISIOTERAPIA CLÍNICA

Enfoque em Cognição e Comportamento

FISIOTERAPIA CLÍNICA

Enfoque em Cognição e Comportamento

Sheila de Melo Borges
Renata Morales Banjai
Márcia Radanovic

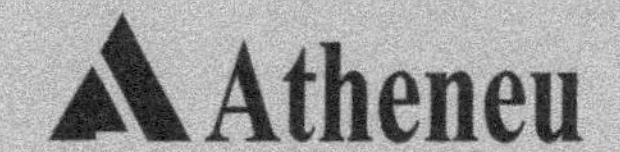

EDITORA ATHENEU

São Paulo — *Rua Jesuíno Pascoal, 30*
Tel.: (11) 2858-8750
Fax: (11) 2858-8766
E-mail: atheneu@atheneu.com.br

Rio de Janeiro — *Rua Bambina, 74*
Tel.: (21) 3094-1295
Fax: (21) 3094-1284
E-mail: atheneu@atheneu.com.br

CAPA: Equipe Atheneu
PRODUÇÃO EDITORIAL: MKX Editorial

CIP-BRASIL. CATALOGAÇÃO NA PUBLICAÇÃO
SINDICATO NACIONAL DOS EDITORES DE LIVROS, RJ

F565

Fisioterapia clínica : enfoque em cognição e comportamento / editores Sheila de Melo Borges, Renata Morales Banjai, Márcia Radanovic ; colaboração Alessandra Fernandes Loureiro ... [et al.].- 1. ed. - Rio de Janeiro : Atheneu, 2019.

Inclui bibliografia
ISBN 978-85-388-0961-6

1. Fisioterapia. I. Borges, Sheila de Melo. II. Banjai, Renata Morales. III. Radanovic, Márcia. IV. Loureiro, Alessandra Fernandes.

19-55075 — CDD: 615.82
CDU: 615.8

Leandra Felix da Cruz - Bibliotecária - CRB-7/6135
06/02/2019 13/02/2019

BORGES, S.M.; BANJAI, R.M.; RADANOVIC, M.
Fisioterapia Clínica – Enfoque em Cognição e Comportamento.

Editoras

Sheila de Melo Borges

Fisioterapeuta com Aprimoramento em Fisioterapia em Geriatria e Gerontologia pelo Hospital das Clínicas da Faculdade de Medicina da Universidade de São Paulo (HCFMUSP). Mestre em Gerontologia pela Universidade Estadual de Campinas (Unicamp). Doutora em Ciências (Psiquiatria) pela FMUSP. Docente das Faculdades de Farmácia e Fisioterapia e Pós-Graduação em Fisioterapia Intensiva Adulto e Pediátrico, Fisioterapia Traumatológica-Ortopédica e Esportiva e Fisioterapia Neurofuncional da Universidade Santa Cecília (Unisanta).

Renata Morales Banjai

Graduação em Fisioterapia pela Universidade Bandeirante de São Paulo (Uniban). Especialista em Fisioterapia Neurológica pela Universidade do Grande ABC (UniABC). Doutora e Mestre em Fisioterapia pela Universidade Cidade de São Paulo (Unicid). Docente do Curso de Fisioterapia e Coordenadora do Curso de Especialização em Fisioterapia Neurofuncional da Universidade Santa Cecília (Unisanta). Docente do Curso de Graduação da Universidade de Ribeirão Preto – Campus Guarujá/SP.

Márcia Radanovic

Médica Neurologista. Mestra e Doutora pelo Departamento de Neurologia da Faculdade de Medicina da Universidade de São Paulo (FMUSP). Pós-Doutorado pelo Departamento de Psiquiatria da FMUSP.

Colaboradores

Alessandra Fernandes Loureiro

Fisioterapeuta. Especialista em Incontinência Urinária e Reabilitação do Assoalho Pélvico em Ginecologia para Fisioterapeutas pela Universidade Federal de São Paulo (Unifesp). Mestre em Ciências Médicas pelo Departamento de Ginecologia da Escola Paulista de Medicina da Unifesp (EPM/Unifesp). Professora Adjunta da Universidade Santa Cecília (Unisanta).

Alessandre de Carvalho Júnior

Fisioterapeuta pela Universidade Santa Cecília (Unisanta). Especialista em Fisioterapia em Terapia Intensiva no Adulto pela Universidade Federal de São Paulo (Unifesp). Especialista em Fisiologia Humana pela Faculdade de Medicina do ABC (FMABC). Mestrando em Anestesiologia, Dor e Terapia Intensiva pela Unifesp.

Ana Carolina Sartorato Beleza

Fisioterapeuta. Especialista em Saúde Coletiva pela Universidade Federal de São Paulo (Unifesp). Mestre e Doutora pela Escola de Enfermagem de Ribeirão Preto da Universidade de São Paulo (EERP-USP). Professora Adjunta do Curso de Fisioterapia da Unifesp – Campus Baixada Santista. Membro da Associação Brasileira de Fisioterapia em Saúde da Mulher (Abrafism).

Carlos Banjai

Fisioterapeuta pela Universidade Santa Cecilia (Unisanta). Especialista em Fisiologia Humana pela Faculdade de Medicina do ABC (FMABC). Fisioterapeuta Responsável pelo Setor de Neurofuncional Adulto do Centro Especializado em Reabilitação da Prefeitura Municipal de Santos/SP. Experiência nas Áreas de Fisioterapia Neurológica do Adulto e Fisiologia, com ênfase em Fisiologia Geral.

Cristiana Carvalho Siqueira

Fisioterapeuta com Especialização em Geriatria e Gerontologia e em Ortopedia e Traumatologia pelo Centro Universitário Claretiano Batatais (CEUCLAR). Pesquisadora e Mestre em Ciências (Programa de Psiquiatria) pela Faculdade de Medicina da Universidade de São Paulo (FMUSP). Fisioterapeuta do Hospital da Polícia Militar Cruz Azul.

Eliane Mayumi Kato-Narita

Fisioterapeuta com Especialização em Gerontologia pela Universidade Federal de São Paulo (Unifesp) e Sociedade Brasileira de Geriatria e Gerontologia (SBGG). Mestra pela Universidade de São Paulo (USP). Membro do Grupo de Neurologia Cognitiva e do Comportamento da Faculdade de Medicina da USP (FMUSP). Coordenadora de Grupo de Apoio da Associação Brasileira de Alzheimer (ABRAz). Coordenadora do Curso de Especialização em Fisioterapia Gerontológica.

Eugênia Lucélia de Seixas Rodrigues Pires

Fisioterapeuta. Especialista em Fisioterapia Aplicada à Neurologia Infantil pela Universidade Estadual de Campinas (Unicamp). Mestre em Distúrbios do Movimento pela Universidade Presbiteriana Mackenzie. Docente e Coordenadora do Curso de Fisioterapia do Centro Universitário Lusíada (Unilus).

Flávia Priscila Paiva Vianna de Andrade

Mestre e Doutora em Fisioterapia pela Universidade Cidade de São Paulo (Unicid). Especialização em Fisioterapia Neurofuncional pela Irmandade da Santa Casa de Misericórdia de São Paulo (ISCMSP). Fisioterapeuta pela Universidade do Vale do Sapucaí (Univás). Docente do Curso de Graduação em Fisioterapia da Univás. Fisioterapeuta Responsável pelo Setor de Fisioterapia Neurofuncional Adulto da Clínica Respirar (Pouso Alegre/MG). Tem como principais linhas de pesquisa a Fisioterapia Aplicada à Neurologia e Controle Motor.

Giovana Sposito

Fisioterapeuta. Especialista em Neurologia do Adulto. Mestre e Doutora em Gerontologia na Universidade Estadual de Campinas (Unicamp). Pós-Doutorado pela Universidade Federal do Rio Grande do Norte (UFRN). Docente da Faculdade Anhanguera, Campus Campinas e Sumaré.

Ivan dos Santos Vivas

Fisioterapeuta pela Universidade Santa Cecília (Unisanta). Especialista em Fisioterapia Cardiopulmonar pelo Hospital das Clínicas da Faculdade de Medicina de Ribeirão Preto da Universidade de São Paulo (HC-FMRP-USP). Especialista em Pneumologia pela Universidade Federal de São Paulo (Unifesp). Mestre em Engenharia Biomédica pela Universidade Mogi das Cruzes (UMC).

Janette Canales

Fisioterapeuta. Pesquisadora pelo Grupo de Doenças Afetivas (GRUDA) do Instituto de Psiquiatria do Hospital das Clínicas da Faculdade de Medicina da Universidade de São Paulo (IPq-HCFMUSP). Mestre em Ciências pelo IPq-HCFMUSP. Especialista em Fisiologia do Exercício pela FMUSP. Cinesiologia Psicológica – Integração Fisiopsíquica pelo Instituto Sedes Sapientae. Cadeias Musculares e Articulares – Método Godelieve Denys-Struyf (GDS). Microfisioterapia pela Escola de Terapia Manual e Postural.

Joelita Pessoa de Oliveira Bez

Fisioterapeuta. Especialista em Gerontologia pela Faculdade de Medicina da Universidade de São Paulo (FMUSP). Mestre em Gerontologia pela Universidade Estadual de Campinas (Unicamp). Professora do Curso de Cuidadores de Idosos do Programa de Extensão da Universidade de Taubaté (UNITAU). Coordenadora da Associação Brasileira de Alzheimer (ABRAz) – Subregional Taubaté.

José Luiz Marinho Portolez

Professor e Coordenador da Faculdade de Fisioterapia da Universidade Santa Cecília (Unisanta). Mestre em Engenharia Biomédica pela Universidade de Mogi das Cruzes (UMC). Coordenador do Curso Especialização em Fisioterapia Traumatológica-Ortopédica e Esportiva pela Unisanta. Aprimoramento em Fisioterapia Ortopédica e Traumatolgica pelo Hospital das Clínicas da Faculdade de Medicina de Ribeirão Preto da Universidade de São Paulo (HC-FMRP-USP). Fisioterapeuta pela Universidade Estadual de Londrina (UEL).

Juliana Maria Gazzola

Fisioterapeuta. Especialista em Gerontologia pela Universidade Federal de São Paulo (Unifesp) e pela Sociedade Brasileira de Geriatria e Gerontologia (SBGG). Mestre e Doutora em Ciências pela Unifesp. Docente do Curso de Fisioterapia na Universidade Federal do Rio Grande do Norte (UFRN).

Kátia Maria Gonçalves Alegretti

Fisioterapeuta pela Universidade Santa Cecilia (Unisanta). Curso de Especialização em Fisioterapia Motora aplicado à Neurologia pela Universidade Federal de São Paulo (Unifesp). Fisioterapeuta do Centro de Reabilitação Lar Escola São Francisco. Preceptora do Módulo de Neurologia Infantil do Curso de Especialização em Fisioterapia Motora Aplicada à Neurologia da Unifesp. Atua em Pesquisas Relacionadas à Paralisia Cerebral, Equilíbrio, Controle Motor e Treino Orientado à Tarefa.

Luciano Alves Leandro

Fisioterapeuta pela Pontifícia Universidade Católica do Paraná (PUCPR). Especialista em Fisioterapia em Geriatria e Gerontologia pelo Hospital das Clínicas da Faculdade de Medicina da Universidade de São Paulo (HCFMUSP). Doutorando e Mestre em Medicina Interna pela Universidade Federal do Paraná (UFPR). Professor-Assistente do Curso de Fisioterapia da PUCPR.

Maria Clara Mattos Paixão

Fisioterapeuta pela Universidade Católica de Petrópolis (UCP). Especialização em Fisioterapia Ortopédica e Traumatológica pela Universidade Santa Cecília (Unisanta). Experiência em Fisioterapia e Terapia Ocupacional, com ênfase em Fisioterapia em Neuropediatria.

Mariana Kátia Rampazo Lacativa

Doutora em Ciências da Saúde pela Faculdade de Enfermagem da Universidade Estadual de Campinas (FEnf-Unicamp). Mestre em Gerontologia pela Faculdade de Ciências Médicas da Unicamp (FCM-Unicamp). Aprimoramento em Fisioterapia aplicada à Ortopedia e Traumatologia pela FCM-Unicamp. Fisioterapeuta pelo Centro Universitário Barão de Mauá (CBM), Ribeirão Preto/SP.

Rebeca Santos Reheder

Fisioterapeuta. Pós-Graduada em Reabilitação Neurológica e em Terapias Manuais com formação no Conceito Neuroevolutivo Bobath, Integração Sensorial, *Suit Therapy – Pediasuit*, *Kinesio Taping*, Treino de Marcha Suspensa, Treinamento Funcional para Cadeirantes CORE360, Wii Terapia e Kinect Xbox 360, Psicomotricidade e Equoterapia/Hippoterapia. Fisioterapeuta/ Administradora da Clínica Espaço SETE – Saúde e Excelência em Terapias Especializadas, com Atendimento Clínico em Neurologia Pediátrica e Adulto. Fisioterapeuta do Centro de Equoterapia do Clube Hípico de Santo Amaro.

Sandra Regina Alouche

Fisioterapeuta pela Faculdade de Medicina da Universidade de São Paulo (FMUSP). Doutora em Psicologia (Neurociências e Comportamento) pela USP. Professora do Programa de Mestrado e Doutorado em Fisioterapia e do Curso de Graduação em Fisioterapia da Universidade Cidade de São Paulo (Unicid). Pesquisadora na Área de Comportamento Motor e Reabilitação. Experiência Clínica na Área de Fisioterapia em Neurologia e Terapia Intensiva. Terapeuta Internacional e Assistente em Facilitação Neuromuscular Proprioceptiva pela International Proprioceptive Neuromuscular Facilitation Association (IPNFA). Formação no Conceito Bobath pelo International Bobath Instructors Training Association (IBITA).

Agradecimentos

Aos pacientes, que nos ajudam a aprimorar o nosso trabalho, que dão sentido à nossa vida profissional e que são inspiração para continuarmos progredindo.

Aos nossos alunos, por nos permitir ensinar o que conhecemos, aprimorar o que já sabemos, por nos inspirar a buscar mais e mais conhecimento, tornando a prática clínica baseada em evidências mais humana e multi/inter/transdisciplinar.

A todos os colaboradores deste livro que despenderam um valioso tempo do seu dia a dia para compartilhar conhecimento e construir esta obra. E, de modo especial, agradecemos à fisioterapeuta Mariana Kátia Rampazo Lacativa (*in memoriam*), que generosamente contribuiu em um dos capítulos deste livro.

Sheila de Melo Borges

Renata Morales Banjai

Márcia Radanovic

Apresentação

As implicações da cognição e dos aspectos emocionais no tratamento fisioterapêutico realizado por meio do movimento têm ganhado destaque nacional e internacional. Entretanto, carecíamos de uma publicação nacional com esse enfoque.

Percebendo a importância dessa área do conhecimento, em franco desenvolvimento, esta obra sobre os aspectos cognitivo e comportamental para fisioterapeutas e outros profissionais da funcionalidade/reabilitação surgiu com o objetivo de possibilitar àqueles que atuam na área um melhor conhecimento sobre a cognição e a emoção, sobre como esses aspectos são moduladores do movimento, bem como sobre o quanto um melhor entendimento sobre essa relação pode ser benéfica para o tratamento de pacientes.

Esta obra foi dividida em três seções, perfazendo os fundamentos da motricidade, cognição e comportamento, a prática clínica fisioterapêutica aplicada a indivíduos com transtornos neurológicos e psiquiátricos e, por fim, enfocando a relação dos aspectos cognitivos e comportamentais em outras áreas de atuação fisioterapêutica, tais como: saúde do idoso, saúde da mulher, transtornos cardiovasculares e em terapias complementares. Para isso, reunimos especialistas com vasta experiência acadêmica e clínica, para que pudéssemos extrair ao máximo o conhecimento teórico esperado em um livro, mas com experiências e reflexões práticas de cada profissional envolvido neste projeto.

Esperamos que os leitores desta obra possam usufruir de um trabalho realizado com muito empenho, dedicação, compromisso e profissionalismo de todos seus colaboradores. Além disso, desejamos que este livro possa ser inspirador para futuros trabalhos acadêmicos e útil a todos os profissionais da funcionalidade, especialmente aos fisioterapeutas, estudantes de graduação e pós-graduação que almejam a prática clínica baseada no conhecimento e na visão mais abrangente do ser humano.

Sheila de Melo Borges
Renata Morales Banjai
Márcia Radanovic

Prefácio

A atuação da fisioterapia tem sido cada vez mais abrangente: a visão do fisioterapeuta intervindo apenas no processo de recuperação de pessoas com problemas ortopédicos e neurológicos, com o foco na deficiência física, está ultrapassada. Hoje, contamos com o fortalecimento da fisioterapia trabalhando em ambulatórios, enfermarias, unidades de terapia intensiva, no domicilio e, mais recentemente, em unidades básicas de saúde, desde o cuidado preventivo até a recuperação da funcionalidade e em diversas especialidades fisioterapêuticas. Entretanto, ainda há uma carência de material didático que ofereça um olhar para o movimento com enfoque nos aspectos cognitivos e emocionais, tratando a relação entre eles na prática clínica fisioterapêutica.

O avanço das pesquisas na área de fisioterapia com foco na funcionalidade e sua relação com as emoções e cognição tende a fortalecer o olhar multidimensional e mais abrangente do ser humano. Além disso, dada a importância da funcionalidade para a manutenção da saúde e para a qualidade de vida das pessoas, tanto alunos e profissionais da fisioterapia quanto os de outras áreas do conhecimento, como da educação física e da terapia ocupacional, podem se beneficiar das diversas práticas a respeito da cognição, emoção e movimento e, consequentemente, sobre a interação dessas condições para prevenção e tratamento de diferentes enfermidades. Assim, esta obra pretende inovar ao propor conceitos sobre motricidade, cognição e comportamento e sua relação com a prática clínica fisioterapêutica, acreditando que a experiência clínica acumulada nessa área, associada ao empenho dos profissionais que se aprofundaram sobre o assunto proposto neste livro, seja um diferencial para a formação profissional daqueles que utilizam o movimento como recurso terapêutico.

Sheila de Melo Borges

Márcia Radanovic

Sumário

SEÇÃO I

Fundamentos de Motricidade, Cognição e Comportamento

Editora de Seção: Márcia Radanovic

Noções Gerais de Neuroanatomia e Neurofisiologia Aplicadas

1

Márcia Radanovic

Introdução

O desenvolvimento filogenético do sistema nervoso (SN) permitiu maior adaptabilidade dos seres vivos ao seu meio ambiente. As principais características das células do SN são *irritabilidade, condutibilidade e contratilidade*, que podem ser observadas em organismos unicelulares, como as amebas. Essas três propriedades permitem que organismos simples "recebam" sensações do meio (estimulação) e as "conduzam" de modo a propiciar uma resposta "contrátil" (afastamento de um potencial agressor). No caso de organismos muito simples, o SN encontra-se espalhado pela superfície do organismo.

À medida que os seres vivos evoluíram, as funções do SN tornaram-se mais complexas, passando a incluir não apenas respostas aos estímulos do meio externo, como também do meio interno (homeostase*), e células especializadas para recepção dos estímulos assim como efetuação de respostas motoras passaram a existir.

Existe uma relação indissociável entre a atividade do SN e todo o comportamento de um animal, do mais simples ao mais complexo, embora a maneira exata como essa relação se estabelece ainda seja objeto de estudos e não esteja plenamente elucidada.

O SN encontra-se protegido por estruturas ósseas, o crânio e a coluna vertebral. Dentro do crânio localizam-se o *encéfalo* e o *tronco encefálico* e, no interior da coluna vertebral localiza-se a *medula espinhal*. Além disso, o SN é envolvido por um sistema de membranas denominadas *meninges*, a *dura-máter* (mais externa), a *aracnoide*, e a *pia-máter* (mais interna e totalmente aderida ao tecido nervoso). O espaço entre o arcabouço ósseo e a dura-máter é denominado *espaço extradural* ou *epidural*; o espaço entre a aracnoide e a pia-máter é denominado *espaço subaracnoide*.

A *substância cinzenta* do SN é formada pelos corpos celulares dos neurônios, podendo ser encontrada no córtex cerebral, em *núcleos* (agrupamentos celulares), no tronco encefálico, nos *gânglios* e na porção central da medula espinhal. A *substância branca* é composta pelos feixes de axônios que emergem dos neurônios e, portanto, terá sua origem em alguma das estruturas acima citadas;

* Homeostase: capacidade do organismo (ou do corpo) de regulação do seu sistema, a fim de se manter estável dinamicamente perante as interferências internas e externas que possam alterar seu equilíbrio.

é encontrada na região *subcortical* (abaixo do córtex cerebral), nos *tratos* e vias de projeção do tronco encefálico e medula espinhal e nos nervos periféricos. Os feixes de substância branca (tratos e nervos periféricos) sempre conectam um grupo de neurônios a outro, um grupo de neurônios a seus efetores finais (músculos, glândulas etc.) ou a seus receptores periféricos (pele, olho etc.). Muitos dos nomes dessas estruturas são descritivos de sua origem, destino e localização relativa, por exemplo: *trato espinocerebelar anterior* designa um trato que sai da medula espinhal em direção ao cerebelo e localiza-se na porção anterior do bulbo.

O SN divide-se em sistema nervoso central (SNC) e sistema nervoso periférico (SNP). O limite entre eles é a membrana meníngea pia-máter. O SNC compreende o cérebro, tronco encefálico e tratos ascendentes e descendentes da medula espinhal. O SNP é composto pelas estruturas que se localizam externamente à membrana pia-máter da medula espinhal e tronco cerebral, incluindo as raízes nervosas, plexos e nervos periféricos, até o limite da junção neuromuscular. Os nervos cranianos também fazem parte do SNP, com exceção dos bulbos olfatórios (I nervo) e nervos ópticos (II nervo) (Figura 1.1).

A divisão *somática* do SNP inclui os neurônios responsáveis pela inervação da pele, músculos e articulações. O sistema nervoso autônomo (SNA), por sua vez, é responsável pela inervação sensitiva das vísceras e pelo controle motor visceral dos músculos lisos e glândulas exócrinas. O SNA tem duas divisões: o *parassimpático*, responsável pelo controle da homeostase do organismo, como funções digestórias, cardiovasculares, respiratórias etc. e o *simpático*, responsável pelas reações de "luta ou fuga", que preparam o organismo para lidar com situações de estresse físico e emocional. Podemos, então, dizer que o sistema nervoso somático (SNS) comunica ao SNC os estímulos do meio externo, e o SNA faz o mesmo com os estímulos vindos do meio interior do organismo (Figura 1.2).

Como regra geral, cada hemisfério cerebral recebe e envia informações *para* e *da* metade contralateral do corpo, ou seja, o hemisfério direito (D) controla a metade esquerda do corpo e o esquerdo (E), a metade direita. No entanto, isso não ocorre em todos os sistemas (em alguns a inervação é ipsilateral), e existem alguns sistemas em que os dois hemisférios cerebrais participam da inervação sensitiva e motora em determinada região (p. ex.: a audição e o controle motor dos músculos do terço superior da face). O ponto em que ocorre o cruzamento (decussação) das fibras nervosas na linha média é variável. Por exemplo, as vias motoras (trato corticoespinhal

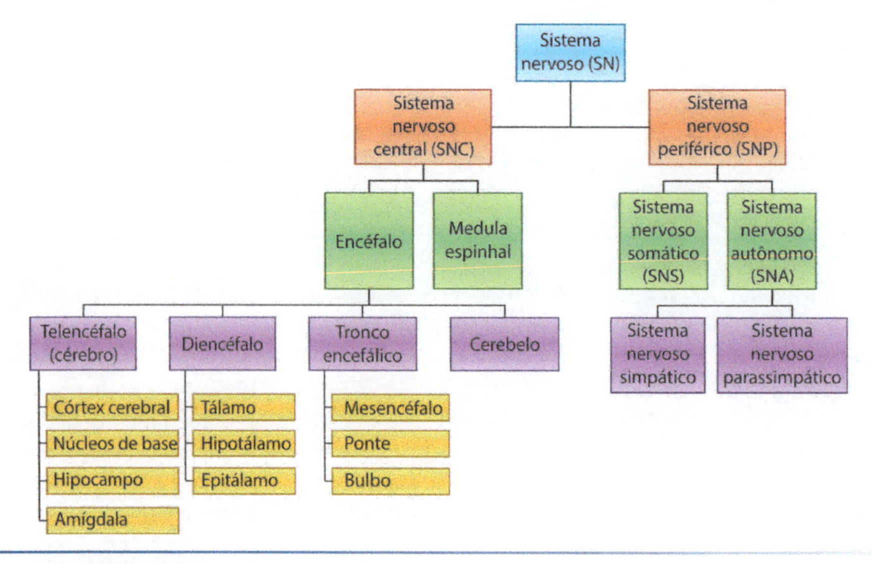

Figura 1.1 Divisão geral do SN.
Fonte: Organizado pelo autor.

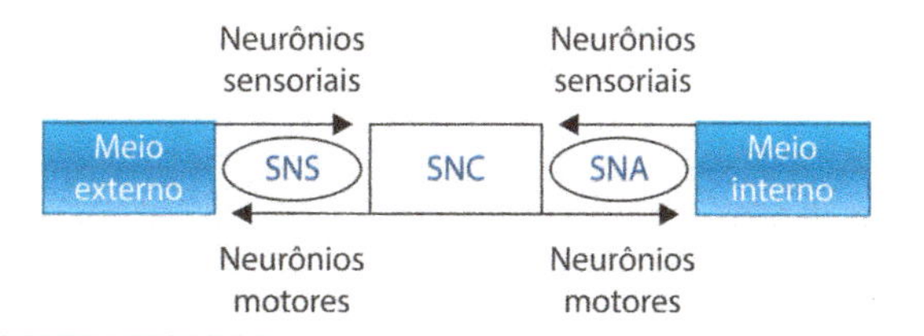

Figura 1.2 Representação esquemática da inter-relação dos vários subcomponentes do SN com os meios externo (ambiente) e interno (visceral).
Fonte: Organizado pelo autor.

lateral) principais decussam no bulbo (na denominada *decussação das pirâmides)*; já as fibras que veiculam a sensação térmica e dolorosa (trato espinotalâmico) cruzam a linha média logo ao penetrarem na medula, ascendendo já cruzadas em toda a extensão da medula. Denominam-se conexões *aferentes* aquelas que chegam a uma determinada estrutura do SN, e conexões *eferentes* as que partem dessa estrutura.

O SN contém vários subsistemas funcionais separados, cada um composto por um conjunto de estruturas e vias de projeção; como exemplo, podem ser citadas as várias modalidades sensoriais, ou as diversas funções cognitivas. No entanto, embora separados, esses sistemas apresentam pontos de intersecção, onde informações são agrupadas e combinadas para construir as percepções e associações complexas que caracterizam a atividade do SNC. Cada subsistema funcional envolve várias estruturas que se ligam por vias que carregam diferentes tipos de informação; as estruturas participantes de um sistema são comumente denominadas *relês* e ordenadas *em série* (sequência); as vias de determinado sistema caminham através de feixes de fibras que ligam um componente do sistema a outro. Nos relês, ocorre mais do que uma simples retransmissão das informações para o centro seguinte: as informações são modificadas, rearranjadas e moduladas de modo que os dados transmitidos pelas vias de saída de cada relê são diferentes dos que foram recebidos pelas vias de entrada. O SN tem uma estrutura hierárquica, havendo diversos níveis de processamento para cada sistema funcional, do mais simples ao mais complexo.

O SN é organizado na forma de *mapas neurais*, ou seja, as informações são veiculadas dentro de cada sistema funcional obedecendo a uma organização topográfica. Por exemplo, a informação visual que incide sobre a retina é transmitida através de todo o sistema visual de forma a obedecer a este princípio de organização: um grupo de neurônios retinianos projeta-se para determinado local do corpo geniculado lateral; o grupo vizinho de neurônios retinianos se projetará para uma região vizinha no corpo geniculado lateral, e assim por diante ao longo da via visual, de modo que todas as estruturas que compõem o sistema visual reproduzem o mapa correspondente recebido da estrutura anterior e o projetam de forma organizada para a estrutura seguinte. O sistema motor também apresenta essa organização topográfica.

Subdivisão Funcional do SNC

Medula espinhal

A medula espinhal é a parte mais caudal do SN, estendendo-se da base do crânio (forame magno) até sua porção terminal no *cone medular*, no nível da 1ª/2ª vértebra lombar (L1/L2), com cerca de 45 cm de comprimento. Divide-se em porções cervical, torácica, lombar e sacral. A medula espinhal apresenta duas intumescências, uma na região cervical e outra na região lombar, que correspondem aos locais de onde emergem os motoneurônios relacionados aos membros superiores e inferiores. No interior da substância cinzenta medular, encontra-se o canal central da medula, uma cavidade preenchida por líquido cefalorraquiano (LCR), que é a continuação caudal do IV ventrículo.

O corte transversal da medula revela uma porção central em forma de H, a *substância cinzenta*, que contém os corpos celulares dos neurônios e é dividida em colunas dorsal e ventral. As colunas dorsais são formadas por neurônios sensoriais que recebem as informações da periferia provenientes da pele, músculos e articulações do tronco e membros, bem como dos órgãos internos; as colunas ventrais contêm os motoneurônios responsáveis pelos movimentos voluntários e autonômicos de músculos específicos. Ao redor da substância cinzenta, localiza-se a *substância branca*, composta pelos tratos longitudinais (conjuntos de axônios mielinizados) que formam as grandes vias ascendentes e descendentes *de* e *para* o cérebro (Figura 1.3 e Tabelas 1.1 e 1.2). A medula espinhal tem uma *organização segmentar*, ou seja, cada segmento liga-se a uma região específica do corpo.

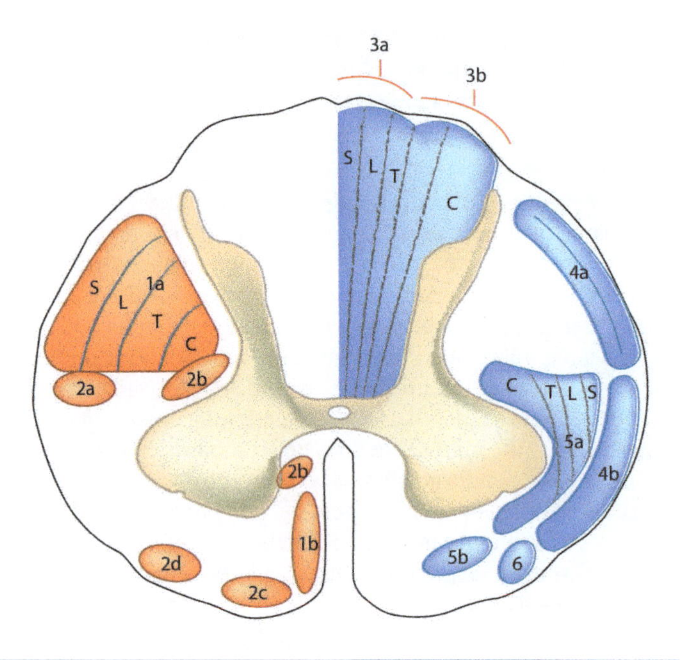

Figura 1.3 Corte transversal da medula espinhal mostrando as vias sensoriais ascendentes (em azul) e motoras descendentes (em vermelho). C: cervical; T: torácica; L: lombar; S: sacral.
Fonte: Radanovic e Kato-Narita, 2016.

Tabela 1.1 Vias ascendentes e descendentes da medula espinhal

Vias motoras descendentes (eferentes)	Vias sensitivas ascendentes (aferentes)
1. Tratos corticoespinhais (piramidais)	3. Coluna dorsal-lemnisco medial
1a. Trato corticoespinhal lateral	3a. Fascículo grácil
1b. Trato corticoespinhal anterior	3b. Fascículo cuneiforme
2. Tratos extrapiramidais	4. Tratos espinocerebelares
2a. Trato rubroespinhal	4a. Trato espinocerebelar anterior
2b. Trato reticuloespinhal	4b. Trato espinocerebelar posterior
2c. Trato tectoespinhal	5. Tratos espinotalâmicos
2d. Trato vestibuloespinhal	5a. Trato espinotalâmico lateral
	5b. Trato espinotalâmico anterior
	6. Fibras espino-olivares

Tabela 1.2 Origem, destino e função dos principais tratos da medula espinhal

Trato	Origem	Ponto de decussação (cruzamento das fibras)	Destino	Informação transmitida
Descendentes				
Corticoespinhal lateral	Córtex motor primário, pré-motor e área motora suplementar (áreas 4 e 6 de Brodmann) Córtex sensitivo (áreas 1, 2 e 3 de Brodmann)	Junção do bulbo e medula ("decussação das pirâmides")	Motoneurônios medulares (substância cinzenta) contralaterais	Controle dos movimentos voluntários de membros
Corticoespinhal anterior	Córtex pré-motor e motor primário (áreas 4 e 6 de Brodmann) que controlam o tronco e pescoço	–	Motoneurônios medulares (substância cinzenta) ipsilaterais	Controle dos movimentos axiais (pescoço, ombro e tronco)
Rubroespinhal	Núcleo rubro (mesencéfalo)	Mesencéfalo	Motoneurônios medulares (substância cinzenta) contralaterais	Facilitação dos movimentos flexores e inibição dos movimentos extensores de MMSS
Reticuloespinhal medial	Formação reticular (ponte)	–	Interneurônios e motoneurônios medulares ipsilaterais	Facilitação dos movimentos posturais e extensores dos membros
Reticuloespinhal lateral	Formação reticular (bulbo)	–	Interneurônios e motoneurônios medulares (substância cinzenta) ipsilaterais	Facilitação dos movimentos flexores e inibição dos extensores
Vestibuloespinhal lateral	Núcleos vestibulares (ponte e bulbo)	–	Interneurônios e motoneurônios medulares (substância cinzenta) ipsilaterais	Facilitação dos movimentos extensores e inibição dos flexores
Vestibuloespinhal medial	Núcleos vestibulares (ponte e bulbo)		Interneurônios e motoneurônios medulares (substância cinzenta) ipsilaterais	Coordena a atividade dos músculos do pescoço e região lombar, facilita os movimentos flexores e inibe os extensores
Tectoespinhal	Tecto do mesencéfalo (colículos)	Mesencéfalo	Interneurônios e motoneurônios medulares (substância cinzenta) ipsilaterais	Sistema de controle postural

Continua

Continuação

Trato	Origem	Ponto de decussação (cruzamento das fibras)	Destino	Informação transmitida
Ascendentes				
Fascículo grácil	Fibras sensitivas táteis e proprioceptivas provenientes dos segmentos sacral, lombar e torácico inferior	Lemnisco medial (bulbo)	Núcleo ventral lateral posterior do Tálamo (contralateral)	Sensação tátil e proprioceptiva dos MMII e tronco
Fascículo cuneiforme	Fibras sensitivas táteis e proprioceptivas provenientes dos segmentos torácico superior e cervical	Lemnisco medial (bulbo)	Tálamo (contralateral)	Sensação tátil e proprioceptiva dos MMSS e tronco
Tratos espinocerebelares (anterior e posterior)	Fibras proprioceptivas provenientes dos MMII	-	Cerebelo (ipsilateral)	Propriocepção inconsciente dos músculos e articulações de MMII
Trato espinotalâmico lateral	Fibras sensitivas térmicas e dolorosas de todos os segmentos medulares (tronco e membros)	Medula (segmento medular de entrada)	Tálamo (contralateral)	Sensação térmica e dolorosa
Trato espinotalâmico anterior	Fibras sensitivas táteis de todos os segmentos medulares (tronco e membros)	Medula (segmento medular de entrada)	Tálamo (contralateral)	Tato protopático e pressão

MMSS: membros superiores; MMII: membros inferiores.

A medula espinhal se conecta com os músculos e receptores periféricos por meio de 31 pares de *nervos espinhais* (8 cervicais, 12 torácicos, 5 lombares, 5 sacrais e 1 coccígeo), cada um contendo uma porção sensorial, que nasce da porção dorsal da medula (raízes dorsais) e uma porção motora, que emerge da porção ventral da medula (raízes ventrais). Os nervos espinhais da região cervical emergem acima das vértebras correspondentes, com exceção do segmento C8, que emerge entre as vértebras C7 e T1, pois a coluna vertebral humana contém apenas sete vértebras cervicais. A partir daí, os nervos espinhais emergem abaixo das vértebras correspondentes (Figura 1.4). Cada nervo espinhal corresponde a um segmento da medula e recebe a mesma denominação do segmento a que pertence (p. ex.: C4). Os axônios dos receptores periféricos penetram pela medula através das raízes dorsais e caminham pela porção posterior desta até atingirem os gânglios das raízes dorsais. A Figura 1.5 ilustra o caminho percorrido pelas informações sensitivas (A) e motoras (B) que entram e saem da medula.

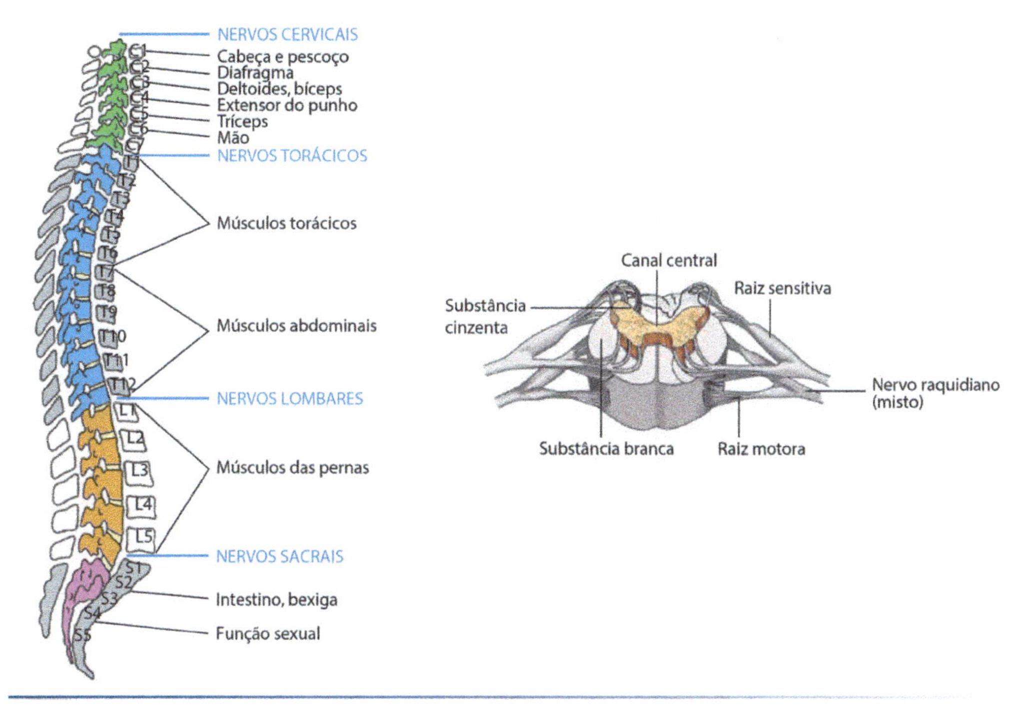

Figura 1.4 À esquerda, estrutura da coluna vertebral e medula espinhal; à direita, detalhe de um segmento da medula espinhal mostrando as raízes motoras e sensitivas.
Fonte: Radanovic e Kato-Narita, 2016.

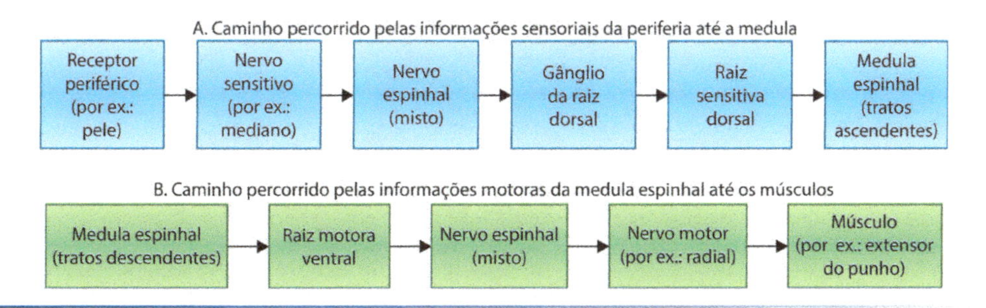

Figura 1.5 Ilustração esquemática do trajeto das informações motoras e sensitivas que entram e saem da medula.
Fonte: Organizado pelo autor.

Tronco Encefálico

O tronco encefálico divide-se nas porções *bulbo*, *ponte* e *mesencéfalo*. No tronco encefálico são encontrados *tratos* e *núcleos*. Do tronco encefálico, partem 10 dos 12 pares de nervos cranianos, relacionados às funções oculomotoras, sensibilidade e motricidade da face, audição, equilíbrio, deglutição, fonação, mastigação, paladar, e funções autonômicas e viscerais (Figura 1.6 e Tabela 1.3).

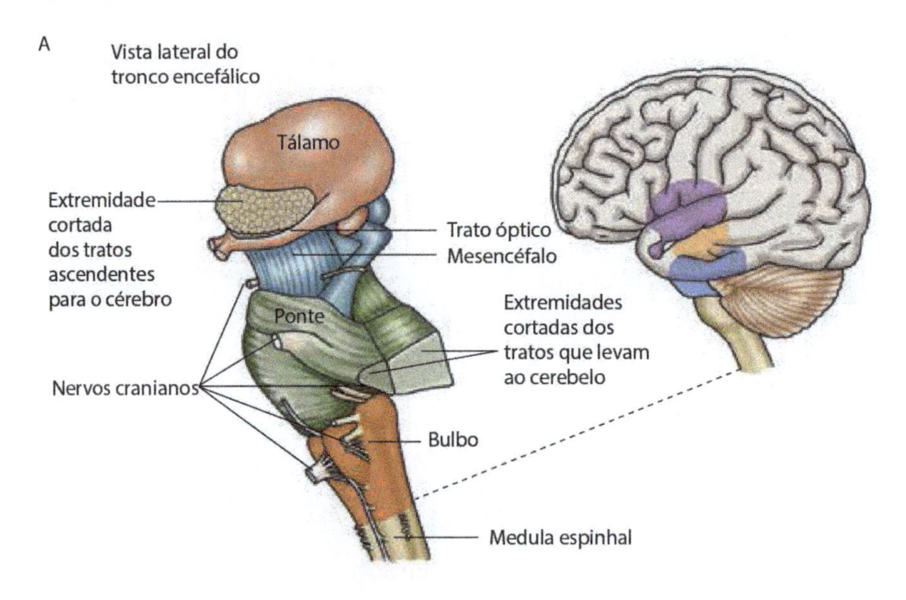

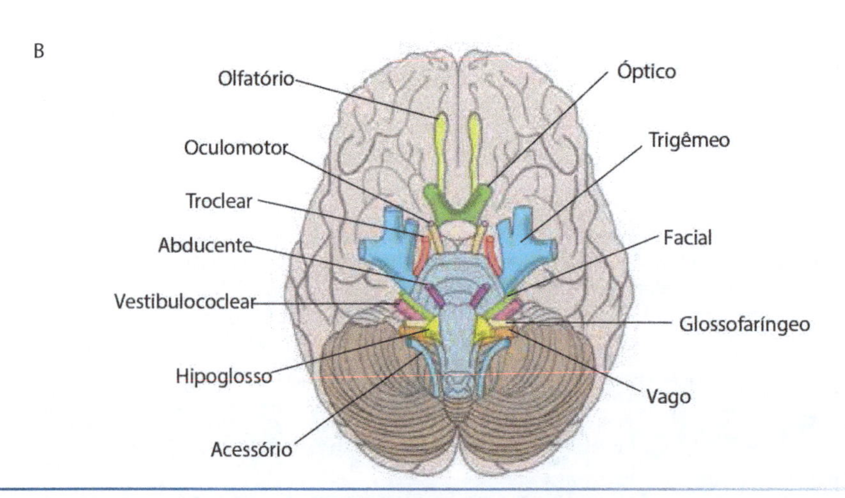

Figura 1.6 Tronco encefálico e suas divisões, mostrando sua posição central em relação aos hemisférios cerebrais (A) e a emergência dos nervos cranianos (B). Fonte: Radanovic e Kato-Narita, 2016.

Tabela 1.3 Pares cranianos: origem e função

Par	Nome	Origem	Função
I	Olfatório	Membrana olfativa	Olfato
II	Óptico	Retina	Visão
III	Oculomotor	Mesencéfalo	Motora: inervação dos músculos oculares responsáveis pela adução, elevação e abaixamento dos olhos (reto medial, reto superior, reto inferior, oblíquo inferior), convergência dos olhos; elevação da pálpebra Autonômica: constrição pupilar; acomodação do cristalino
IV	Troclear	Mesencéfalo	Inervação do músculo responsável pelo abaixamento do olho quando aduzido (oblíquo superior)
V	Trigêmeo	Ponte	Motora: inervação dos músculos da mastigação, tensor do tímpano e tensor do véu palatino Sensitiva: inervação sensitiva da face e boca (cutânea e proprioceptiva); inervação sensitiva dos seios paranasais e dentes
VI	Abducente	Ponte	Inervação do músculo reto lateral, responsável pela abdução do olho
VII	Facial	Ponte	Motora: inervação dos músculos da face e do músculo estapédio Sensitiva: inervação sensitiva cutânea do canal auditivo externo; paladar dos dois terços anteriores da língua Autonômica: glândulas salivares (exceto parótida) e glândulas lacrimais
VIII	Vestibulococlear	Bulbo	Audição e equilíbrio (sensação de movimento angular e aceleração linear)
IX	Glossofaríngeo	Bulbo	Motora: inervação do músculo estilofaríngeo Sensitiva: inervação sensitiva do palato posterior, fossa tonsilar e seio carotídeo; paladar do terço posterior da língua Autonômica: inervação da glândula parótida
X	Vago	Bulbo	Motora: inervação dos músculos da faringe e laringe Sensitiva: inervação sensitiva da faringe posterior; inervação sensitiva visceral da faringe, laringe, órgãos torácicos e abdominais; paladar da porção posterior da língua e cavidade oral Autonômica: inervação dos músculos lisos e glândulas dos sistemas cardiovascular, pulmonar e gastrintestinal
XI	Acessório	Bulbo	Inervação dos músculos esternocleidomastóideo e trapézio
XII	Hipoglosso	Bulbo	Inervação dos músculos da língua

Bulbo

O bulbo situa-se em posição intermediária entre a medula espinhal e a ponte. Apresenta núcleos relacionados à regulação de funções vegetativas, como respiração, controle vasomotor (pressão arterial) e do ritmo cardíaco. No bulbo, situam-se os núcleos do IX (glossofaríngeo), X (vago), XI (acessório) e XII (hipoglosso) nervos cranianos, que dele emergem (Figura 1.7 e Tabela 1.4).

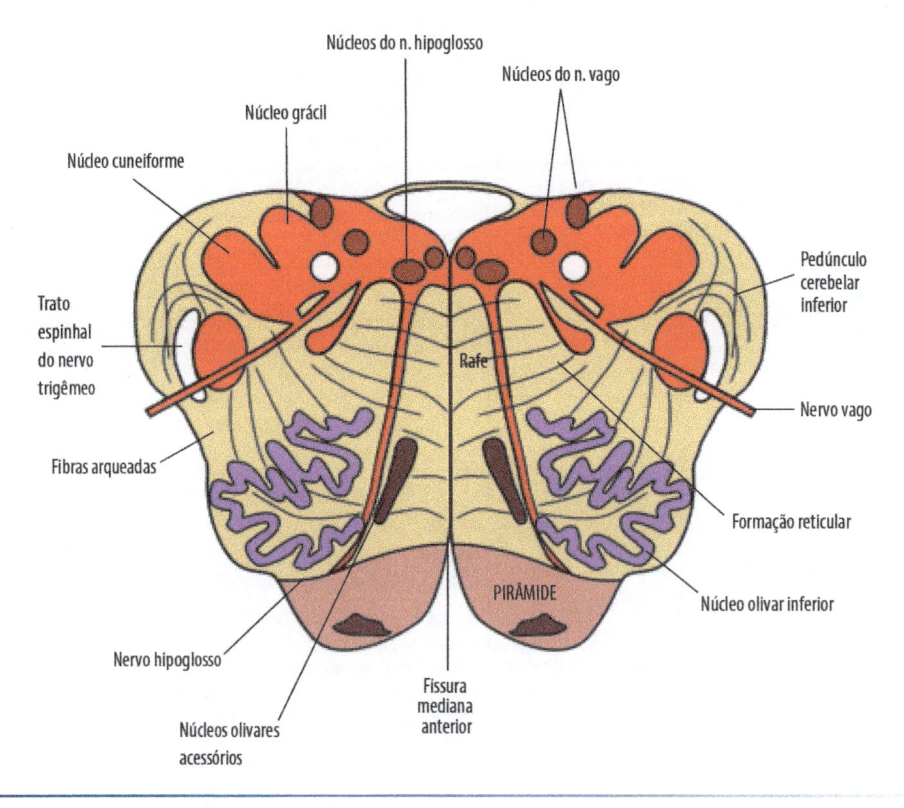

Figura 1.7 Seções tranversais do bulbo mostrando as principais estruturas descritas na Tabela 1.4. Fonte: Radanovic e Kato-Narita, 2016.

Tabela 1.4 Principais estruturas do bulbo e suas funções

Estrutura	Função
Trato corticoespinhal	Veicula informações do córtex motor aos motoneurônios da medula
Lemnisco medial	Veicula informações provenientes dos núcleos grácil e cuneiforme (após o cruzamento destas) para o tálamo
Fascículo longitudinal medial	Centro de comunicação entre os núcleos motores oculares D e E, permitindo a realização dos movimentos conjugados do olhar; recebe fibras dos núcleos vestibulares e conecta-se com o nervo acessório, sendo importante para a coordenação dos movimentos entre a cabeça e os olhos

Continua

Continuação

Estrutura	Função
Trato espinotalâmico	Veicula informações sobre temperatura, dor e tato profundo até o tálamo
Trato espinhal do trigêmeo	Veicula informações sensitivas provenientes do nervo trigêmeo para o núcleo do trato espinhal do trigêmeo
Pedúnculo cerebelar inferior	Feixe de fibras compostas por tratos que se dirigem ao cerebelo (olivocerebelar, espinocerebelar)
Núcleo grácil	Relê de chegada do fascículo grácil, de onde partem fibras para o lemnisco medial
Núcleo cuneiforme	Relê de chegada do fascículo cuneiforme, de onde partem fibras para o lemnisco medial
Núcleos olivares	Relê de chegada de fibras provenientes do córtex cerebral, medula espinhal e núcleo rubro do mesencéfalo, projetando-as para o cerebelo; está relacionado ao aprendizado motor
Núcleo do nervo vago	Núcleo de origem do nervo vago (X par craniano)
Núcleo do nervo hipoglosso	Núcleo de origem do nervo hipoglosso (XII par craniano)
Núcleo do trato espinhal do trigêmeo	Relê de chegada das fibras sensitivas do nervo trigêmeo (V par craniano), relacionado à sensibilidade da cabeça
Núcleos vestibulares (inferior e medial)	Núcleos sensitivos que recebem as fibras da porção vestibular do nervo vestibulococlear (VIII par craniano), relacionado ao equilíbrio
Núcleo ambíguo	Núcleo de origem das fibras motoras dos nervos glossofaríngeo, vago e acessório (IX, X e XI pares cranianos), relacionadas à deglutição e fonação
Núcleo do trato solitário	Núcleo sensitivo que recebe as fibras dos nervos facial, glossofaríngeo e vago (VII, IX e X pares cranianos), relacionadas ao paladar
Núcleo salivatório inferior	Núcleo de origem de fibras para o nervo glossofaríngeo, relacionadas à salivação (glândula parótida)
Núcleos da rafe	Grupo de núcleos serotoninérgicos localizados em toda a linha média do tronco encefálico, relacionados ao mecanismo do sono
IV ventrículo	Porção da cavidade ventricular situada entre o aqueduto cerebral e o canal central da medula

Ponte

A ponte situa-se em posição intermediária entre o bulbo e o mesencéfalo. Apresenta núcleos relacionados à regulação da motricidade ocular e facial, além de núcleos que funcionam como relês de informações motoras e sensitivas entre o córtex cerebral e o cerebelo. Apresenta também estruturas relacionadas a funções como sono, respiração (centro apnêustico e centro pneumotáxico) e paladar. Na ponte, situam-se os núcleos do V (trigêmeo), VI (abducente), VII (facial) e VIII (vestibulococlear) nervos cranianos, que dela emergem (Figura 1.8 e Tabela 1.5).

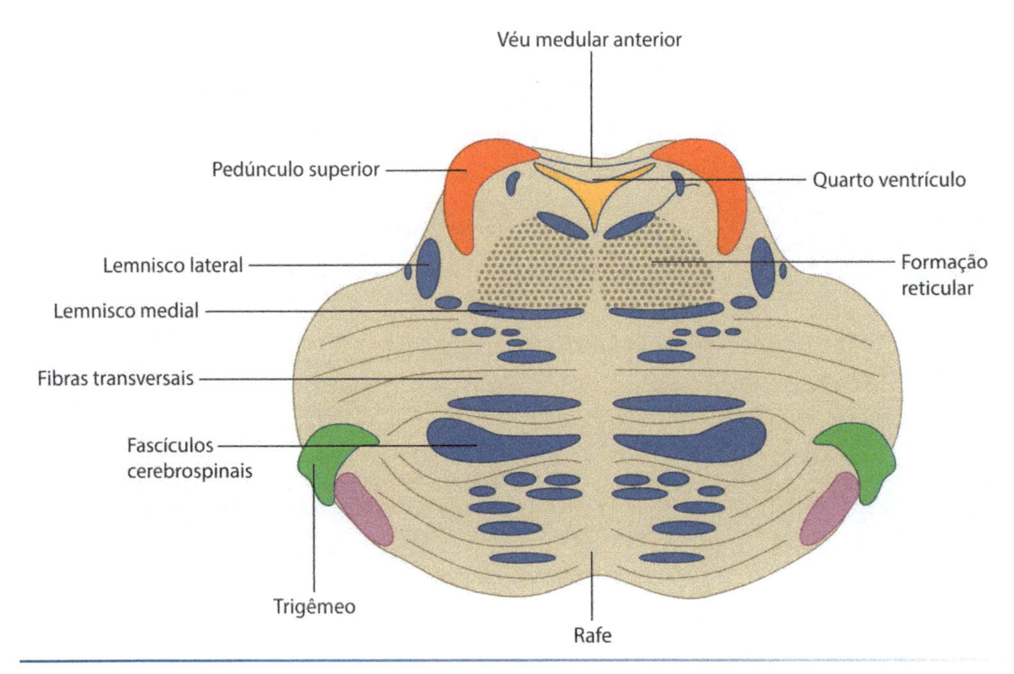

Figura 1.8 Seção transversal da ponte, mostrando as principais estruturas descritas na Tabela 1.5.
Fonte: Adaptada Radanovic e Kato-Narita, 2016.

Tabela 1.5 Principais estruturas da ponte e suas funções

Estrutura	Função
Lemnisco medial	Veicula informações provenientes dos núcleos grácil e cuneiforme para o tálamo
Lemnisco lateral	Veicula informações auditivas provenientes dos núcleos cocleares para o colículo inferior do mesencéfalo
Formação reticular	Rede difusa de neurônios intercalados com fibras nervosas que se localiza na parte central do tronco encefálico, relacionada ao controle do sono e vigília, sensibilidade, motricidade, sistema nervoso autônomo, sistema neuroendócrino, centro respiratório e vasomotor
Pedúnculo cerebelar médio (braço da ponte)	Veicula informações provenientes dos núcleos pontinos (via fibras transversas) para o cerebelo
Pedúnculo cerebelar superior	Veicula informações provenientes do cerebelo para o núcleo rubro, tálamo e bulbo
Trato corticoespinhal	Veicula informações do córtex motor aos motoneurônios da medula
Trato corticonuclear	Veicula informações do córtex motor aos núcleos dos nervos cranianos (V, VI, VII)
Trato corticopontino	Veicula informações de várias partes do córtex cerebral aos núcleos da ponte
Fascículo longitudinal medial	Centro de comunicação entre os núcleos motores oculares D e E, permitindo a realização dos movimentos conjugados do olhar; recebe fibras dos núcleos vestibulares e conecta-se com o nervo acessório, sendo importante para a coordenação dos movimentos entre a cabeça e os olhos

Continua

Continuação

Estrutura	Função
Fibras transversas	Veiculam informações provenientes dos núcleos pontinos para o cerebelo através do pedúnculo cerebelar médio
Corpo trapezoide	Local de cruzamento das fibras provenientes dos núcleos cocleares
Núcleo motor do trigêmeo	Núcleo de origem das fibras motoras do nervo trigêmeo (V par craniano)
Núcleo do trato espinhal do trigêmeo	Relê de chegada das fibras sensitivas do nervo trigêmeo (sensibilidade da cabeça)
Núcleo do nervo abducente	Núcleo de origem das fibras motoras do nervo abducente (VI par craniano)
Núcleo do nervo facial	Núcleo de origem das fibras motoras do nervo facial (VII par craniano)
Núcleos pontinos	Relê de chegada das fibras corticopontinas, que se projeta para o cerebelo através das fibras transversas
Núcleos vestibulares medial, inferior, lateral e superior	Núcleos sensitivos que recebem as fibras da porção vestibular do nervo vestibulococlear (VIII par craniano), relacionado ao equilíbrio
Núcleos cocleares	Núcleos sensitivos que recebem as fibras da porção coclear do nervo vestibulococlear (VIII par craniano), relacionado à audição
Núcleo salivatório superior	Núcleo de origem das fibras eferentes para inervação das glândulas salivares submandibular e sublingual, que seguem pelo nervo facial
Núcleo lacrimal	Núcleo de origem das fibras eferentes para inervação da glândula lacrimal, que seguem pelo nervo facial
IV ventrículo	Porção da cavidade ventricular situada entre o aqueduto cerebral e canal central da medula

Mesencéfalo

O mesencéfalo situa-se em posição intermediária entre a ponte e o diencéfalo. Tem núcleos relacionados à regulação da motricidade ocular, núcleos que funcionam como relês de informações motoras entre o córtex cerebral, núcleos da base e cerebelo. Apresenta também estruturas relacionadas à audição e visão. No mesencéfalo, situam-se os núcleos do III (oculomotor) e IV (troclear) nervos cranianos, que dele emergem (Figura 1.9 e Tabela 1.6).

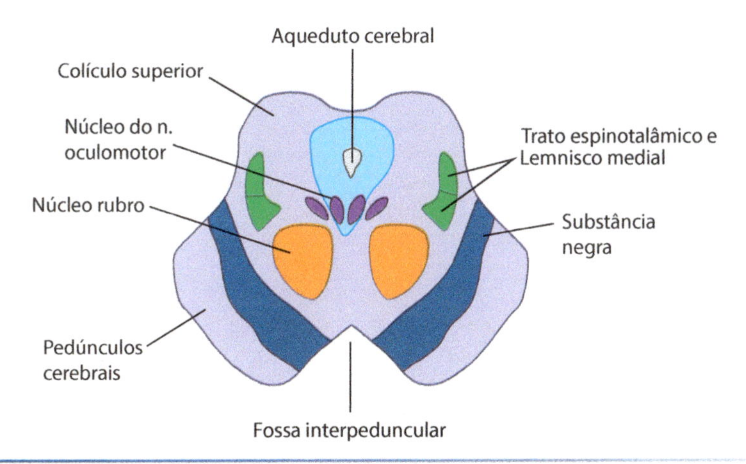

Figura 1.9 Seção transversal do mesencéfalo, mostrando as principais estruturas descritas na Tabela 1.6. Fonte: Radanovic e Kato-Narita, 2016.

Tabela 1.6 Principais estruturas do mesencéfalo e suas funções

Estrutura	Função
Trato espinotalâmico	Veicula informações sobre temperatura, dor e tato profundo até o tálamo
Lemnisco medial	Veicula informações provenientes dos núcleos grácil e cuneiforme (após o cruzamento destas) para o tálamo
Lemnisco lateral	Veicula informações auditivas provenientes dos núcleos cocleares para o colículo inferior do mesencéfalo
Pedúnculo cerebral	Formado pelas fibras descendentes dos tratos corticoespinhal, corticonucleares e corticopontinos
Colículo superior	Relê de chegada das informações visuais provindas da retina e do córtex occipital, que envia fibras para o corpo geniculado lateral no tálamo, para os núcleos dos nervos oculomotores e dá origem ao trato tectoespinhal; relaciona-se às vias visuais e reflexos de movimentação dos olhos
Colículo inferior	Relê de chegada das informações auditivas provindas do lemnisco lateral, que envia fibras para o corpo geniculado medial, no tálamo
Fascículo longitudinal medial	Centro de comunicação entre os núcleos motores oculares D e E, permitindo a realização dos movimentos conjugados do olhar; recebe fibras dos núcleos vestibulares e conecta-se com o nervo acessório, sendo importante para a coordenação dos movimentos entre a cabeça e os olhos
Formação reticular	Rede difusa de neurônios intercalados com fibras nervosas que se localiza na parte central do tronco encefálico, relacionada ao controle do sono e vigília, sensibilidade, motricidade, sistema nervoso autônomo, sistema neuroendócrino, centro respiratório e vasomotor
Substância cinzenta periaquedutal	Núcleo pertencente à formação reticular, relacionada à regulação da dor
Substância negra	Núcleo que possui intensas conexões com o *striatum*, nos dois sentidos, através de fibras nigroestriatais e estriatonigrais; participa da regulação do movimento
Núcleo do nervo oculomotor	Núcleo de origem das fibras motoras do nervo oculomotor (III par craniano)
Núcleo do nervo troclear	Núcleo de origem das fibras motoras do nervo troclear (IV par craniano)
Núcleo rubro	Núcleo relacionado ao controle da motricidade somática, recebendo fibras do cerebelo e dando origem ao trato rubroespinhal, que se conecta aos motoneurônios medulares
Aqueduto cerebral	Porção da cavidade ventricular que conecta o III ventrículo ao IV ventrículo

Diencéfalo

O diencéfalo, situado anteriormente ao mesencéfalo, é dividido em hipotálamo e tálamo.

Hipotálamo

O hipotálamo é uma estrutura crítica para a regulação da homeostase do organismo, sendo a sede do controle de funções como fome, sede, manutenção da temperatura corporal, ritmo cardíaco e pressão arterial, crescimento, ritmo circadiano (ciclo dia-noite), reprodução. Muito desta regulação se faz por meio de sua influência sobre a glândula hipófise, a qual secreta os principais hormônios que estimulam as demais glândulas do corpo. O hipotálamo está também relacionado a comportamentos que geram recompensa (prazer, satisfação), pois apresenta intensas conexões com a maior parte do SNC. O hipotálamo é composto por vários núcleos, com especificidades funcionais (Figura 1.10).

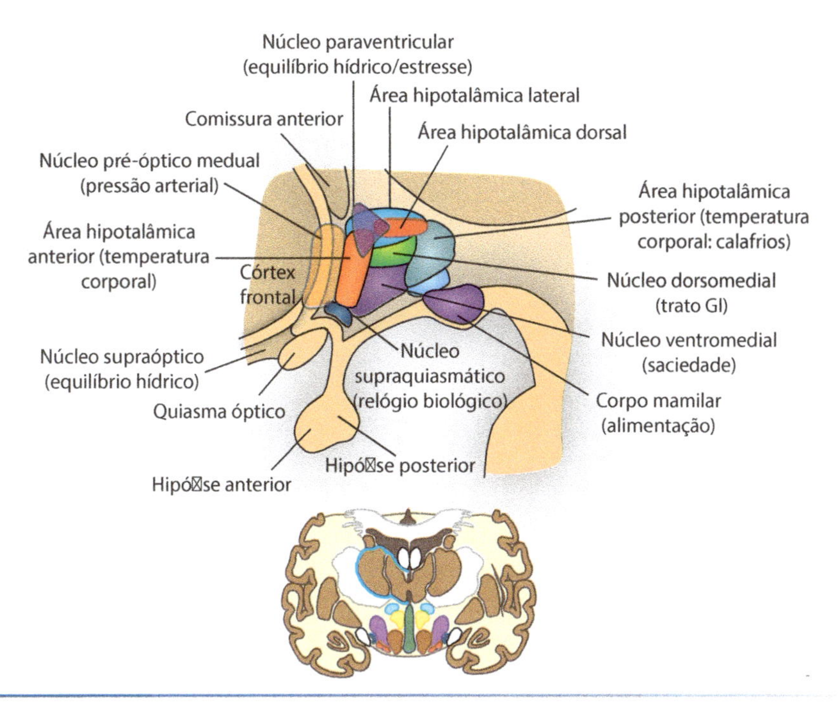

Figura 1.10 Hipotálamo e seus núcleos.
Fonte: Radanovic e Kato-Narita, 2016.

Tálamo

O tálamo, estrutura oval localizada acima do hipotálamo, funciona como estação de retransmissão dos impulsos sensoriais provindos dos vários tipos de receptores periféricos, agindo como um "filtro" modulador das informações que são enviadas ao córtex cerebral, assim chegando à consciência do indivíduo. Participa da rede de integração da informação motora entre os núcleos da base e cerebelo e como retransmissor das informações motoras para o córtex cerebral. Cada tálamo (D e E) é composto por vários núcleos agregados, sendo que cada núcleo apresenta uma especificidade funcional e se projeta para uma região determinada do córtex cerebral, com a qual compartilha essa especificidade (Figura 1.11). Além disso, o tálamo está integrado às redes cognitivas, participando dos mecanismos de alerta (ativação) cortical, atenção e memória, bem como de linguagem.

O tálamo pode ser dividido em quatro grupos de núcleos:

a. anterior (formado pelos núcleos anteriores);

b. medial (formado pelo núcleo dorsomedial);

c. ventral (formado pelos núcleos ventral anterior, ventral lateral, ventral posteromedial e ventral posterolateral);

d. posterior (formado pelos núcleos lateral posterior, pulvinar, corpo geniculado medial e corpo geniculado lateral).

Os grupos nucleares são separados entre si pela *lâmina medular interna*. Além disso, compõem o tálamo os núcleos intralaminares (localizados na intimidade da lâmina interna medular) e o núcleo reticular, que se assemelha a uma concha envolvendo grande porção do tálamo, o qual exerce influências inibitórias para a maioria dos demais núcleos. A importância do tálamo reside na sua posição estratégica dentro das redes de processamento corticossubcorticais, como as vias corticocerebelares-talamicacorticais e corticoestriatais-talamicacorticais (Figura 1.12).

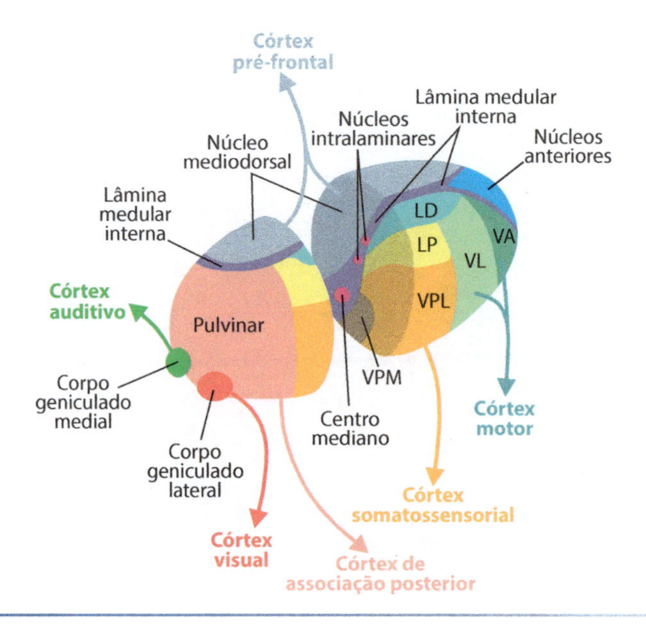

Figura 1.11 O tálamo e seus núcleos, com suas vias de projeção para o córtex cerebral.
Fonte: Adaptada de Radanovic e Kato-Narita, 2016.

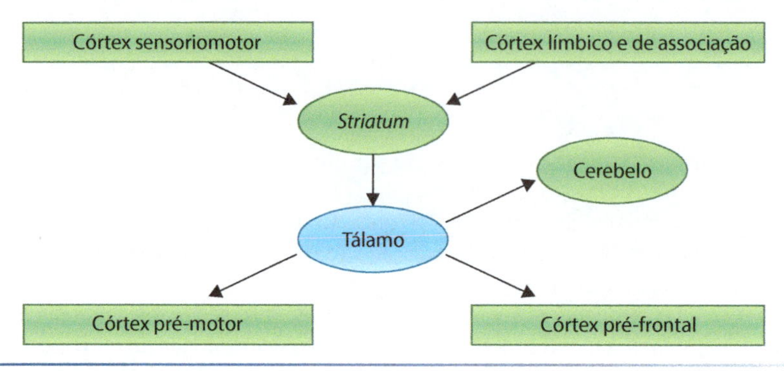

Figura 1.12 Representação esquemática das conexões corticoestriato-talamicacerebelares-corticais.
Fonte: Organizado pelo autor.

Cerebelo

O cerebelo (*"pequeno cérebro"*) localiza-se dorsalmente à ponte e ao bulbo e é uma das estruturas mais bem conhecidas do SN em termos de sua constituição e de suas vias de entrada e saída. Divide-se em *córtex cerebelar*, o qual apresenta três lobos (anterior, posterior e floculonodular) formando os hemisférios cerebelares, e *vérmis*, a região central (Figura 1.13). O cerebelo liga-se ao tronco encefálico através de três feixes de fibras conhecidas como *pedúnculos cerebelares*: superior, médio e inferior, por onde transitam suas fibras aferentes e eferentes (Tabela 1.7).

O cerebelo conecta-se ao tronco encefálico, do qual recebe informações sensório-motoras provindas da periferia, ao córtex sensório-motor, de onde recebe informações motoras e ao sistema vestibular, de onde recebe informações sobre a postura e o equilíbrio corporais. Assim, desempenha as funções de regular a força, ritmo e acurácia (harmonia) dos atos motores, permitindo a coordenação entre os diversos movimentos voluntários realizados com os necessários

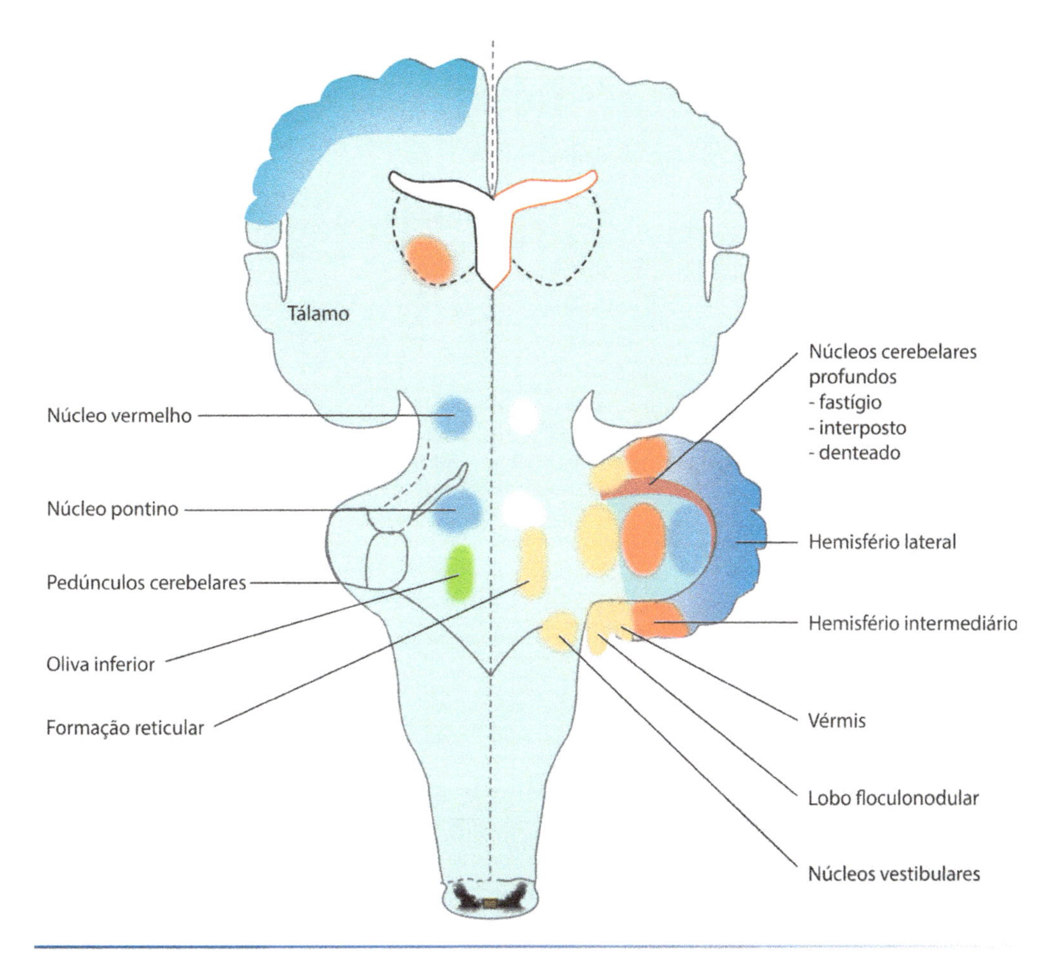

Figura 1.13 Representação da estrutura anatômica do cerebelo e de sua relação com o tronco encefálico. Fonte: Radanovic e Kato-Narita, 2016.

Tabela 1.7 Divisão funcional do cerebelo

Divisão	Região anatômica	Conexões	Função
Vestibulocerebelo (Arquicerebelo, mais antigo filogeneticamente)	Lobo floculonodular, núcleo fastigial e região do vérmis adjacente	Aferentes: • vestibulares: canais semicirculares e núcleos vestibulares • visuais: colículos superiores e córtex visual (via núcleos pontinos) Eferentes: • núcleos vestibulares medial e lateral • fascículo longitudinal medial • núcleos oculomotores (motricidade extrínseca)	Regulação do equilíbrio e movimentos oculares

Continua

Continuação

Divisão	Região anatômica	Conexões	Função
Espinocerebelo (Paleocerebelo)	Vérmis e parte intermediária dos hemisférios cerebelares (*paravermis*), núcleo interpósito	Aferentes: • Proprioceptivas: colunas dorsais da medula (trato espinocerebelar) e nervo trigêmeo • visuais • auditivas Eferentes: • núcleos cerebelares profundos e de volta ao córtex cerebral e tronco encefálico, modulando os sistemas motores descendentes • núcleo rubro • tálamo (núcleos ventral anterior e ventral lateral)	Regulação dos movimentos do corpo e membros Contém mapas sensoriais que recebem informações sobre a posição do tronco e membros: as fibras do vérmis recebem informações do tronco e porção proximal dos membros; o paravermis recebe informações da porção distal dos membros, podendo realizar projeções das posições futuras de partes do corpo (a partir das informações que recebe do córtex motor) e compará-las ao movimento efetivamente realizado (a partir das informações proprioceptivas), a fim de efetuar correções
Cerebrocerebelo (Neocerebelo, o mais recente filogeneticamente)	Porções laterais dos hemisférios cerebelares, núcleo denteado	Aferentes: • Córtex cerebral sensitivo e motor, via núcleos pontinos Eferentes: • Tálamo (porção ventrolateral), que se conecta com as áreas motora primária e pré-motora do córtex • Núcleo rubro • Oliva inferior	Planejamento do movimento Integração da informação sensorial para a ação Funções cognitivas

ajustes automáticos da postura e equilíbrio. De forma mais genérica, pode-se dizer que o cerebelo realiza um ajuste contínuo entre a atividade pretendida (estratégia) e a que é realizada de fato (comportamento frente ao ambiente), o que é possível pelo fato de receber informações centrais (provindas do córtex) e periféricas (provindas do tronco encefálico), e assim realizar uma comparação ininterrupta e em tempo real entre os comandos motores centrais e o que está sendo executado pelos músculos.

O cerebelo também desempenha um papel importante no aprendizado de novos programas motores e na aprendizagem por condicionamento clássico.

Nas últimas décadas, o papel do cerebelo nas funções cognitivas e comportamentais vem sendo progressivamente melhor compreendido. Sabe-se que lesões cerebelares podem provocar sintomas que se assemelham muito aos das lesões de lobo frontal, tais como déficits atencionais, redução da fluência verbal, lentidão e imprecisão de raciocínio, embotamento afetivo, comportamento desinibido, além de prejuízo no aprendizado implícito, devido à sua participação em sistemas corticoestriato-talamicocerebelares-frontais (Figura 1.12).

- **Divisão funcional do cerebelo:** o cerebelo é dividido em três regiões funcionais de acordo com a sua origem filogenética (evolutiva) e o papel desempenhado por cada área (que deriva das estruturas com a qual se conecta). Esta divisão é apresentada na Figura 1.13 e na Tabela 1.7.

Cérebro

O *cérebro*, dividido em dois *hemisférios cerebrais,* é a porção do SN que compreende estruturas diversas e complexas, como o córtex cerebral, os núcleos da base, a amígdala, o hipocampo e o bulbo olfatório. O córtex cerebral está relacionado às funções sensoriais-perceptuais, motoras e cognitivas. Os núcleos da base participam da modulação da atividade motora, bem como da regulação de algumas funções cognitivas e comportamentais. O hipocampo está relacionado ao aprendizado e consolidação de memórias; a amígdala tem um papel central no comportamento social e expressão de emoções; o bulbo olfatório relaciona-se ao olfato e a certos comportamentos emocionais ligados a este sentido. As três últimas regiões fazem parte do *sistema límbico*, um conjunto de estruturas relacionadas à emoção, ao aprendizado e ao comportamento social.

Os dois hemisférios cerebrais (D e E) são conectados por feixes de substância branca denominados *comissuras*, que permitem o tráfego de informações entre os dois lados. A maior comissura do cérebro é o *corpo caloso* (Figura 1.14).

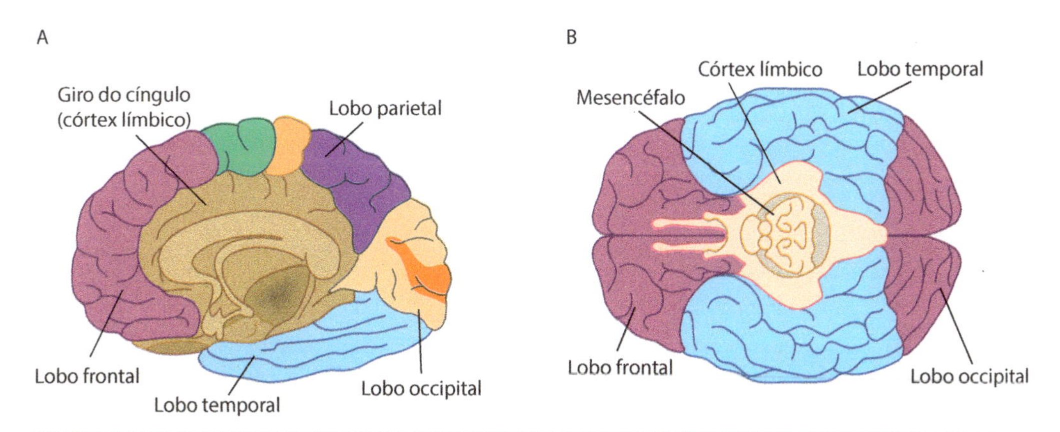

Figura 1.14 A. Vista medial do cérebro, onde se visualiza o giro do cíngulo e o corpo caloso; B. Vista inferior do cérebro, mostrando a localização do bulbo olfatório, parte do córtex límbico e tronco encefálico em relação aos lobos cerebrais.
Fonte: Adaptada de Radanovic e Kato-Narita, 2016.

Córtex cerebral

O córtex cerebral é a porção do cérebro que recebe as informações provindas de todas as outras regiões do SN, que chegam às *regiões sensitivas primárias*, que, por sua vez, elaboram as experiências que denominamos *percepção* do ambiente e onde são gerados os comportamentos de interação com esse ambiente. A resposta comportamental é implementada por meio do *córtex motor*, que gera os planos de toda a movimentação do indivíduo e comanda toda a atividade muscular; entre os dois sistemas (perceptual e motor), encontra-se um sistema intermediário que adapta as respostas do indivíduo às particularidades circunstanciais do momento, permitindo uma grande flexibilidade de respostas não encontrada em animais que não são dotados de sistema nervoso (ou, ao menos, em forma tão complexa); esse sistema intermediário integrativo é composto pelas *funções cognitivas*, realizadas pelas várias regiões do *córtex de associação*.

O córtex cerebral é dividido nos lobos frontal, temporal, parietal, occipital e ínsula. O lobo frontal é o maior, compreendendo cerca de um terço do volume cortical no ser humano. Os limites anatômicos principais que delimitam o lobo frontal são a *fissura de Sylvius (ou sylviana)*, que o separa do lobo temporal, *e o sulco central*, que o separa do lobo parietal. O lobo frontal apresenta três subdivisões funcionais: motora (incluindo a expressão da linguagem), paralímbica (relacionada ao processamento das emoções, sistema límbico e controle do comportamento afetivo e social) e cognitiva (incluindo uma gama de funções tão sofisticadas e complexas como *abstração, imaginação, raciocínio lógico*); o lobo frontal é a sede do que se denomina a *personalidade* do indivíduo. As funções paralímbica e cognitiva localizam-se em uma área mais anterior do córtex frontal, denominada *região pré-frontal* (Figura 1.14 e 1.15).

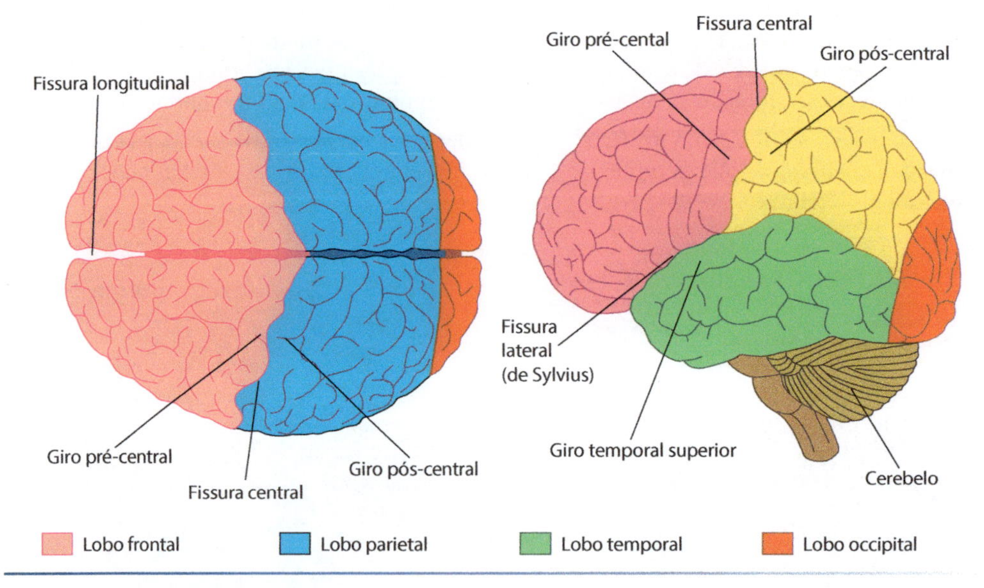

Figura 1.15 Vista superior e lateral do cérebro, mostrando os lobos frontal, temporal, parietal e occipital, e sua relação com o tronco cerebral e cerebelo.
Fonte: Adaptada de Brain illustrations.

O lobo temporal, separado dos lobos frontal e parietal pela *fissura de Sylvius* (localizando-se inferiormente a ela), é a região do cérebro onde se localiza o *córtex sensitivo auditivo* e o centro receptivo da linguagem (área de Wernicke). O lobo temporal apresenta intensas conexões recíprocas com o sistema límbico e, por isso, também participa das funções de regulação do comportamento emocional e autonômico, aprendizado e memória.

O lobo parietal é separado do lobo frontal pelo sulco central (localizado posteriormente a ela) e parcialmente do lobo temporal pela fissura sylviana (localizado superiormente a ela). O lobo parietal contém o *córtex sensitivo primário*, para onde confluem as informações sensoriais somáticas. O lobo parietal está também envolvido em funções como atenção, orientação espacial, integração sensorial e solução de problemas.

O lobo occipital relaciona-se fundamentalmente à função visual, sendo que nele se localiza o *córtex visual*, para onde convergem e são elaboradas todas as informações visuais provenientes da retina.

A ínsula localiza-se profundamente ao sulco de Sylvius, sendo recoberta pelos lobos frontal, temporal e parietal. Está relacionada ao controle de funções autonômicas e ao sistema límbico. Na porção medial (interna) do córtex cerebral, encontra-se o *giro do cíngulo*, uma região de córtex relacionada aos aspectos motivacionais e emocionais, apresentando intensas conexões com o sistema límbico.

O neurologista alemão Korbinian Brodmann subdividiu o córtex cerebral em diversas regiões de acordo com as especificidades histológicas de seus neurônios, criando um mapa citoarquitetônico (ou seja, baseado na organização celular) com as denominadas *áreas de Brodmann,* numeradas de 1 a 52, primeiramente publicado em 1909.[1] Neste mapa, o córtex somatossensitivo primário corresponde às áreas 1, 2 e 3 de Brodmann, o córtex visual primário corresponde à área 17 de Brodmann e o córtex auditivo primário, às áreas 41 e 42. Algumas áreas foram posteriormente subdivididas (p. ex.: áreas 23a e 23b) (Figura 1.16).

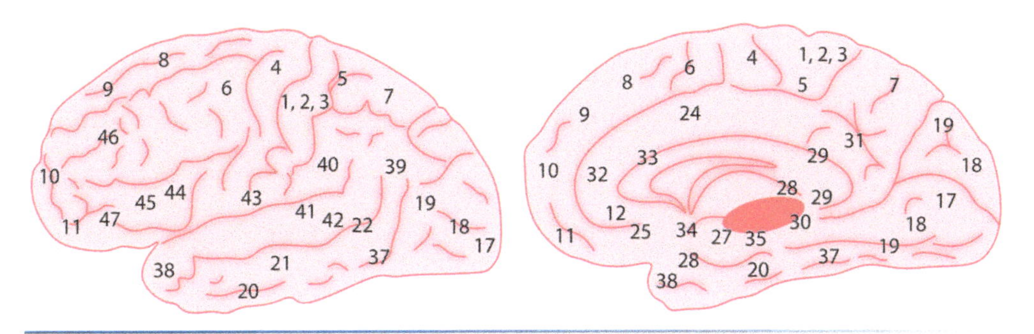

Figura 1.16 Superfícies lateral e medial do córtex cerebral mostrando o mapa citoarquitetônico de Brodmann. Fonte: Radanovic e Kato-Narita, 2016.

Núcleos da base

Denomina-se *núcleos da base* um conjunto de estruturas compostas por agrupamentos de neurônios (núcleos), localizadas na base do cérebro. Os principais são o *striatum* (ou corpo estriado), a substância negra (localizada no mesencéfalo) e o núcleo subtalâmico de Luys. As conexões entre os núcleos da base são extremamente complexas, escapando aos objetivos deste capítulo explorar todos os seus detalhes; serão expostas de forma breve e simplificada as principais conexões entre essas estruturas, que apresentam interesse mais direto por sua implicação na fisiopatologia de algumas doenças comuns em Neurologia.

O *striatum* é constituído pelo *núcleo caudado*, *putâmen, globo pálido* e *núcleo accumbens*. Esses núcleos compartilham sua origem filogenética, estrutura e função, daí serem agrupados como uma estrutura única. Denomina-se *neostriatum* ao conjunto formado pelo núcleo caudado e putâmen, e *paleostriatum* ao globo pálido. O núcleo caudado apresenta as porções cabeça, corpo e cauda (Figura 1.17) e é separado do putâmen pela *cápsula interna* (conjunto de fibras motoras provenientes do córtex). O *neostriatum* recebe aferências maciças do córtex cerebral, sendo a principal via de entrada de informações que se destinam ao circuito dos núcleos da base. Seus neurônios projetam-se para o globo pálido e substância negra, os quais constituem a principal via de saída de informações processadas nos núcleos da base. O globo pálido localiza-se medialmente ao putâmen, e as duas estruturas em conjunto são muitas vezes designadas *núcleo lentiforme*, em função da contiguidade anatômica. O globo pálido divide-se em uma porção *externa* e uma porção *interna*, cada uma com particularidades funcionais. A substância negra também apresenta duas porções distintas funcionalmente, a *pars compacta* (SNc) e a *pars reticulata* (SNr).

Os núcleos da base funcionam como elementos de ligação entre o córtex cerebral e o tálamo, formando uma rede de circuitos paralelos entre estes, o que permite que as informações provenientes do córtex cerebral sofram modulação, antes de serem direcionadas ao tálamo (e de volta ao córtex) ou prosseguirem para estruturas hierarquicamente inferiores, no tronco encefálico

(Figura 1.18). Essa modulação é possível devido ao fato de as diversas estruturas dos núcleos da base exercerem influências excitatórias ou inibitórias sobre as estruturas adjacentes, de acordo com o neurotransmissor usado em suas vias de projeção.

Diversas doenças neurológicas estão relacionadas a disfunções dos núcleos da base. Entre elas, podemos citar a doença de Parkinson (perda de neurônios da substância negra, com diminuição da liberação de dopamina nas vias nigroestriatais), a doença de Huntington (em que ocorre atrofia do núcleo caudado), a síndrome de Tourette e o transtorno obsessivo-compulsivo (TOC).

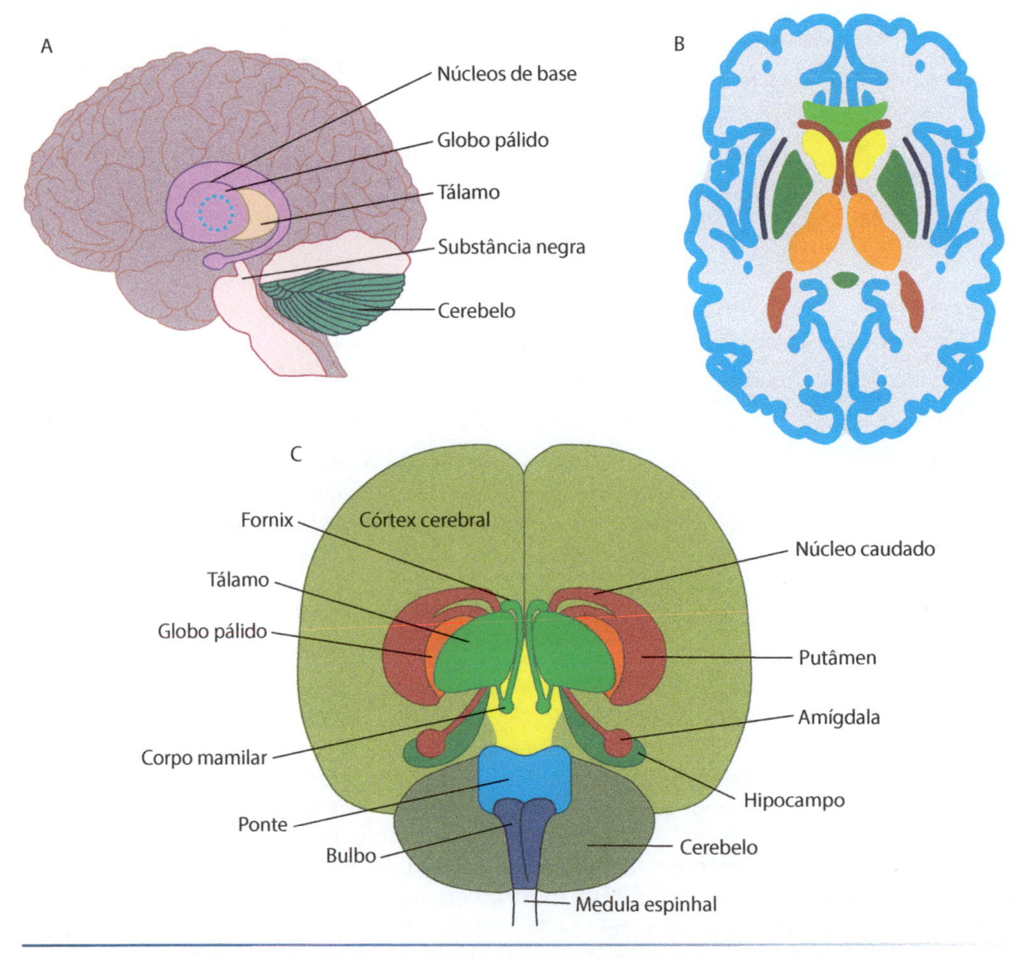

Figura 1.17 Visão lateral (A), axial (B) e coronal (C) do cérebro mostrando a localização dos núcleos da base em relação ao córtex, cerebelo, ponte e algumas estruturas do sistema límbico (amígdala e corpos mamilares). Fonte: Adaptada de Radanovic e Kato-Narita, 2016.

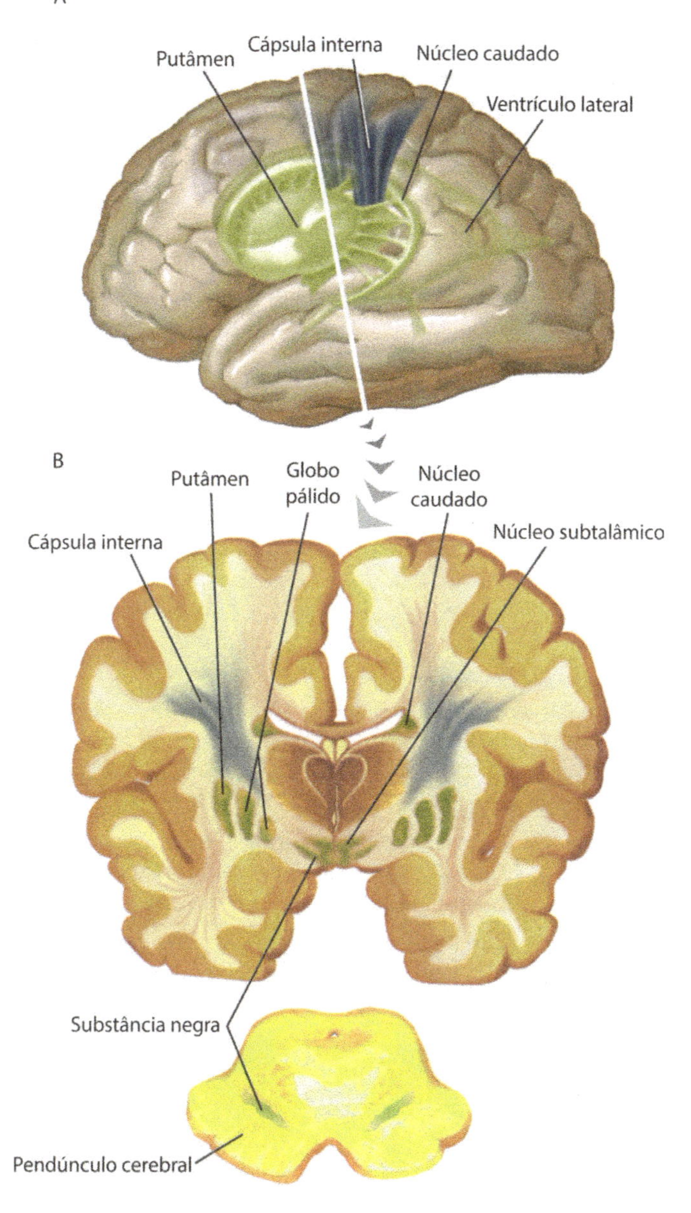

Figura 1.18 Conexões entre as diversas estruturas dos núcleos da base e destas com o córtex e o tálamo. Fonte: Lent, 2010.

Sistema Ventricular

Os hemisférios cerebrais têm cavidades denominadas *ventrículos laterais* (D e E), que contêm o *líquido cefalorraquidiano* (LCR) em seu interior. Os ventrículos laterais comunicam-se com o *III ventrículo* (localizado no interior do diencéfalo, circundado pelos tálamos em grande parte) através dos *forames interventriculares de Monro*. O III ventrículo, por sua vez, comunica-se com o *IV ventrículo* (localizado na ponte e bulbo) através do *aqueduto cerebral* (localizado no mesencéfalo). O IV ventrículo é a continuação do *canal central* da medula.

O LCR, ou *líquido cerebroespinhal* (LCS), é um fluido incolor que se localiza no espaço subaracnoide e dentro das cavidades ventriculares, cuja função principal é a proteção mecânica do sistema nervoso, funcionando como um coxim entre este e o arcabouço ósseo e amortecendo impactos ou mudanças súbitas de pressão que ocorram no sistema (Figura 1.19).

O LCR é produzido pelos *plexos coroides* (localizados nos ventrículos laterais, III e IV ventrículos) e pelo *epêndima* (parede interior dos ventrículos), sendo a maior parte produzida pelos ventrículos laterais. O sistema do LCR apresenta cerca de 100 a 150 mL e é totalmente renovado a cada 8 horas, aproximadamente. O LCR circula dos ventrículos laterais para o III ventrículo e deste, via aqueduto cerebral, para o IV ventrículo. O IV ventrículo tem aberturas, através das quais o LCR passa para o espaço subaracnoide e é reabsorvido pelo sangue através das *granulações aracnoideas* da dura-máter. Como o principal ponto de reabsorção localiza-se no *seio sagital superior*, o fluxo do LCR se faz de baixo para cima. O LCR também circula em direção à medula espinhal, descendo por seu espaço subaracnoide em direção caudal, sendo grande parte reabsorvida pelas granulações aracnoideas da dura-máter que envolvem as raízes nervosas espinhais (Figura 1.20).

A análise da composição do LCR, cuja amostra é obtida por meio de punção com agulha nas regiões ventriculares, suboccipital ou lombar, pode fornecer informações importantes sobre processos patológicos ocorrendo no SN, como a existência de infecções, inflamações, sangramentos e, até mesmo, processos neoplásicos.

Barreiras encefálicas são sistemas funcionais que dificultam ou impedem a passagem de substâncias do sangue para o LCR (barreira hematoliquórica) e para o tecido nervoso (barreira hematoencefálica), a fim de proteger o SN de agentes agressores, toxinas, medicamentos ou

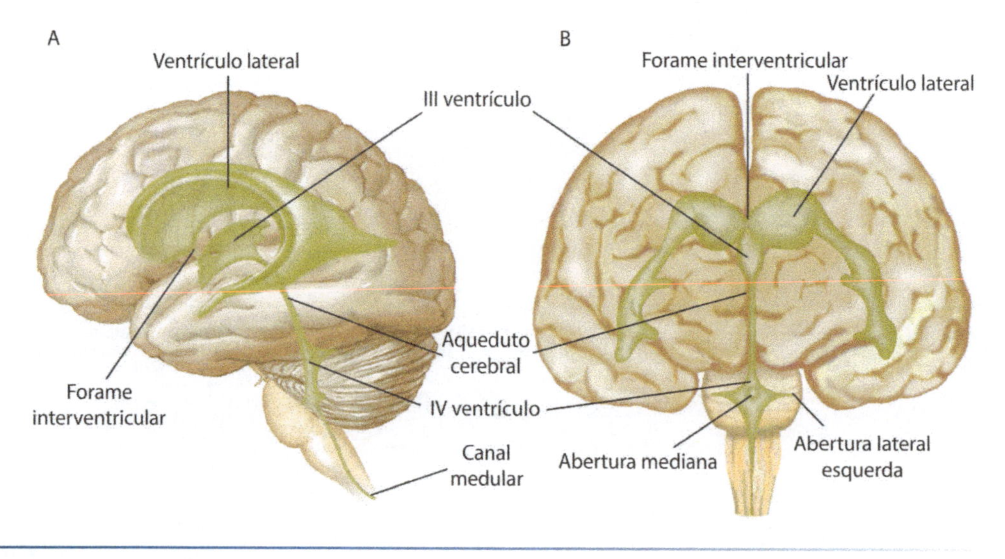

Figura 1.19 Sistema ventricular.
Fonte: Lent, 2010.

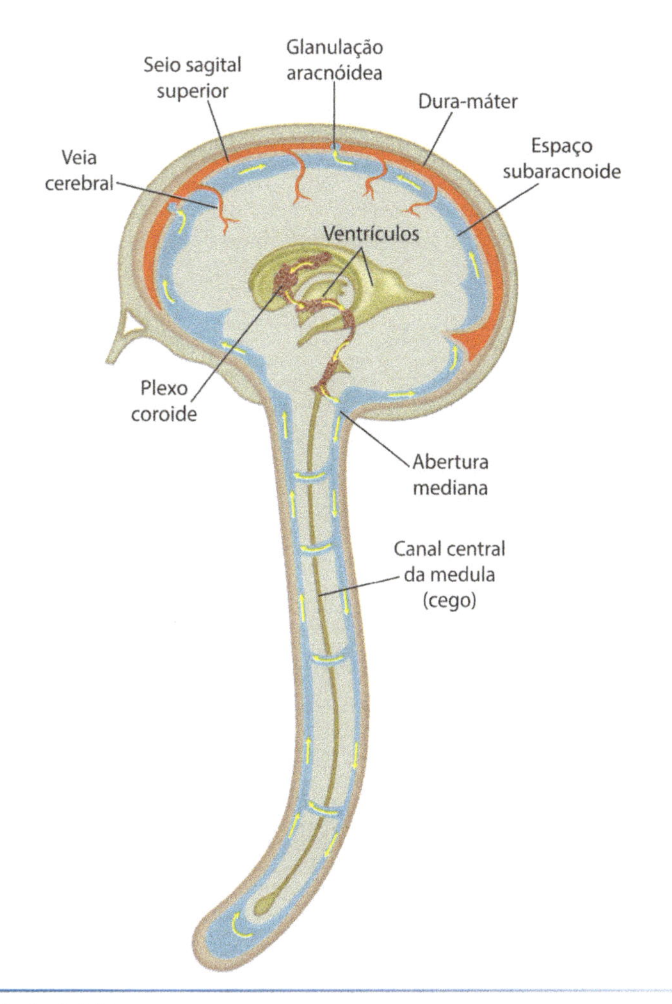

Figura 1.20 Circulação do LCR.
Fonte: Lent, 2010.

mesmo de substâncias produzidas pelo próprio organismo (bilirrubina, neurotransmissores), mas que em altas concentrações poderiam prejudicar o funcionamento do SN. A barreira hematoliquórica é formado pelo epitélio ependimário dos plexos coroides, e a barreira hematoencefálica deriva da permeabilidade seletiva entre o endotélio dos vasos capilares do SNC e o espaço extracelular do tecido nervoso.

Vascularização do Sistema Nervoso

O encéfalo é irrigado a partir das artérias carótidas e vertebrais. Das artérias carótidas internas, emergem as artérias cerebral anterior (ACA) e cerebral média (ACM), responsáveis pelo suprimento sanguíneo da porção medial dos lobos frontal e parietal e da porção lateral dos hemisférios cerebrais respectivamente.

As artérias vertebrais, por sua vez, unem-se para formar a artéria basilar. Das artérias vertebrais, partem ramos que irrigam a medula (artérias espinhais anterior e posterior), bulbo e parte do cerebelo (artéria cerebelar posteroinferior). Da artéria basilar, partem ramos que irrigam a ponte e a maior parte do cerebelo (artérias cerebelares anteroinferior e superior). A artéria basilar se divide, então, para formar as artérias cerebrais posteriores (ACP) que irrigam o mesencéfalo, o lobo occipital e uma porção do lobo temporal (Figuras 1.21 e 1.22).

Existe um sistema de comunicação (anastomose) entre os sistemas carotídeo e vertebral, denominado *polígono de Willis*, que garante suprimento sanguíneo por vias colaterais caso haja insuficiência de fluxo em um determinado território (p. ex.: casos de obstrução arterial). O polígono de Willis é formado pelas artérias cerebrais anteriores (unidas entre si pela artéria comunicante anterior), carótidas internas e cerebrais posteriores, ligadas pelas artérias comunicantes posteriores (Figura 1.23).

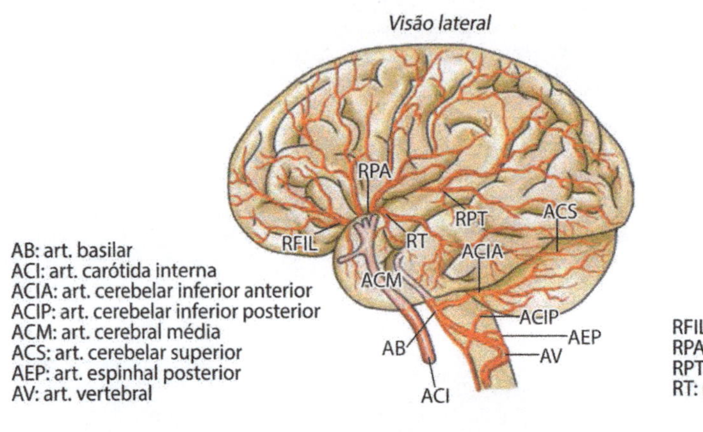

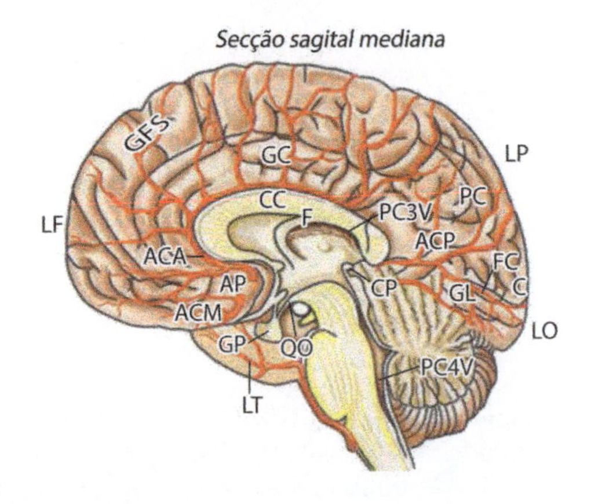

Figura 1.21 Principais territórios arteriais do encéfalo e suas áreas de irrigação.
Fonte: Radanovic e Kato-Narita, 2016.

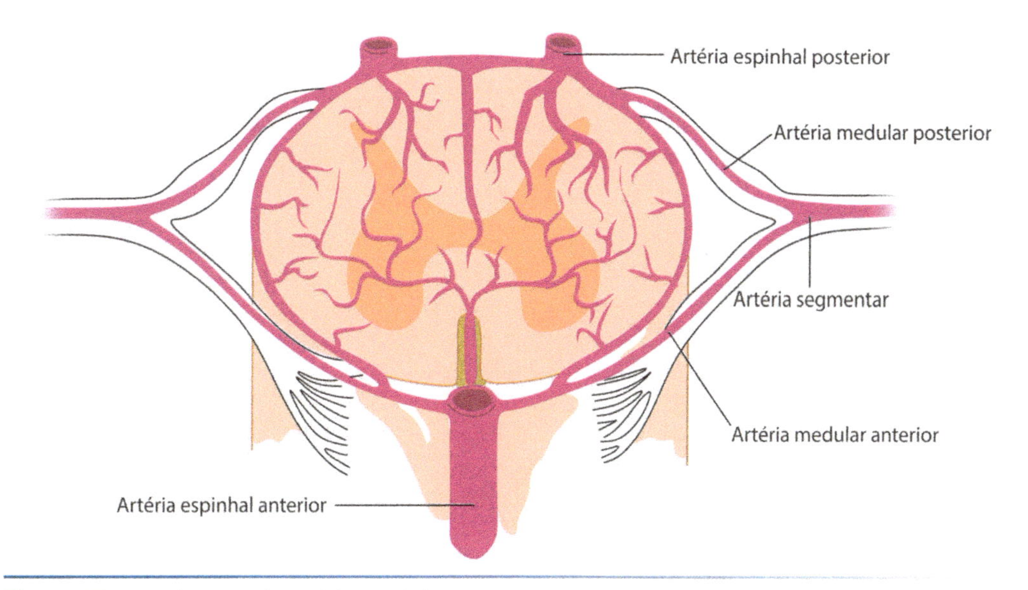

Figura 1.22 Vascularização da medula espinhal.
Fonte: Radanovic e Kato-Narita, 2016.

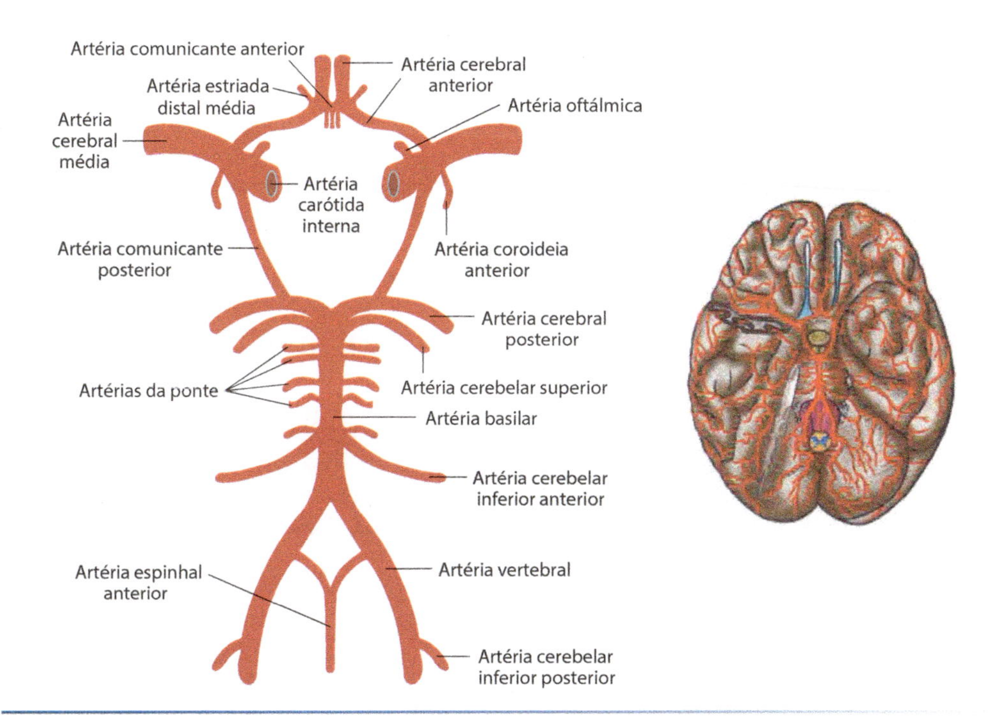

Figura 1.23 À esquerda, o polígono de Willis, mostrando as principais conexões entre as artérias cerebrais; à direita, sua localização na porção anterior do encéfalo.
Fonte: Radanovic e Kato-Narita, 2016.

Anatomia Microscópica do Sistema Nervoso

O SN é composto de células altamente diferenciadas, que exercem diferentes funções. No SNC, encontramos os neurônios, as células gliais, as células da meninge, e do plexo coroide.

De acordo com a *doutrina neuronal*, inicialmente enunciada pelo anatomista espanhol Ramón y Cajal no final do século XIX, o neurônio é a unidade básica do SN, do ponto de vista estrutural e funcional[2]. Neurônios são células altamente especializadas, altamente excitáveis, que exercem uma função de processamento e transmissão de informação. Essa célula apresenta como principais particularidades o estabelecimento de *sinapses* e a produção de *neurotransmissores* (substâncias químicas que transmitem informação de um neurônio a outro através das sinapses). O número de neurônios no SNC é estimado em 86 a 100 bilhões,[3,4] e o número de sinapses em um indivíduo adulto é estimado entre 100 e 500 trilhões.[5]

Os neurônios apresentam subespecializações: neurônios *sensitivos* respondem a estímulos químicos e físicos, como luz, pressão sobre a pele, ondas sonoras, moléculas que produzem odores etc., e sinalizam para o SNC a ocorrência de eventos externos ao organismo (interação com o ambiente) e a situação interna do organismo (regulação da homeostase corporal). Os neurônios sensitivos estão presentes nos órgãos sensoriais. Os *motoneurônios* ou neurônios *motores* transmitem informações de uma central de comando (com origem no SNC) para músculos e glândulas a fim de gerar movimento em resposta a um estímulo, ou o ajuste do metabolismo corporal. *Interneurônios* fazem a comunicação dos neurônios de uma determinada região do cérebro ou da medula espinhal entre si com a finalidade de modular a atividade local. Assim, tem-se que os neurônios processam e veiculam informação entre si (neurônio–neurônio), entre órgãos sensoriais e o SNC, e entre o SNC e os órgãos efetores (músculos e glândulas).

Neurônios podem variar em tamanho, dependendo de sua localização e função, bem como em sua conformação estrutural. O neurônio é composto pelo *corpo celular* e um prolongamento denominado *axônio*. O corpo celular do neurônio contém seu núcleo e todas as organelas celulares necessárias para seu funcionamento. O corpo celular do neurônio também apresenta diversos prolongamentos denominados *dendritos* (que podem variar de um a centenas, e até mil em um mesmo neurônio), os quais constituem o ponto de contato com os neurônios vizinhos. Os dendritos têm diversas ramificações, daí a denominação *árvore dendrítica* para o conjunto de dendritos de um determinado neurônio.

Cada neurônio tem um prolongamento maior, denominado axônio, que se ramifica em sua porção terminal e se conecta aos neurônios vizinhos por meio dos *botões sinápticos terminais* (*sinapse*). Assim, a comunicação entre dois neurônios, denominada *sinapse*, se estabelece entre o axônio de um neurônio e o dendrito do neurônio adjacente. A existência de vários dendritos no corpo celular e a ramificação do axônio em diversos botões terminais permitem que um determinado neurônio se comunique com um grande número de neurônios da sua vizinhança e também à distância. O número de conexões de um neurônio pode, então, variar de uma ou duas a dezenas de milhares, o que explica a complexidade do funcionamento do SN.

Considerando-se uma determinada sinapse, denomina-se *pré-sináptico* o neurônio que se situa antes dela, e neurônio *pós-sináptico* ao que se situa depois. Esta nomenclatura é obviamente relativa, pois considerando que os neurônios formam uma intrincada rede, o mesmo neurônio será pré-sináptico em relação a uma sinapse, mas pós-sináptico em relação à sinapse imediatamente anterior na via considerada. Na maior parte dos casos, as sinapses são *axodendríticas*, como descrito acima; no entanto, algumas vezes, um axônio faz sinapse no próprio corpo celular do neurônio adjacente (*sinapse axosomática)* (Figuras 1.24 e 1.25).

Do ponto de vista estrutural, os neurônios podem ser unipolares, bipolares ou multipolares. Neurônios unipolares (ou pseudounipolares) têm dendrito e axônio emergindo da mesma localização; neurônios bipolares têm um dendrito e um axônio que emergem de regiões opostas do corpo celular; neurônios multipolares têm mais de dois dendritos. A Tabela 1.8 ilustra os tipos principais de neurônios encontrados no SN.

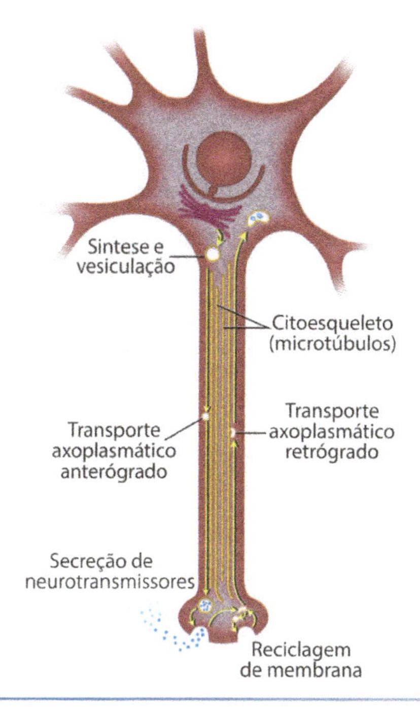

Figura 1.24 Estrutura básica do neurônio.
Fonte: Baseada em Lent, 2010.

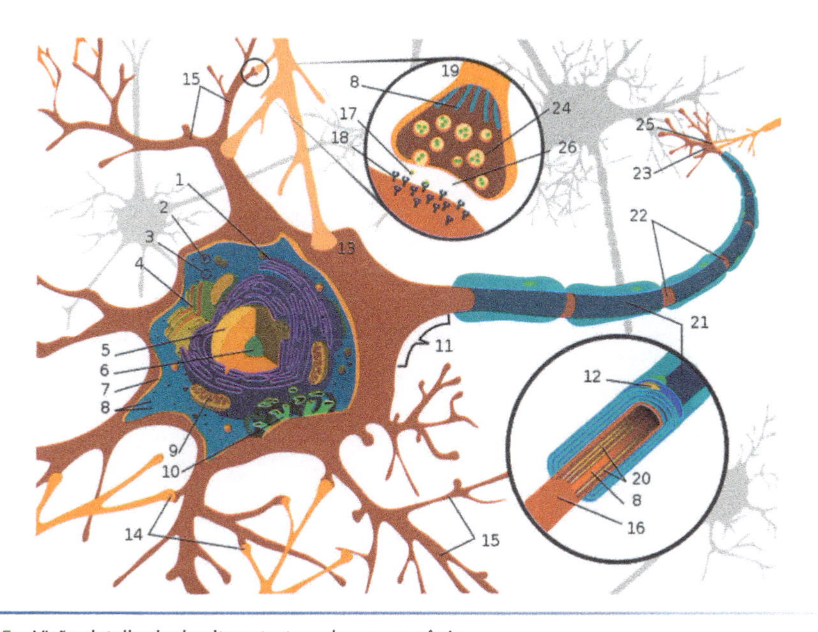

Figura 1.25 Visão detalhada da ultraestrutura de um neurônio.
1: retículo endoplasmático rugoso (corpo de Nissl); 2: poliribossomos; 3: ribossomos; 4: aparelho de Golgi; 5: núcleo; 6: nucléolo; 7: membrana; 8: microtúbulos; 9: mitocôndria; 10: retículo endoplasmático liso; 11: hilo do axônio; 12: núcleo da célula de Schwann; 13: sinapse axosomática; 14: sinapse axodendrítica; 15: dendritos; 16: axônio; 17: neurotransmissores; 18: receptores; 19: sinapse; 20: microfilamentos; 21: bainha de mielina; 22: nódulos de Ranvier; 23: axônio terminal; 24: vesículas sinápticas; 25: sinapse axoaxônica; 26: fenda sináptica.
Fonte: Radanovic e Kato-Narita, 2016.

Tabela 1.8 Principais tipos de neurônios

Tipo de neurônio	Características principais	Local de ocorrência
Células piramidais	Corpo celular triangular, com axônios longos	Córtex cerebral
Células em cesto	Axônios dilatados	Cerebelo
Células de Purkinje	Grandes, multipolares	Cerebelo
Neurônios granulares	Multipolares, com um axônio	Cerebelo
Células de Betz	Grandes motoneurônios	Córtex motor primário
Neurônios do corno anterior	Motoneurônios	Medula espinhal
Células de Renshaw	Ambas as terminações ligadas a motoneurônios alfa	Medula espinhal

Os axônios são revestidos por uma capa composta de 80% de lipídeos (gordura) e 20% de proteínas, denominada *bainha de mielina*, cuja função principal é aumentar a velocidade de condução do estímulo, o que é fundamental para que o SNC possa exercer sua função de permitir nossa interação com o mundo em tempo real. A bainha de mielina não é contínua por toda a extensão do axônio, existindo regiões em que está ausente; estas regiões são denominadas *nódulos de Ranvier*, onde existe uma grande concentração de canais iônicos necessários para a geração do potencial de ação. Nos neurônios mielinizados, a propagação dos impulsos se faz através das regiões onde não há bainha de mielina (que funciona como um isolante elétrico), "saltando" de um nódulo de Ranvier até o seguinte, o que aumenta muito a velocidade de condução dos estímulos. Deve-se considerar que alguns feixes de axônios podem ter mais de 1 m de comprimento, como os que saem da medula espinhal com destino aos músculos dos dedos dos pés em um indivíduo adulto. Nesse caso, a velocidade de condução é fundamental para que não haja uma latência muito grande entre a ordem enviada a partir do córtex motor até sua efetuação pelos músculos. A bainha de mielina é produzida pelas células de Schwann, no SNP, e pelos oligodendrócitos, no SNC (Figura 1.26). Tratos altamente mielinizados incluem as grandes vias motoras e sensitivas. Os tratos que veiculam a dor, contudo, são *amielínicos*, e, portanto, sua velocidade de condução de estímulos é bastante inferior; isso explica o fenômeno vivenciado por qualquer

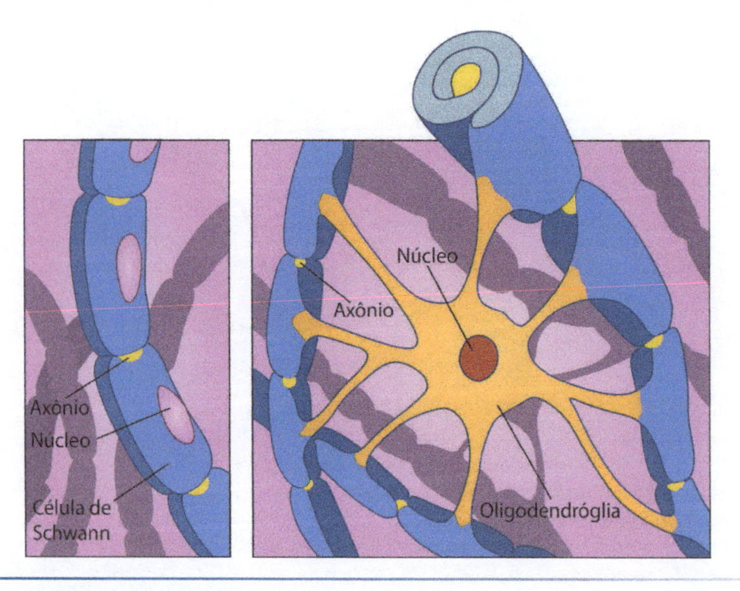

Figura 1.26 Mielinização do SNP e SNC.
Fonte: Adaptada de Radanovic e Kato-Narita, 2016.

indivíduo que, tendo retirado rapidamente a mão de uma superfície muito quente, sente a dor da queimadura apenas 1 ou 2 segundos depois. A coloração branca da mielina é a responsável pelo aspecto da substância branca do SN e dos nervos periféricos. Várias doenças neurológicas têm sua origem em disfunções da bainha de mielina. Entre elas, podemos destacar as leucodistrofias, a esclerose múltipla e a síndrome de Guillain-Barré (polirradiculoneurite aguda).

A propagação dos impulsos nervosos na complexa rede neuronal se dá por meio de um mecanismo *eletroquímico,* denominado *transmissão sináptica.* Quando um neurônio libera um determinado neurotransmissor na fenda sináptica, esse neurotransmissor se liga a *receptores* específicos localizados nos neurônios pós-sinápticos, provocando um efeito nesses neurônios. Se esse efeito for excitatório, o neurônio pós-sináptico sofrerá uma modificação na disposição das cargas elétricas ao longo de sua membrana celular, e essa modificação gerará uma inversão da diferença de potencial (voltagem) elétrico da membrana (denominada *despolarização*), e o neurônio disparará um *potencial de ação*, que se propagará ao longo de todo o axônio, até o neurônio seguinte, onde o fenômeno se repetirá (Figura 1.27). Se o efeito do neurônio que liberou o neurotransmissor for *inibitório,* o neurônio pós-sináptico sofrerá uma modificação elétrica

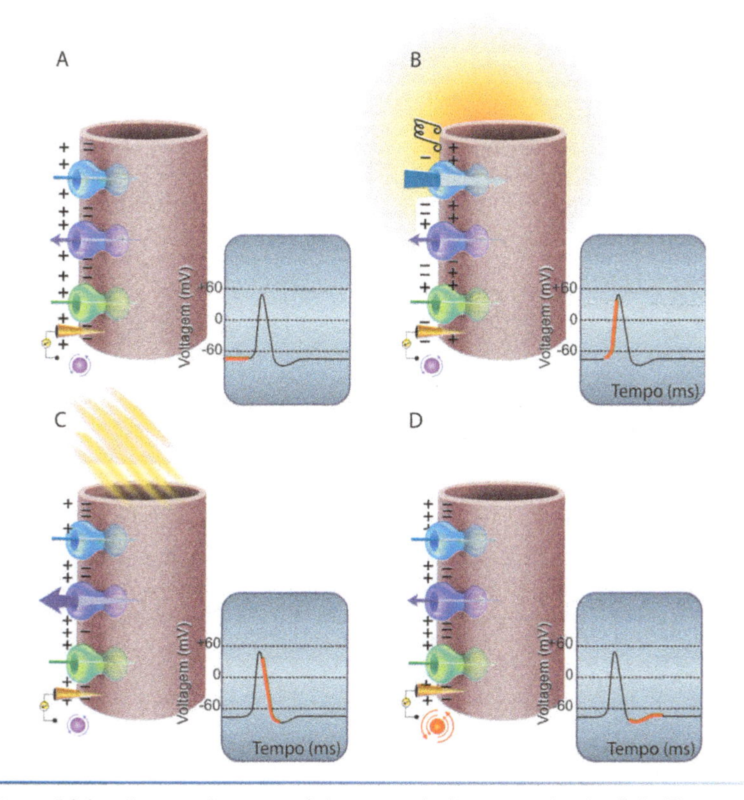

Figura 1.27 Potencial de ação: quando um neurônio em estado de repouso é estimulado (A), ocorre uma rápida entrada de íons sódio (Na^+) (seta em azul), o que modifica a voltagem da membrana celular, tornando-a menos negativa (despolarizada) (B). O local do neurônio que contém o maior número de canais de Na^+ (em azul) é o *hilo* (base) do axônio, sendo, por isso, a região mais excitável. Logo em seguida, ocorre saída de íons potássio (K^+) (em roxo) para o meio extracelular, a fim de restaurar a polaridade negativa no interior da célula, e a membrana se torna então, *hiperpolarizada* e temporariamente refratária a novos estímulos (seta roxa em C). A partir daí, proteínas carregadoras de íons sódio e potássio ("bombas" – esfera vermelha em D) encarregam-se de restabelecer a situação original (Na^+ é enviado de volta para o meio extracelular, e K^+ para o meio intracelular) e o neurônio está pronto para disparar novamente (D). Essa alteração de polaridade elétrica se propaga por todo o neurônio, gerando a liberação de neurotransmissores e estimulação (ou inibição) do neurônio seguinte.

em sua membrana que o tornará menos propenso a disparar um potencial de ação (*hiperpolarização)*. Em outras palavras, estímulos excitatórios aumentam a taxa de disparo dos neurônios, e estímulos inibitórios a diminuem. Existem ainda neurônios *moduladores*, que causam efeitos de longa duração em seus neurônios-alvos, não participando diretamente do mecanismo de disparo de um potencial de ação.

Uma vez atingida a porção terminal do neurônio, o potencial de ação provoca a abertura de canais de cálcio (Ca^{++}), permitindo que esse íon penetre no interior da célula, propiciando a ligação das vesículas que contêm os neurotransmissores com a membrana sináptica, e liberando seu conteúdo na fenda sináptica. Os neurotransmissores ligam-se aos seus receptores específicos graças à conformação espacial de suas moléculas, ou seja, para cada neurotransmissor haverá receptores que exibem formatos que permitem que o neurotransmissor se encaixe neles, como uma chave em uma fechadura. O fator que determina se um determinado estímulo será excitatório ou inibitório é o tipo de receptor a que o neurotransmissor se liga, ou seja, os receptores são excitatórios ou inibitórios. No entanto, muitos neurotransmissores apresentam uma ação consistente ao longo de todas as vias de que participam: por exemplo, o neurotransmissor GABA (ácido gama-aminobutírico) é sempre inibitório, e o glutamato exerce efeito excitatório. O conhecimento dos tipos de neurotransmissores, seu mecanismo de ação, o modo como são sintetizados, liberados e metabolizados formam a base da Neuropsicofarmacologia, pois por intermédio de substâncias químicas administradas na forma de remédios, pode-se atuar nesses sistemas e modificar (em certa medida) seu funcionamento. A Tabela 1.9 mostra alguns dos principais neurotransmissores do SNC e sua ação.

Quando liberados na fenda sináptica, os neurotransmissores exercem sua ação ao se ligarem com os receptores do neurônio pós-sináptico. Para que a ação tenha uma duração limitada, é necessário que, após sua liberação, os neurotransmissores sejam removidos da fenda; isso pode acontecer por meio de mecanismo de *recaptação* (os neurotransmissores retornam para o interior

Tabela 1.9 Principais neurotransmissores e seus locais de origem e ação

Neurotransmissor	Locais de ação
Acetilcolina	Ação excitatória; atua na formação reticular e algumas estruturas do sistema límbico; envolvida nos mecanismos de alerta e atenção, aprendizado e memória de curto prazo; no SNP é o neurotransmissor liberado na *junção neuromuscular*, ou seja, na sinapse entre as fibras do nervo periférico e seu músculo efetor; no SNA, é o neurotransmissor das vias parassimpáticas
GABA (ácido gama-aminobutírico)	Ação inibitória, presente de forma disseminada no córtex cerebral
Dopamina	Presente no sistema límbico e suas conexões com o córtex, sua liberação gera sensação de prazer; está envolvida em funções cognitivas; atua também no sistema nigroestriatal relacionado à modulação do movimento
Serotonina	Presente nos núcleos da rafe; relacionada com sensação de bem-estar, saciedade, regulação da temperatura corporal, aumento da tolerância à dor
Glutamato	Ação excitatória, presente no SNC e medula espinhal
Noradrenalina	Presente em regiões do tronco encefálico, como o *locus coeruleus* (na ponte) e área tegmentar lateral, atuando extensamente no sistema límbico e córtex cerebral
Adrenalina	Responsável pelas respostas ao estresse (reação de "luta ou fuga") através de sua ação nas vias simpáticas do SNA
Glicina	Ação inibitória, atuando primariamente na medula espinhal
Histamina	Presente no SNC e SNP, relacionado aos mecanismos de regulação do sono e prazer sexual
Substância P	Relacionado à transmissão da sensação de *dor* pelos tratos sensitivos

SNA: sistema nervoso autônomo; SNC: sistema nervoso central; SNP: sistema nervoso periférico.

do neurônio que os liberou) ou *degradação* (são inativados por enzimas presentes na fenda sináptica) (Figura 1.28 e Tabela 1.10).

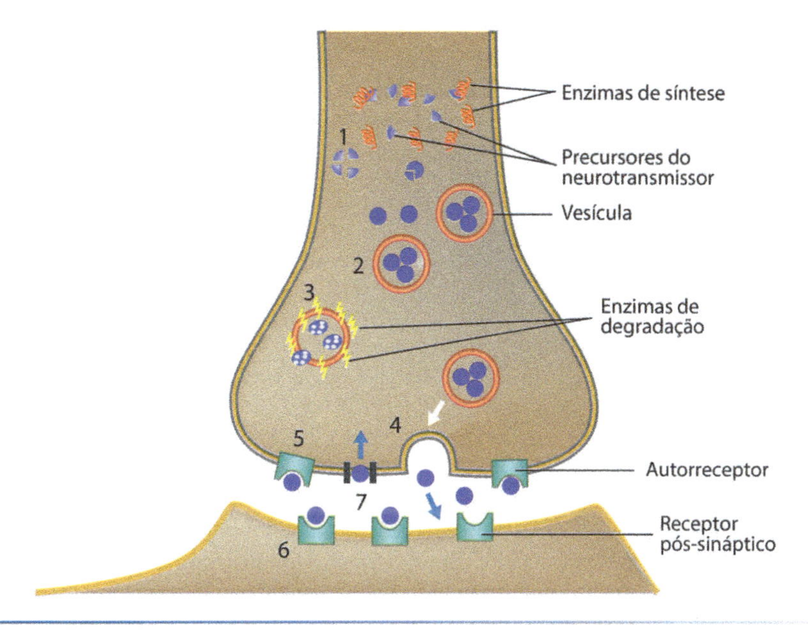

Figura 1.28 Neurotransmissores: síntese, liberação e metabolização.
Fonte: Radanovic e Kato-Narita, 2016.

Tabela 1.10 Síntese, liberação e metabolização dos neurotransmissores (Figura 1.28)

1. Os neurotransmissores são sintetizados a partir de seus precursores, sob a ação de enzimas específicas
2. As moléculas de neurotransmissores são estocadas em vesículas
3. As moléculas de neurotransmissores que "escapam" das vesículas são destruídas por enzimas
4. Os potenciais de ação sinápticos fazem as vesículas se fundirem com a membrana pré-sináptica e liberarem o neurotransmissor na sinapse
5. Os neurotransmissores liberados na sinapse ligam-se a seus receptores pré-sinápticos e inibem sua liberação continuada (modulação)
6. Os neurotransmissores liberados na sinapse ligam-se a seus receptores pós-sinápticos
7. Os neurotransmissores liberados na sinapse são inativados por recaptação (na membrana pré-sináptica) ou degradação enzimática na própria sinapse

Além de sua diversidade estrutural, os neurônios também apresentam peculiaridades eletrofisiológicas, que se traduzem por diferentes formas de disparo dos potenciais de ação quando estimulados:

- **Neurônios de adaptação lenta:** neurônios do tipo *tônico*, ou seja, apresentam um ritmo de disparo regular constante; quando submetidos a um estímulo de intensidade crescente, passam a apresentar um maior *número* de disparos por segundo (aumento da *frequência*). Um exemplo deste tipo de célula são os fotorreceptores da retina.
- **Neurônios de adaptação rápida:** neurônios do tipo *fásico*, os quais apresentam sequências de disparos que cessam rapidamente; quando submetidos a um estímulo contínuo, apresentam um conjunto de disparos que cessa apesar de o estímulo ser mantido. Um exemplo deste tipo de célula são os receptores de tato presentes na pele: quando algo a

toca, os neurônios locais respondem com disparos que cessam mesmo que o objeto continue exercendo pressão sobre o local. Só haverá nova sinalização se o objeto mudar de lugar, se houver alteração na pressão exercida, ou quando o estímulo cessar.

Os neurônios, uma vez diferenciados e maduros, não são mais capazes de entrar em mitose, ou seja, não são capazes de se reproduzir como as células de diversos outros tecidos do organismo.[6] Isso explica por que as lesões de SN usualmente provocam disfunções permanentes, já que os neurônios destruídos não serão "ressubstituídos", ou o serão apenas parcialmente. No entanto, hoje se sabe que algumas regiões específicas do SNC, como a subventricular (abaixo dos ventrículos), a granular e a do giro para-hipocampal têm células-tronco neurais, capazes de neurogênese em situações especiais.[7]

Apesar da doutrina neuronal estabelecer a ideia de que o neurônio é a unidade fundamental do SN, evidências recentes sugerem que as células da glia também participam da transmissão de informação no SNC. Células gliais se comunicam mediante sinais químicos e conexões diretas (sinapses elétricas), em resposta aos disparos neuronais.[8] Sinapses químicas foram demonstradas entre neurônios e precursores de oligodendrócitos.[9] Os astrócitos também se comunicam por meio de transmissores gliais e neuromoduladores, bem como por sinapses elétricas, sendo capazes de detectar os neurotransmissores liberados nas sinapses. Desse modo, os astrócitos podem regular a comunicação entre os neurônios mediante a liberação de neurotransmissores e neuromoduladores.[8,10] Além disso, estudos recentes têm demonstrado que os potencias de ação podem se propagar retrogradamente do axônio e corpo celular para os dendritos, e que sinapses elétricas entre neurônios vizinhos são responsáveis por um grande volume da informação compartilhado entre eles.[2] Todas essas descobertas têm modificado a maneira de entender como se dá a modulação da transmissão da informação no SNC, com importantes implicações para a compreensão da fisiopatologia das doenças neurológicas e da capacidade de regeneração cerebral.

Referências Bibliográficas

1. Brodmann, K. Vergleichende Lokalisationslehre der Grosshirnrinde in ihren Prinzipien dargestellt auf Grund des Zellenbaues, Leipzig: J. A. Barth; 1909. Traduzido para o inglês por Laurence Garey com o nome Localisation in the Cerebral Cortex (1994), London: Smith-Gordon.
2. Bullock TH, Bennett MVL, Johnston D, Josephson R, Marder E, Fields RD. The Neuron Doctrine, Redux. Science 2005;310:791-3.
3. Williams RW, Herrup K. The control of neuron number. Annual Review of Neuroscience 1988;11:423-53.
4. Azevedo FA, Carvalho LR, Grinberg LT et al. Equal numbers of neuronal and nonneuronal cells make the human brain an isometrically scaled-up primate brain. The Journal of Comparative Neurology 2009;513:532-41.
5. Drachman D. Do we have brain to spare? Neurology 2005;64:2004-5.
6. Herrup K, Yang Y. Cell cycle regulation in the postmitotic neuron: oxymoron or new biology? Nature Review Neuroscience 2007;8:368-78.
7. Alvarez-Buylla A, Garcia-Verdugo JM. Neurogenesis in adult subventricular zone. The Journal of Neuroscience: the Official Journal of the Society for Neuroscience 2002;22:629-34.
8. Fields RD, Stevens-Graham B. New insights into neuron-glia communication. Science 2002;298:556-62.
9. Bergles DE, Roberts JD, Somogyi P, Jahr CE. Glutamatergic synapses on oligodendrocyte precursor cells in the hippocampus. Nature 2000;405:187-91.
10. Dani JW, Chernjavsky A, Smith SJ. Neuronal activity triggers calcium waves in hippocampal astrocyte networks. Neuron 1992;8:429-40.
11. Radanovic M, Kato-Narita EM. Neurofisiologia Básica para Profissionais da Área da Saúde. 1ed. São Paulo: Atheneu, 2016.

Bibliografia Sugerida

1. Kandel ER, Schwartz JH, Jessell, Siegelbaum SA, Hudspeth AJ (eds) Principles of Neural Science, 5 ed. New York: McGraw-Hill, 2013.
2. Lundy-Ekman L. Neurociências – Fundamentos para a Reabilitação. 2 ed. Rio de Janeiro: Elsevier, 2004.
3. Machado A. Neuroanatomia funcional. 2 ed. São Paulo: Atheneu, 2007.

Controle Motor: Equilíbrio e Marcha

Juliana Maria Gazzola
Eliane Mayumi Kato-Narita

Introdução

Dentre as habilidades adquiridas pelo ser humano com o desenvolvimento do controle motor que permitem a realização de atividades cotidianas mais complexas, destacam-se:

- a manutenção do equilíbrio postural;
- a marcha.

Sua importância é reforçada em situações deficitárias, como nas doenças neurológicas, doenças musculoesqueléticas, déficits sensoriais, entre outras.

A partir do conhecimento dos mecanismos normais do equilíbrio postural e da marcha, os fisioterapeutas e profissionais da reabilitação podem ser mais precisos na avaliação do problema e identificação das dificuldades do paciente, nas modificações induzidas pelas diversas condições clínicas e na interpretação dos achados clínicos. Possibilita-se, assim, intervenção mais apropriada em reabilitação, abordando a interação de múltiplos processos sensório-motores e o planejamento e execução de padrões de movimento em diferentes contextos ambientais e demandas específicas da tarefa, inclusive cognitivas.[1,2]

Equilíbrio Postural

O "equilíbrio postural" é um termo utilizado para denominar uma função do corpo humano e está associado a vários outros termos: "estabilidade" e "instabilidade", "desequilíbrio", "oscilação" e "controle postural". O conceito de equilíbrio postural é descrito como a habilidade de manter o controle postural, ou seja, a capacidade de manter e recuperar a estabilidade e a orientação do corpo e da cabeça no espaço em situações reativas, proativas e preditivas.[3]

Em Biomecânica, a estabilidade de um corpo é definida quando a resultante das forças de carga que agem sobre ele é igual a zero. A capacidade de um corpo de se manter equilibrado em uma situação estática depende da posição do centro de massa (também chamado de centro de gravidade) em relação à base de sustentação. Por exemplo, um corpo está em equilíbrio quando a linha de gravidade do corpo se projeta dentro da base de sustentação. Entretanto, para o indivíduo prevenir uma queda e contrapor-se à ação da gravidade, quando a projeção do centro de gravidade se projeta além da base de suporte, deve empregar mecanismos capazes de prever a ameaça de perda da estabilidade, antecipar-se e usar ajustes cognitivos e adaptativos.[3]

Determinadas situações proporcionam maior estabilidade, tais como uso de dispositivos de auxílio à marcha – bengalas/andadores (aumento da base de sustentação) bem como projeções do centro de gravidade mais baixos, por exemplo, em posição de joelhos semifletidos.[3]

As duas principais tarefas funcionais relacionadas ao controle postural são a orientação postural (que engloba o alinhamento dos segmentos corporais) e a estabilidade postural. A orientação postural envolve o controle ativo do alinhamento dos segmentos corporais e do tônus postural em relação à gravidade, à superfície de suporte, ao ambiente visual e às referências internas (compreendidas como o mapa interno dos limites de estabilidade percebido pelo indivíduo).[2]

Os dados multissensoriais (visuais, somatosensorial e vestibular) têm grande importância na orientação do corpo e da cabeça no espaço durante a manutenção da postura e nos movimentos. As informações visuais informam ao sistema nervoso central (SNC) dados sobre a posição e o movimento de partes do corpo em relação aos objetos circundantes do ambiente físico, incluindo objetos ou pessoas que estão em movimento. O sistema visual dá informações sobre um ambiente tridimensional dinâmico, envolvendo a percepção do autodeslocamento. O sistema somatossensorial fornece, através dos receptores tácteis e de pressão, articulares, tendíneos e musculares, informações ao SNC em relação ao movimento do corpo quanto à superfície de suporte e ao movimento e posição dos segmentos corporais entre si. O sistema vestibular provê ao SNC dados sobre a posição e os movimentos cefálicos em relação às forças da gravidade e inércia por meio das medidas de velocidade angular e aceleração linear da cabeça direcionadas ao eixo gravitacional.[4]

A integração das informações sensoriais pelo SNC desencadeia os reflexos vestíbulo-ocular (RVO) e vestibuloespinhal (RVE) para atuar na estabilização do campo visual e na manutenção da postura ereta durante a movimentação corporal e cefálica, respectivamente. O SNC geralmente prioriza as informações do sistema sensorial que fornece a orientação mais adequada para a tarefa a ser desempenhada, consequente à sua capacidade de adaptação, ao perceber que um sistema provê informações imprecisas. Denomina-se "organização sensorial" a capacidade do SNC em selecionar e organizar os dados sensoriais mais apropriados em diferentes condições.[5]

Os sistemas sensoriais são imprecisos em condições de perturbação súbita, doença ou idade avançada. Por meio de um processo de adaptação, baseado em experiências prévias do indivíduo, o SNC utiliza-se dos sistemas menos deficientes ou conflitantes.[6] Por exemplo, um paciente com disfunção somatossensorial em membros inferiores é dependente das informações visuais e vestibulares para a manutenção do equilíbrio funcional, ou seja, ele apresenta desequilíbrio corporal a partir das informações somatossensorias, e pode apresentar, consequentemente, ataxia de marcha (base alargada), que por envolver estruturas periféricas, denomina-se "ataxia periférica" ou "sensitiva".

A estabilidade postural envolve a coordenação de estratégias sensório-motoras para estabilizar o centro de massa do corpo dentro da base de sustentação durante perturbações iniciadas pelo próprio indivíduo (marcha, transferências posturais, movimento intencional de segmentos do corpo) e em relação a perturbações externas (empurrão, escorregão, tropeço, entre outras) para que a estabilidade possa ser mantida, por meio das estratégias reativas do equilíbrio, consideradas sinergias posturais, que ocorrem de forma combinada em situações complexas das atividades funcionais.[7]

As estratégias reativas do equilíbrio corporal são divididas em: estratégia do tornozelo, estratégia do quadril e estratégia do passo. As reações rápidas e apropriadas são essenciais para manter o equilíbrio corporal e evitar a queda durante a instabilidade postural. A rápida sucessão de estratégias é iniciada com a "estratégia de tornozelo", plano motor caracterizado pela ativação da musculatura do tronco e da articulação do tornozelo. Quando a estratégia de tornozelo é insuficiente ou a perturbação é mais ampla e rápida, um segundo plano motor é a "estratégia do quadril". E, quando as estratégias sem deslocamento como a do tornozelo ou do quadril são insuficientes para recuperar o equilíbrio, um terceiro plano motor é a "estratégia do passo", com movimentos na articulação do tornozelo, joelho, quadril e tronco, permitindo ao indivíduo um ou mais passos para aumentar a base de sustentação. Quando estas estratégias motoras falham na manutenção da estabilidade, os membros superiores (MMSS) buscam apoio para o corpo em desequilíbrio, como reação de proteção para evitar quedas.[8]

Nos indivíduos idosos, esta habilidade é reduzida e é evidenciada durante perturbações da postura em bipedestação, durante a marcha ou em tarefas que envolvam, simultaneamente, demandas cognitivas e motoras e, sobretudo, quando ocorrem fatores desestabilizadores como um obstáculo súbito ou o tropeço. Então, estratégias mais complexas e correções das oscilações do centro de gravidade podem requerer múltiplos passos antes de o equilíbrio ser recuperado, mostrando menor habilidade na integração sensório-motora no intuito de estabelecer apropriado comprimento e direção do passo para a manutenção da estabilidade postural.[8]

O controle do equilíbrio postural baseado na abordagem por sistemas proposta por Horak[9] pode ser dividido em subcomponentes biomecânicos, sensoriais, motores e psicocognitivos. O Quadro 2.1 apresenta os subcomponentes biomecânicos, sensoriais, motores e os procedimentos clínicos de avaliação. Os subcomponentes psicocognitivos envolvidos no controle do equilíbrio postural são abordados nos capítulos sobre aspectos cognitivos do controle motor e emoções e movimento.

Quadro 2.1 Subcomponentes biomecânicos, sensoriais e motores do controle postural

Subcomponentes biomecânicos, sensoriais, motores	Procedimentos clínicos de avaliação
Força muscular	Teste de força muscular manual Dinamometria
Amplitude de movimento	Teste de mobilidade Goniometria
Alinhamento postural	Avaliação postural convencional *Software* para avaliação postural: SAPo - *software* para avaliação postural e biofotogrametria computadorizada
Acuidade visual	Tabela direcional de E ou Snellen Avaliação subjetiva da visão (péssima/ruim, boa ou excelente)
Somatossensorial	Teste aos monofilamentos de Semmes-Weinstein (estesiômetro) Teste da acurácia do reposicionamento articular ativo a partir da identificação do movimento passivo
Vestibular	Anamnese: presença de tontura, vertigem, desorientação espacial aos movimentos da cabeça, dos olhos e do corpo Teste de Untemberger-Fukuda Teste da estrela
Organização sensorial	*Clinical test of sensory interaction and balance* (CTSIB) ou teste de interação sensorial[10] Teste de Romberg, posição tandem ou posição de Romberg sensibilizado[11] *Unipedal stance*[12,13]
Limites de estabilidade	Deslocamento (como um pêndulo invertido) a partir da articulação do tornozelo para todas as direções sem mover os pés[14] *Functional reach*,[15] *Lateral reach*[16]
Percepção da vertical ou alinhamento corporal	Endireitamento em pranchas de equilíbrio Observação do alinhamento na posição sentada e de pé em superfície fixa e superfície instável

Continua

Continuação

Subcomponentes biomecânicos, sensoriais, motores	Procedimentos clínicos de avaliação
Respostas reativas	Reações a perturbações externas, deslocamento no esterno, deslocamento do centro de gravidade e movimentação da superfície de suporte (plataformas móveis) *Reactive balance strategy*[4]
Respostas posturais antecipatórias (preditivas) e proativas em preparação aos movimentos intencionais	Movimentos intencionais de cabeça, membros superior e inferior, voluntariamente deslocar o centro de gravidade: inclinação, locomoção e oscilação
Atenção	De pé com diferentes bases de sustentação associar tarefas cognitivas diferentes (evocação, raciocínio matemático, discriminação visual, entre outras) Realizar o *Timed Up and Go Test (TUGT)*,[17] velocidade da marcha, sentar-levantar da cadeira associados a tarefas de atenção dividida, também conhecidas como dupla tarefa (motora ou cognitiva)
Medo de cair e ansiedade	Escalas de autoeficácia para quedas: The Activities-specific Balance Confidence (ABC) Scale; e Fallas Efficacy Scale-International (FES-I) Observação do comportamento do idoso em situações de instabilidade

Marcha

A marcha é uma função que exige continuamente equilíbrio postural dinâmico, ou seja, deslocamento constante do centro de gravidade, com consequente mudança da base de sustentação, além das respostas sensório-motoras e cognitivas. Pode ser voluntária, reflexa ou automática. Permite ao indivíduo deslocar-se de um lugar para o outro para exercer funções básicas e enfrentar desafios ambientais, como subir e descer degraus, mudanças de superfícies e obstáculos. As exigências dos padrões funcionais são mais complexas na corrida e em vários tipos de esportes.[18]

Denomina-se "ciclo da marcha" a uma sequência única da função de um membro inferior, ou seja, no movimento do corpo para frente, um membro serve como fonte móvel de apoio enquanto o outro avança para uma nova posição de apoio, seguida da inversão de papéis dos membros, sendo a transferência do peso do corpo de um membro para o outro quando ambos os pés estão em contato com o solo.[19]

Cada ciclo da marcha é dividido em dois períodos, apoio e balanço (fases da marcha). O apoio é subdividido em três intervalos (duplo apoio inicial, apoio simples, duplo apoio terminal). Uma passada é equivalente a um ciclo de marcha baseada nas ações de um ciclo, ou seja, sua duração é o intervalo entre dois contatos iniciais sequenciais entre o solo e o mesmo membro.[18]

Os mecanismos periféricos e centrais são essenciais para adaptar e modular o controle da marcha. Para cada ciclo do passo, o cerebelo recebe *feedback* aferente dos receptores sensoriais (via tratos espinocerebelares) e envia sinais moduladores para o tronco cerebral, que são enviados para a medula espinal pelos núcleos do tronco cerebral (tratos vestibulospinal, rubrospinal e reticulospinal), que agem diretamente nos neurônios motores para refinar os movimentos de acordo com a necessidade da tarefa em determinado ambiente.[4]

A análise de marcha, por meio das fases, permite identificar os efeitos funcionais que levam a diferentes padrões de função anormal, a partir dos diferentes movimentos que ocorrem nas articulações individuais, bem como suas relações com a função total do membro e também a postura durante a marcha. As fases da marcha são:

1. contato inicial;
2. resposta à carga;
3. apoio médio;
4. apoio terminal;
5. pré-balanço;
6. balanço inicial;
7. balanço médio;
8. balanço terminal.[18]

Diversas condições clínicas (acidente vascular encefálico [AVE], lesão medular, trauma cranioencefálico [TCE], paralisia cerebral, mielodisplasia, distrofia muscular, esclerose múltipla, amputações, doença articular degenerativa, artrite reumatoide, entre outras) podem alterar a mobilidade, a eficiência muscular, o gasto energético e, consequentemente, os indivíduos apresentam reações compensatórias de movimentos realizados pelo quadril, joelho e tornozelo-pé.[20]

Na marcha, os movimentos da cabeça, do pescoço, do tronco e da pelve são secundários à função dos membros inferiores. Porém, proporcionam ações importantes como o impacto da carga à mudança no alinhamento dos membros de apoio e balanço, a perda do apoio bilateral para a pelve e a desaceleração das forças impostas pela ação muscular do tronco e do quadril.[18]

São descritos alguns desvios articulares que possibilitam a marcha patológica, tais como: flexão plantar inadequada ou dorsiflexão excessiva de tornozelo, amplitudes aumentadas e reduzidas de flexão ou extensão de joelho, extensão inadequada e flexão excessiva ou inadequada do quadril, adução excessiva, abdução e rotação interna ou externa do quadril, desvios da pelve e inclinação do tronco.[20]

Os desvios articulares podem ser causados por deformidades (contraturas, anquiloses), fraqueza muscular, dor (p. ex.: provocada por aumento da tensão dos tecidos, principalmente, por movimento da articulação com doença articular intrínseca), déficit proprioceptivo e alteração de tônus muscular, associados ou não.[20]

Os distúrbios de marcha descritos variam de acordo com o grau de comprometimento sensorial e motor, sendo mais frequentes em pacientes com acometimento neurológico e em idosos. Distúrbios leves decorrem de problemas periféricos como osteoartrite, miopatias, neuropatias e alterações sensoriais. Distúrbios moderados são relatados como marcha hemiplégica, marcha paraplégica, marcha cerebelar atáxica, marcha parkinsoniana, marcha coreica e marcha distônica. Os distúrbios de marcha com comprometimento grave são referentes à marcha cautelosa (comum em idosos com medo de quedas), ao desequilíbrio subcortical, ao desequilíbrio frontal, à marcha frontal e aos distúrbios psicogênicos.[21]

O Quadro 2.2 apresenta alguns tipos de marcha patológica, suas causas e características.[22,23]

Apesar da necessidade de um difícil aprendizado para a aquisição da marcha, esta se torna automática e inconsciente e percebe-se a complexidade de todo o processo biomecânico envolvido somente em condições clínicas (lesões, doenças, degenerações ou fadiga) que alteram a mobilidade e a eficácia muscular.[24] Em consequência, o paciente altera o padrão de marcha e busca a compensação de alguma forma, apresentando conjuntamente movimentos normais e anormais que diferem em importância.[20]

Com as alterações fisiológicas decorrentes do envelhecimento (senescência), as principais alterações que podem ser verificadas na marcha são: redução do comprimento do passo, aumento da base de sustentação, redução da oscilação de membros superiores, redução da dissociação de cinturas, redução da elevação dos pés durante a fase de oscilação, redução da velocidade (cadência), aumento do duplo apoio, redução do alinhamento postural, aumento do tempo de iniciação e desequilíbrio postural nas mudanças de direção.[22]

Quadro 2.2 Causas e características de alguns tipos de marcha patológica[22,23]

Tipo da marcha patológica	Causas	Características
Marcha cerebelar	Esclerose múltipla Tumores cerebelares (principalmente que afetam desproporcionalmente o verme) AVE Alcoolismo crônico	• Aumento da base de sustentação • Abdução de membros superiores • Desvio da linha média
Marcha ébria ou cambaleante	Intoxicação alcoólica ou por barbitúricos	• Paciente titubeia, cambaleia, inclina-se para diante e para trás, demonstrando, a cada momento, que está prestes a perder o equilíbrio e cair • Maior comprometimento do controle sobre o tronco e membros inferiores • Passos irregulares e incertos
Ataxia sensorial	Comprometimento da sensação da posição articular ou muscular, resultante da interrupção de fibras nervosas aferentes nos nervos periféricos, das raízes posteriores, nas colunas posteriores da medula espinhal ou nos leminiscos mediais e, ocasionalmente, de lesão de ambos os lobos parietais	• Priva o paciente do conhecimento da posição de seus membros • Déficit da reação frente ao desequilíbrio • Movimentos bruscos de membros inferiores, base de sustentação aumentada a fim de corrigir a instabilidade • Dependência visual durante a marcha • Membros inferiores impulsionados repentinamente para diante e para fora, em passos irregulares, de extensão e altura variáveis • Corpo ligeiramente fletido • Toda região plantar atinge o solo ao mesmo tempo
Marcha equina	Doença de Charcot-Marie-Tooh Atrofia muscular paravertebral progressiva Poliomielite Distrofia muscular	• Paralisia dos músculos tibiais e fibulares, com resultante incapacidade de dorsiflexão e eversão do pé • Passos regulares e iguais; pé em movimento anterior pende, com os dedos apontados para o solo • Queda ao tropeçar em bordas de tapetes e no meio-fio
Marcha hemiplégica e paraplégica	AVE	• Cada perna é avançada lenta e rigidamente, com movimentação restrita nos quadris e joelhos • Joelhos estendidos ou ligeiramente flexionados e quadris podem estar muito aduzidos – membros inferiores quase se cruzam quando o paciente caminha (marcha em "tesoura")
Marcha festinante	Doença de Parkinson	• Tendência a queda em propulsão e consequentes tentativas de estratégias de passos para manter o equilíbrio postural • Incapacidade de realizar os movimentos compensatórios para reaquisição do equilíbrio postural

AVE: acidente vascular encefálico.

Faz-se necessária a expertise do avaliador clínico para identificar o problema em qualquer ambiente, por meio de:

1. testes apropriados relacionados à força muscular, coordenação e ao tônus muscular;
2. testes funcionais, tais como Índice de Marcha Dinâmica,[25] Avaliação Funcional da Marcha,[26] Índice de Mobilidade de Rivermead[27] e Perfil de Marcha Funcional de Emory.[28]

Deve-se incluir também a observação subjetiva dos padrões cinemáticos da marcha. Alguns instrumentos foram descritos para orientar a avaliação clínica dos padrões de movimento, desvios posturais do corpo e ângulos articulares em pontos específicos durante o ciclo da marcha, em comparação com a normalidade.[19] São exemplos, o Formulário de Análise de Marcha, desenvolvida pelo Rancho Los Amigos Medical Center, na Califórnia[29,30] e a Avaliação Visual da Marcha,[31] ambos utilizados para caracterizar a marcha de crianças com paralisia cerebral espástica.

A videografia (filmagem das imagens) pode ser um método utilizado para análise da marcha por meio da observação, pois as imagens registradas podem ser visualizadas em câmara lenta e proporciona tempo hábil aos observadores para analisar os eventos ocorridos durante o ciclo.[19]

Na análise cinemática quantitativa da marcha, são coletados dados relacionados ao tempo e à distância percorrida durante a marcha. Em situações mais complexas, frente à necessidade de maior precisão, são indicados métodos laboratoriais (eletromiografia dinâmica referente às contrações musculares nas diferentes fases da marcha, análise de movimento, plataformas de forças), que requerem conhecimento especializado e também podem auxiliar na avaliação de alterações neuromusculares, musculoesqueléticas, pré e pós-cirúrgicas, bem como nas intervenções ortóticas, medicamentosas e/ou fisioterapêuticas..[32]

Testes Fisicofuncionais para Avaliação do Equilíbrio Postural e da Marcha

Os testes funcionais apresentados servem para refinar a avaliação física, a anamnese e a avaliação clínica dos sistemas do equilíbrio postural e da marcha, apontando as disfunções de forma simples e com baixo custo. Propõem o acompanhamento do progresso dos pacientes e avaliação da efetividade das intervenções terapêuticas e previsão de declínio de saúde e mortalidade.[33]

O Timed Up and Go Test (TUGT) é uma versão temporal do "Get-up and Go Test".[17] Trata-se de um teste útil, prático e rápido. O teste quantifica em segundos a mobilidade funcional por meio do tempo no qual o indivíduo se levanta de uma cadeira padronizada com apoio para braços e de aproximadamente 46 cm de altura, percorre 3 m, vira, volta rumo à cadeira e senta-se novamente, utilizando seu sapato habitual e seu dispositivo de auxílio à marcha (caso utilize). O paciente é instruído a não conversar durante a execução do teste e realizá-lo em uma velocidade habitual autosselecionada, de forma segura, sem assistência física.

A versão modificada do TUGT (Quadro 2.3) é associada a uma outra tarefa (motora ou cognitiva), para se avaliar a influência da demanda atencional sobre o equilíbrio postural. No TUGT modificado associado a tarefa motora, o procedimento de aplicação é o mesmo do TUGT, sendo o paciente instruído a, por exemplo, segurar um copo cheio de água durante a realização do teste, conhecido também, como TUGT manual. Já no TUGT modificado associado a tarefa cognitiva, o procedimento de aplicação é o mesmo do TUGT, sendo o paciente instruído a, por exemplo, falar o maior número de animais que recordar durante a execução do teste. Após a realização dos testes TUGT e TUGT modificado com tarefa cognitiva associada a nomeação de animais, é recomendado que o paciente seja submetido à realização isolada da tarefa cognitiva de Fluência Verbal (categoria animais), como descrito por Isaacs e Kennie,[34] para verificar se há um declínio

Quadro 2.3 Timed Up and Go Test – TUGT[17]

- Instrução: sujeito sentado em uma cadeira (de aproximadamente 46 cm de altura), com apoio de braços, com as costas apoiadas, usando seus calçados usuais e seu dispositivo de auxílio à marcha. Após o comando "vá", deve se levantar da cadeira e andar um percurso linear de 3 m, com passos seguros, retornar em direção à cadeira e sentar-se novamente.

Tempo gasto na tarefa: __________segundos

Fonte:

na fluência de categoria semântica (animais). Na demência, há uma deterioração importante na estrutura do conhecimento semântico já nos estágios mais precoces, perda esta que também se observa no envelhecimento normal, ainda que mais brandamente.[35]

A Berg Balance Scale (BBS)[36,37] contém 14 tarefas, sendo a pontuação (0 a 56 pontos) baseada na qualidade do desempenho, necessidade de assistência e no tempo para completar a tarefa, ou seja, quanto maior a pontuação, melhor o desempenho (Quadro 2.4). Os materiais utilizados são uma cadeira com apoio para braços, uma cadeira sem apoio para braços, degrau de 20,5 cm, fita métrica/régua e cronômetro.[36]

Quadro 2.4 Berg Balance Scale – BBS[36,37]

1. POSIÇÃO SENTADA PARA POSIÇÃO EM PÉ

Instruções: por favor, levante-se. Tente não usar suas mãos para se apoiar.

( ) 4 capaz de levantar-se sem utilizar as mãos e estabilizar-se independentemente.

( ) 3 capaz de levantar-se independentemente utilizando as mãos.

( ) 2 capaz de levantar-se utilizando as mãos após diversas tentativas.

( ) 1 necessita de ajuda mínima para levantar-se ou estabilizar-se.

( ) 0 necessita de ajuda moderada ou máxima para levantar-se.

2. PERMANECER EM PÉ SEM APOIO

Instruções: por favor, fique em pé por 2 minutos sem se apoiar.

( ) 4 capaz de permanecer em pé com segurança por 2 minutos.

( ) 3 capaz de permanecer em pé por 2 minutos com supervisão.

( ) 2 capaz de permanecer em pé por 30 segundos sem apoio.

( ) 1 necessita de várias tentativas para permanecer em pé por 30 segundos sem apoio.

( ) 0 incapaz de permanecer em pé por 30 segundos sem apoio.

Se o paciente for capaz de permanecer em pé por 2 minutos sem apoio, dê o número total de pontos no item 3. Continue com o item 4.

3. PERMANECER SENTADO SEM APOIO NAS COSTAS, MAS COM OS PÉS APOIADOS NO CHÃO OU NUM BANQUINHO

Instruções: por favor, fique sentado sem apoiar as costas com os braços cruzados por 2 minutos.

( ) 4 capaz de permanecer sentado com segurança e com firmeza por 2 minutos.

( ) 3 capaz de permanecer sentado por 2 minutos sob supervisão.

( ) 2 capaz de permanecer sentado por 30 segundos.

( ) 1 capaz de permanecer sentado por 10 segundos.

( ) 0 incapaz de permanecer sentado sem apoio durante 10 segundos.

Continua

Continuação

4. POSIÇÃO EM PÉ PARA POSIÇÃO SENTADA

Instruções: por favor, sente-se.

( ) 4 senta-se com segurança com uso mínimo das mãos.

( ) 3 controla a descida utilizando as mãos.

( ) 2 utiliza a parte posterior das pernas contra a cadeira para controlar a descida.

( ) 1 senta-se independentemente, mas tem descida sem controle.

( ) 0 necessita de ajuda para sentar-se.

5. TRANSFERÊNCIAS

Instruções: arrume as cadeiras perpendicularmente ou uma de frente para a outra para uma transferência em pivô. Peça ao paciente para transferir-se de uma cadeira com apoio de braço para uma cadeira sem apoio de braço e vice-versa. Você poderá utilizar duas cadeiras (uma com e outra sem apoio de braço) ou uma cama e uma cadeira.

( ) 4 capaz de transferir-se com segurança com uso mínimo das mãos.

( ) 3 capaz de transferir-se com segurança com o uso das mãos.

( ) 2 capaz de transferir-se seguindo orientações verbais e/ou supervisão.

( ) 1 necessita de uma pessoa para ajudar.

( ) 0 necessita de duas pessoas para ajudar ou supervisionar para realizar a tarefa com segurança.

6. PERMANECER EM PÉ SEM APOIO COM OS OLHOS FECHADOS

Instruções: por favor, fique em pé e feche os olhos por 10 segundos.

( ) 4 capaz de permanecer em pé por 10 segundos com segurança.

( ) 3 capaz de permanecer em pé por 10 segundos com supervisão.

( ) 2 capaz de permanecer em pé por 3 segundos.

( ) 1 incapaz de permanecer com os olhos fechados durante 3 segundos, mas mantém-se em pé.

( ) 0 necessita de ajuda para não cair.

7. PERMANECER EM PÉ SEM APOIO COM OS PÉS JUNTOS

Instruções: por favor, junte seus pés e fique em pé sem se apoiar.

( ) 4 capaz de posicionar os pés juntos independentemente e permanecer por 1 minuto com segurança.

( ) 3 capaz de posicionar os pés juntos independentemente e permanecer por 1 minuto com supervisão.

( ) 2 capaz de posicionar os pés juntos independentemente e permanecer por 30 segundos.

( ) 1 necessita de ajuda para posicionar-se, mas é capaz de permanecer com os pés juntos durante 15 segundos.

( ) 0 necessita de ajuda para posicionar-se e é incapaz de permanecer nessa posição por 15 segundos.

8. ALCANÇAR A FRENTE COM O BRAÇO ESTENDIDO PERMANECENDO EM PÉ

Instruções: por favor, levante o braço a 90°. Estique os dedos e tente alcançar à frente o mais longe possível. (O examinador posiciona a fita métrica/régua no fim da ponta dos dedos quando o braço estiver a 90°. Ao serem esticados para frente, os dedos não devem tocar a fita métrica/régua. A medida a ser registrada é a distância que os dedos conseguem alcançar quando o paciente se inclina para a frente o máximo que ele consegue. Quando possível, pedir ao paciente para usar ambos os braços para evitar rotação do tronco).

( ) 4 pode avançar à frente mais de 25 cm com segurança.

( ) 3 pode avançar à frente mais de 12,5 cm com segurança.

( ) 2 pode avançar à frente mais de 5 cm com segurança.

( ) 1 pode avançar à frente, mas necessita de supervisão.

( ) 0 perde o equilíbrio na tentativa, ou necessita de apoio externo.

Continua

Continuação

9. PEGAR UM OBJETO DO CHÃO A PARTIR DE UMA POSIÇÃO EM PÉ

Instruções: por favor, pegue o sapato/chinelo que está na frente dos seus pés.

( ) 4 capaz de pegar o chinelo com facilidade e segurança.

( ) 3 capaz de pegar o chinelo, mas necessita de supervisão.

( ) 2 incapaz de pegá-lo, mas se estica até ficar a 2-5 cm do chinelo e mantém o equilíbrio independentemente.

( ) 1 incapaz de pegá-lo, necessitando de supervisão enquanto está tentando.

( ) 0 incapaz de tentar, ou necessita de ajuda para não perder o equilíbrio ou cair.

10. VIRAR-SE E OLHAR PARA TRÁS POR CIMA DOS OMBROS DIREITO E ESQUERDO ENQUANTO PERMANECE EM PÉ

Instruções: por favor, vire-se para olhar diretamente atrás de você por cima do seu ombro esquerdo sem tirar os pés do chão. Faça o mesmo por cima do ombro direito. (O examinador poderá pegar um objeto e posicioná-lo diretamente atrás do paciente para estimular o movimento.)

( ) 4 olha para trás de ambos os lados com uma boa distribuição do peso.

( ) 3 olha para trás somente de um lado, o lado contrário demonstra menor distribuição do peso.

( ) 2 vira somente para os lados, mas mantém o equilíbrio.

( ) 1 necessita de supervisão para virar.

( ) 0 necessita de ajuda para não perder o equilíbrio ou cair.

11. GIRAR 360 GRAUS

Instruções: por favor, gire completamente ao redor de si mesmo. Pausa. Gire-se completamente ao redor de si mesmo em sentido contrário.

( ) 4 capaz de girar 360 graus com segurança em 4 segundos ou menos.

( ) 3 capaz de girar 360 graus com segurança somente para um lado em 4 segundos ou menos.

( ) 2 capaz de girar 360 graus com segurança, mas lentamente.

( ) 1 necessita de supervisão próxima ou orientações verbais.

( ) 0 necessita de ajuda enquanto gira.

12. POSICIONAR OS PÉS ALTERNADAMENTE NO DEGRAU OU BANQUINHO ENQUANTO PERMANECE EM PÉ SEM APOIO

Instruções: por favor, toque cada pé alternadamente no degrau/banquinho. Continue até que cada pé tenha tocado o degrau/banquinho quatro vezes.

( ) 4 capaz de permanecer em pé independentemente e com segurança, completando 8 movimentos em 20 segundos.

( ) 3 capaz de permanecer em pé independentemente e completar 8 movimentos em mais de 20 segundos.

( ) 2 capaz de completar 4 movimentos sem ajuda.

( ) 1 capaz de completar mais que 2 movimentos com o mínimo de ajuda.

( ) 0 incapaz de tentar ou necessita de ajuda para não cair.

13. PERMANECER EM PÉ SEM APOIO COM UM PÉ À FRENTE

Instruções: Por favor, coloque um pé diretamente à frente do outro na mesma linha, se você achar que não irá conseguir, coloque o pé um pouco mais à frente do outro e levemente para o lado. (Demonstre ao paciente)

( ) 4 capaz de colocar um pé imediatamente à frente do outro, independentemente, e permanecer por 30 segundos.

( ) 3 capaz de colocar um pé um pouco à frente do outro e levemente para o lado, independentemente, e permanecer por 30 segundos.

( ) 2 capaz de dar um pequeno passo, independentemente, e permanecer por 30 segundos.

( ) 1 necessita de ajuda para dar o passo, porém permanece por 15 segundos.

( ) 0 perde o equilíbrio ao tentar dar um passo ou ficar de pé.

Continua

Continuação

14. PERMANECER EM PÉ SOBRE UMA PERNA

Instruções: por favor, fique em pé sobre uma perna o máximo que você puder sem se segurar.

( ) 4 capaz de levantar uma perna independentemente e permanecer por mais de 10 segundos.

( ) 3 capaz de levantar uma perna independentemente e permanecer por 5-10 segundos.

( ) 2 capaz de levantar uma perna independentemente e permanecer por 3 ou 4 segundos.

( ) 1 tenta levantar uma perna, mas é incapaz de permanecer por 3 segundos, embora permaneça em pé independentemente.

( ) 0 incapaz de tentar ou necessita de ajuda para não cair.

Escore Total: _________ (Máximo = 56)

Os testes Functional Reach,[15] e Lateral Reach[16] são usados para avaliar o alcance funcional anterior e mediolateral, respectivamente. O Functional Reach é uma medida dinâmica dos limites de estabilidade durante deslocamento do centro de gravidade dentro da base de sustentação.[38]

Quadro 2.5 Versão Brasileira do DGI[25]

1. Marcha em superfície plana___

Instruções: ande em sua velocidade normal, daqui até a próxima marca (6 m).

Classificação: marque a menor categoria que se aplica

(3) Normal: Anda 6 m, sem dispositivos de auxílio, em boa velocidade, sem evidência de desequilíbrio, marcha em padrão normal.

(2) Comprometimento leve: anda 6 m, velocidade lenta, marcha com mínimos desvios, ou utiliza dispositivos de auxílio à marcha.

(1) Comprometimento moderado: anda 6 m, velocidade lenta, marcha em padrão anormal, evidência de desequilíbrio.

(0) Comprometimento grave: não consegue andar 6 m sem auxílio, grandes desvios da marcha ou desequilíbrio.

2. Mudança de velocidade da marcha____

Instruções: comece andando no seu passo normal (1,5 m), quando eu falar "rápido", ande o mais rápido que você puder (1,5 m). Quando eu falar "devagar", ande o mais devagar que você puder (1,5 m).

Classificação: marque a menor categoria que se aplica

(3) Normal: é capaz de alterar a velocidade da marcha sem perda de equilíbrio ou desvios. Mostra diferença significativa na marcha entre as velocidades normal, rápido e devagar.

(2) Comprometimento leve: é capaz de mudar de velocidade, mas apresenta discretos desvios da marcha, ou não tem desvios, mas não consegue mudar significativamente a velocidade da marcha, ou utiliza um dispositivo de auxílio à marcha.

(1) Comprometimento moderado: só realiza pequenos ajustes na velocidade da marcha, ou consegue mudar a velocidade com importantes desvios na marcha, ou muda de velocidade e perde o equilíbrio, mas consegue recuperá-lo e continuar andando.

(0) Comprometimento grave: não consegue mudar de velocidade, ou perde o equilíbrio e procura apoio na parede, ou necessita ser amparado.

Continua

Continuação

3. Marcha com movimentos horizontais (rotação) da cabeça____

Instruções: comece andando no seu passo normal. Quando eu disser "olhe para a direita", vire a cabeça para o lado direito e continue andando para a frente até que eu diga "olhe para a esquerda", então vire a cabeça para o lado esquerdo e continue andando. Quando eu disser "olhe para a frente", continue andando e volte a olhar para a frente.

Classificação: marque a menor categoria que se aplica

(3) Normal: realiza as rotações da cabeça suavemente, sem alteração da marcha.

(2) Comprometimento leve: realiza as rotações da cabeça suavemente, com leve alteração da velocidade da marcha, ou seja, com mínima alteração da progressão da marcha, ou utiliza dispositivo de auxílio à marcha.

(1) Comprometimento moderado: realiza as rotações da cabeça com moderada alteração da velocidade da marcha, diminui a velocidade, ou cambaleia, mas se recupera e consegue continuar a andar.

(0) Comprometimento grave: realiza a tarefa com grave distúrbio da marcha, ou seja, cambaleando para fora do trajeto (cerca de 38 cm), perde o equilíbrio, para, procura apoio na parede, ou precisa ser amparado.

4. Marcha com movimentos verticais (rotação) da cabeça ____

Instruções: comece andando no seu passo normal. Quando eu disser "olhe para cima", levante a cabeça e olhe para cima. Continue andando para frente até que eu diga "olhe para baixo", então incline a cabeça para baixo e continue andando. Quando eu disser "olhe para frente", continue andando e volte a olhar para a frente.

Classificação: marque a menor categoria que se aplica.

(3) Normal: realiza as rotações da cabeça sem alteração da marcha.

(2) Comprometimento leve: realiza a tarefa com leve alteração da velocidade da marcha, ou seja, com mínima alteração da progressão da marcha, ou utiliza dispositivo de auxílio à marcha.

1) Comprometimento moderado: realiza a tarefa com moderada alteração da velocidade da marcha, diminui a velocidade, ou cambaleia, mas se recupera e consegue continuar a andar.

(0) Comprometimento grave: realiza a tarefa com grave distúrbio da marcha, ou seja, cambaleando para fora do trajeto (cerca de 38 cm), perde o equilíbrio, para, procura apoio na parede, ou precisa ser amparado.

5. Marcha e giro sobre o próprio eixo corporal (pivô)____

Instruções: comece andando no seu passo normal. Quando eu disser "vire-se e pare", vire-se o mais rápido que puder para a direção oposta e permaneça parado de frente para (este ponto) seu ponto de partida.

Classificação: marque a menor categoria que se aplica

(3) Normal: gira o corpo com segurança em até 3 segundos e para rapidamente sem perder o equilíbrio.

(2) Comprometimento leve: gira o corpo com segurança em um tempo maior do que 3 segundos e para sem perder o equilíbrio.

(1) Comprometimento moderado: gira lentamente, precisa dar vários passos pequenos até recuperar o equilíbrio após girar o corpo e parar, ou precisa de dicas verbais.

(0) Comprometimento grave: não consegue girar o corpo com segurança, perde o equilíbrio, precisa de ajuda para virar-se e parar.

6. Passar por cima de obstáculo____

Instruções: comece andando em sua velocidade normal. Quando chegar à caixa de sapatos, passe por cima dela, não a contorne, e continue andando.

Classificação: marque a menor pontuação que se aplica

(3) Normal: é capaz de passar por cima da caixa sem alterar a velocidade da marcha, não há evidência de desequilíbrio.

(2) Comprometimento leve: é capaz de passar por cima da caixa, mas precisa diminuir a velocidade da marcha e ajustar os passos para conseguir ultrapassar a caixa com segurança.

(1) Comprometimento moderado: é capaz de passar por cima da caixa, mas precisa parar e depois transpor o obstáculo. Pode precisar de dicas verbais.

(0) Comprometimento grave: não consegue realizar a tarefa sem ajuda.

Continua

Continuação

7. Contornar obstáculos___

Instruções: comece andando na sua velocidade normal e contorne os cones. Quando chegar no primeiro cone (cerca de 1,8 m), contorne-o pela direita, continue andando e passe pelo meio deles, ao chegar no segundo cone (cerca de 1,8 m depois do primeiro), contorne-o pela esquerda.

Classificação: marque a menor categoria que se aplica.

(3) Normal: é capaz de contornar os cones com segurança, sem alteração da velocidade da marcha. Não há evidência de desequilíbrio.

(2) Comprometimento leve: é capaz de contornar ambos os cones, mas precisa diminuir o ritmo da marcha e ajustar os passos para não bater nos cones.

(1) Comprometimento moderado: é capaz de contornar os cones sem bater neles, mas precisa diminuir significativamente a velocidade da marcha para realizar a tarefa, ou precisa de dicas verbais.

(0) Comprometimento grave: é incapaz de contornar os cones; bate em um deles ou em ambos, ou precisa ser amparado.

8. Subir e descer degraus____

Instruções: suba estas escadas como você faria em sua casa (ou seja, usando o corrimão, se necessário). Quando chegar ao topo, vire-se e desça.

Classificação: marque a menor categoria que se aplica.

(3) Normal: alterna os pés, não usa o corrimão.

(2) Comprometimento leve: alterna os pés, mas precisa usar o corrimão.

(1) Comprometimento moderado: coloca os dois pés em cada degrau; precisa usar o corrimão.

(0) Comprometimento grave: não consegue realizar a tarefa com segurança.

É usado separadamente ou como um item da BBS.[39] O Lateral Reach[16] reflete a habilidade de controlar o corpo na direção lateral dentro dos limites de estabilidade.

O Dynamic Gait Index (DGI)[4,25] avalia qualitativa e quantitativamente oito tarefas da marcha (Quadro 2.5). A pontuação dessas tarefas é somada em um escore total que varia entre 0 e 24 pontos, sendo o maior escore relacionado ao melhor desempenho. Os materiais utilizados são: um obstáculo (caixa de sapato) e dois cones de sinalização de trânsito.[40]

Para avaliação da organização sensorial, testes funcionais que provocam alterações nos *inputs* visual e somatossensorial, na superfície de sustentação e na redução da base de sustentação avaliam a ação sensorial no controle do equilíbrio postural e a quantidade de oscilação e estratégias desenvolvidas para a manutenção do equilíbrio. São eles: teste de Romberg, posição *tandem* ou posição de Romberg sensibilizada[11] e *Unipedal Stance* ,[12,13] realizado em quatro condições sensoriais de forma aleatória (apoio do membro inferior dominante, apoio do membro inferior não dominante, olhos abertos, olhos fechados). A avaliação é feita por meio do registro do tempo em cada posição e pela observação das posições.

O Clinical Test of Sensory Interaction and Balance (CTSIB)[10] ou Teste de Interação Sensorial (Quadro 2.6) é a versão para o meio clínico do protocolo de posturografia dinâmica das condições sensoriais, também denominado Sensory Organization Test (SOT). O CTSIB fornece informações sobre a capacidade do indivíduo de adaptação e manutenção do equilíbrio frente aos conflitos sensoriais impostos pelo teste e revela o sistema sensorial no qual o indivíduo é mais dependente para o controle postural.[10] Esses testes podem ser utilizados para avaliar e monitorar idosos com risco de quedas[6] e outras condições clínicas.

O CTSIB consiste em se colocar o sujeito em posição ortostática com os braços estendidos ao longo do corpo sob seis condições intersensoriais, com a meta de permanência de 30 segundos

Quadro 2.6 Clinical Test of Sensory Interaction and Balance – CTSIB.[10] Tempo – segundos

Condição 1	Condição 2	Condição 3	Condição 4	Condição 5	Condição 6
Olhos abertos/ superfície firme	Olhos vendados/ superfície firme	Cúpula visual/ superfície firme	Olhos abertos/ superfície de espuma	Olhos vendados/ superfície de espuma	Cúpula visual/ superfície de espuma
T= (s)	T= (s)	T= (s)	T= (s)	T= (s)	T= (s)
N ( )	N ( )	N ( )	N ( )	N ( )	N ( )
A ( )	A ( )	A ( )	A ( )	A ( )	A ( )

Quadro 2.7 Estratégias Motoras do Equilíbrio

Reactive Balance Strategy[4]

Dentro da base de sustentação

O terapeuta segura o paciente pelos quadris e desloca-o em uma pequena distância, empurrando/puxando o paciente pelos quadris. Instrução "deixe-me movê-lo, tente não dar um passo, mas mantenha seu equilíbrio".

2 = normal, oscilação centralizada nos tornozelos, movimento de pêndulo invertido do corpo com boa amplitude para frente e para trás.

1 = estratégia de tornozelo parcial, amplitude reduzida.

0 = anormal é a incapacidade de oscilar sobre os tornozelos, controlando os joelhos e os quadris em uma posição neutra.

Fora da base de sustentação

O terapeuta desloca o centro de massa do paciente para fora da base de sustentação. Instrução: "deixe-me movê-lo; você pode ter de dar um passo, isso é normal".

2 = habilidade em dar um passo com cada pé, amplitude normal.

1 = dá um passo com um pé apenas, ou amplitude alterada.

0 = anormal é a inabilidade de dar um passo para se assegurar de uma queda.

em cada posição. As condições apresentam variações nos *inputs* sensoriais (olhos abertos, olhos fechados ou uso de cúpula visual, sobre superfície firme ou sobre superfície de espuma). O tempo máximo de cada condição tem 30 segundos de duração (Quadro 2.6), sendo considerado normal.

O Reactive Balance Strategy[4] refere-se à capacidade do indivíduo em gerar sinergias posturais organizadas como "estratégia de tornozelo" e "estratégia do passo atrás" (Quadro 2.7). Para cada estratégia adotada, será categorizado o desempenho em "normal" (escore 2 do teste) e "alterado" (escores 1 e 0).

O Performance-Oriented Mobility Assessment (POMA),[41,42] bastante utilizado para detectar indivíduos da comunidade ou institucionalizados que tenham propensão a quedas e/ou que estejam em acompanhamento por tratamento de déficits da mobilidade, é um instrumento composto por 22 manobras: 13 tarefas para o teste de equilíbrio e 9 para o teste de marcha (Quadro 2.8).

Para a realização do teste de equilíbrio, avaliam-se algumas manobras realizadas nas atividades de vida diária. Para o teste de marcha, o paciente pode utilizar dispositivo assistivo, se já o utiliza. O examinador permanece próximo ao paciente para prevenção de quedas consequentes a possíveis desequilíbrios. Quanto maior a pontuação, em ambos os testes, melhor é o desempenho do paciente. O escore total é de 57 pontos, ou seja, 39 pontos para o teste de equilíbrio e 18 pontos para o teste de marcha. Trata-se de uma avaliação simples, segura e sensível às alterações significativas do equilíbrio e mobilidade dos membros inferiores.[41]

O Balance Evaluation Systems Test (BESTest) (Quadro 2.9), desenvolvido por Horak et al.,[43] visa auxiliar na identificação do(s) subsistema(s) que pode(m) ser o(s) desencadeador(es)

Quadro 2.8 "POMA - BRASIL"[41,42]

Avaliação do Equilíbrio Orientada pelo Desempenho*			
Manobra	CATEGORIAS		
	Normal = 3	Adaptativa = 2	Anormal = 1
1. Equilíbrio sentado	Estável, firme.	Segura-se na cadeira para se manter ereto.	Inclina-se, escorrega na cadeira.
2. Levantando-se da cadeira	Capaz de se levantar da cadeira em um só movimento, sem usar os braços.	Usa os braços (na cadeira ou no dispositivo de auxílio à deambulação) para se apoiar e/ou move-se para a borda do assento antes de tentar levantar.	Várias tentativas são necessárias ou não consegue se levantar sem ajuda de alguém.
3. Equilíbrio de pé, imediato (primeiros 3 a 5 segundos)	Estável sem se segurar em dispositivo de auxílio à deambulação ou em qualquer objeto como forma de apoio.	Estável, mas usa o dispositivo de auxílio à deambulação ou outro objeto para se apoiar, mas sem se agarrar.	Algum sinal de instabilidade (+) positivo.
4. Equilíbrio de pé	Estável, capaz de ficar de pé com os pés juntos, sem se apoiar em objetos.	Estável, mas não consegue manter os pés juntos.	Qualquer sinal de instabilidade, independente de apoio ou de se segurar em algum objeto.
5. Equilíbrio com os olhos fechados (com os pés o mais juntos que puder)	Estável, sem se segurar em nenhum objeto e com os pés juntos.	Estável, com os pés separados.	Qualquer sinal de instabilidade ou necessidade de se segurar em algum objeto.
6. Equilíbrio ao girar (360 graus)	Sem se agarrar em nada ou cambalear; os passos são contínuos (o giro é feito em um movimento contínuo e suave).	Passos são descontínuos (paciente apoia um pé totalmente no solo antes de levantar o outro).	Qualquer sinal de instabilidade ou se segura em algum objeto.
7. *"Nudgetest"*** (paciente de pé com os pés o mais juntos que puder, o examinador aplica 3 vezes uma pressão leve e uniforme no esterno do paciente (a manobra demonstra a capacidade do paciente de resistir ao deslocamento).	Estável, capaz de resistir à pressão.	Necessita mover os pés, mas é capaz de manter o equilíbrio.	Começa a cair ou o examinador tem de ajudá-lo a equilibrar-se.
8. Virar o pescoço (pede-se ao paciente para virar a cabeça de um lado para o outro e olhar para cima – de pé, com os pés o mais juntos que puder).	Capaz de virar a cabeça pelo menos metade da ADM de um lado para o outro, e capaz de inclinar a cabeça para trás para olhar o teto sem cambalear ou se segurar ou sem sintomas de tontura leve, instabilidade ou dor.	Capacidade diminuída de virar a cabeça de um lado para o outro ou estender o pescoço, mas sem se segurar, cambalear ou apresentar sintomas de tontura leve, instabilidade ou dor.	Qualquer sinal ou sintoma de instabilidade quando vira a cabeça ou estende o pescoço.

Continua

Continuação

Avaliação do Equilíbrio Orientada pelo Desempenho*			
Manobra	CATEGORIAS		
	Normal = 3	Adaptativa = 2	Anormal = 1
9. Equilíbrio em apoio unipodal	Capaz de manter o apoio unipodal por 5 segundos sem apoio.	Capaz de manter apoio unipodal por 2 segundos sem apoio.	Incapaz de manter apoio unipodal.
10. Extensão da coluna (pede-se ao paciente para se inclinar para trás na maior amplitude possível, sem se segurar em objetos, se possível).	Boa amplitude, sem se apoiar ou cambalear.	Tenta estender, mas o faz com a ADM diminuída, quando comparado com pacientes de mesma idade, ou necessita de apoio para realizar a extensão.	Não tenta ou não se observa nenhuma extensão, ou cambaleia ao tentar.
11. Alcançar para cima (paciente é solicitado a retirar um objeto de uma prateleira alta o suficiente que exija alongamento ou ficar na ponta dos pés).	Capaz de retirar o objeto sem se apoiar e sem se desequilibrar.	Capaz de retirar o objeto, mas necessita de apoio para se estabilizar.	Incapaz ou instável.
12. Inclinar para frente (o paciente é solicitado a pegar um pequeno objeto do chão, por exemplo, uma caneta).	Capaz de se inclinar e pegar o objeto; é capaz de retornar à posição ereta em uma única tentativa sem precisar usar os braços.	Capaz de pegar o objeto e retornar à posição ereta em uma única tentativa, mas necessita do apoio dos braços ou de algum objeto.	Incapaz de se inclinar ou de se erguer depois de ter se inclinado, ou faz múltiplas tentativas para se erguer.
13. Sentar	Capaz de sentar-se em um único movimento suave.	Necessita usar os braços para se sentar ou o movimento não é suave.	Deixa-se cair na cadeira, ou não calcula bem a distância (senta-se fora do centro).
Somatória			

ADM: amplitude de movimento; *: O paciente começa esta avaliação sentado em uma cadeira firme, de encosto reto e sem braços; +: Instabilidade é definida como agarrar-se em objetos para apoio, cambalear, movimentar os pés (sapatear) ou fazer movimentos de oscilação de tronco excessivos.; **: Pressão (cutucão) no esterno.

Avaliação da Marcha Orientada pelo Desempenho*		
Componentes [§]	Normal = 2	Anormal = 1
14. Iniciação da marcha (paciente é solicitado a começar a andar em um trajeto determinado).	Começa a andar imediatamente sem hesitação visível; o movimento de iniciação da marcha é suave e uniforme.	Hesita; várias tentativas; iniciação da marcha não é um movimento suave.
15. Altura do passo (começar observando após os primeiros passos: observar um pé, depois o outro; observar de lado).	O pé do membro em balanço desprende-se do chão completamente, porém, a uma altura de 2,5 cm a 5 cm.	O pé do membro em balanço não se desprende completamente do chão, pode ouvir-se o arrastar ou o pé é muito elevado do solo (< 2,5 > 5 cm).[#]

Continua

Continuação

Avaliação da Marcha Orientada pelo Desempenho*		
Componentes §	Normal = 2	Anormal = 1
16. Comprimento do passo (observar a distância entre o hálux do pé de apoio e o calcanhar do pé elevado; observar de lado; não julgar pelos primeiros ou últimos passos; observar um lado de cada vez).	Pelo menos o comprimento do pé do indivíduo medido pelo hálux do membro de apoio e o calcanhar do membro de balanço (comprimento do passo geralmente maior, mas comprimento do pé oferece base para observação).	Comprimento do passo menor que o descrito para condições normais.#
17. Simetria do passo (observar a porção central do trajeto e não os passos iniciais ou finais; observar de lado; observar a distância entre o calcanhar de cada membro do balanço e o hálux de cada membro durante o apoio).	Comprimento do passo igual ou quase igual dos dois lados para a maioria dos ciclos da marcha.	Comprimento do passo varia de um lado para outro ou paciente avança com o mesmo pé a cada passo.
18. Continuidade do passo	Começa elevando o calcanhar de um dos pés (hálux fora do chão) quando o calcanhar do outro pé toca o chão (choque de calcanhar); nenhuma interrupção durante a passada; comprimento dos passos igual na maioria dos ciclos da marcha.	Coloca o pé inteiro (calcanhar e hálux) no chão antes de começar a desprender o outro ou para completamente entre os passos ou comprimento dos passos varia entre os ciclos.#
19. Desvio da linha média (observar de trás; observar um pé durante várias passadas; observar em relação a um ponto de referência do chão, por exemplo, junção da cerâmica, se possível; difícil avaliar se o paciente usa andador).	Pé segue próximo a uma linha reta à medida que o paciente avança.	Pé desvia de um lado para outro ou em uma direção.
20. Estabilidade de tronco (observar de trás; movimento lateral de tronco pode ser padrão de marcha normal, precisa ser diferenciado da instabilidade).	Tronco não oscila; joelhos e coluna não são fletidos; braços não são abduzidos no esforço de manter a estabilidade.	Presença de qualquer uma das características descritas anteriormente.+
21. Sustentação durante a marcha (observar de trás).	Os pés devem quase se tocar quando um passa pelo outro.	Pés separados durante os passos (base alargada). **
22. Virando durante a marcha.	Não cambaleia; vira-se continuamente enquanto anda e passos são contínuos enquanto vira.	Cambaleia; para antes de iniciar a virada ou passos são descontínuos.
Somatória		
Escore Total (1ª e 2ª escalas)		

* O paciente fica em pé com o examinador no final do trajeto determinado (sem obstáculos). Ele usa seu dispositivo de auxílio à deambulação usual. O examinador solicita ao paciente fazer o trajeto no seu passo usual. O examinador observa um componente (tarefa) da marcha por vez. Para alguns componentes, o examinador caminha atrás do paciente; para outros, o examinador anda próximo ao paciente. Podem ser necessárias várias tentativas para completar o teste; § Peça também ao paciente para andar com "passos mais rápidos que o usual" e observe se os dispositivos da marcha são utilizados corretamente; # Um sinal de marcha anormal pode refletir problema inicial, neurológico ou musculoesquelético, diretamente relacionado ao achado ou refletir uma manobra compensatória de outro problema mais antigo; + Anormalidades podem ser corrigidas por um dispositivo de auxílio à deambulação como uma bengala; observe com e sem o dispositivo, se possível; ** Achado anormal é usualmente uma manobra compensatória, além de um problema primário.

Quadro 2.9 BESTest[43,44]

Avaliação do Equilíbrio – Teste dos Sistemas

Instruções para o examinador

1. Os indivíduos devem ser testados com sapatos sem salto ou sem sapatos e meias.
2. Se o indivíduo precisar de um dispositivo de auxílio para um item, pontue aquele item em uma categoria mais baixa.
3. Se o indivíduo requerer assistência física para executar um item, pontue na categoria mais baixa (0) para aquele item.

- Equipamentos necessários:
- Cronômetro;
- Fita métrica fixada na parede para o teste de alcance funcional;
- Um bloco de espuma TEMPUR® (densidade média) de 10 cm de altura e com aproximadamente 60 × 60 cm;
- Rampa de 10° de inclinação (pelo menos 60 × 60 cm) para ficar em pé;
- Degrau de escada, 15 cm de altura para tocar os pés alternadamente;
- Duas caixas de sapato empilhadas para servir de obstáculo durante a marcha;
- Peso livre de 2,5 kg para levantamento rápido de braço;
- Cadeira firme com braços e marcação no chão com fita de 3 m à frente para o "Timed Get Up and Go".
- Fita crepe para marcar 3 m e 6 m no chão para o teste "Timed Get Up and Go".

Resumo de Desempenho: Calcular Porcentagem de Pontuação

Seção I: _____/15 × 100 =_________ Restrições biomecânicas

Seção II:_____/21 × 100 = _________ Limites de estabilidade/Verticalidade

Seção III:_____/18 × 100 =_________ Transições/Antecipatório

Seção IV:_____/18 × 100 =_________ Reativo

Seção V:_____/15 × 100 =_________Orientação sensorial

Seção VI: _____/21 × 100 =_________ Estabilidade na marcha

Total: ______/108 pontos = Percentual total da pontuação

I. Restrições Biomecânicas
(Seção I:___/15 pontos)

1. Base de apoio

(3) Normal: ambos os pés têm base de apoio normal sem deformidades ou dor.

(2) Um pé tem deformidade e/ou dor.

(1) Ambos os pés têm deformidades ou dor.

(0) Ambos os pés têm deformidade e dor.

2. Alinhamento do centro de massa (CDM) (*AP: anteroposterior; *ML: médio-lateral)

(3) Alinhamento normal AP e ML do CDM e alinhamento postural segmentar normal.

(2) Alinhamento anormal AP ou ML do CDM ou alinhamento postural segmentar anormal.

(1) Alinhamento anormal AP ou ML do CDM e alinhamento postural segmentar anormal.

(0) Alinhamento anormal AP e ML do CDM.

3. Força e amplitude de tornozelo

(3) Normal: capaz de ficar na ponta dos pés com altura máxima e ficar nos calcanhares com a ponta dos pés para cima.

(2) Comprometimento dos flexores ou extensores do tornozelo em um dos pés (abaixo da altura máxima).

(1) Comprometimento nos dois grupos do tornozelo (flexores bilaterais ou ambos flexores e extensores de tornozelo de um pé).

(0) Ambos flexores e extensores nos tornozelos direito e esquerdo comprometidos (abaixo da altura máxima).

4. Força lateral de quadril/tronco

(3) Normal: abduz ambos os quadris para levantar o pé do chão durante 10 segundos (s) enquanto mantém o tronco na vertical.

(2) Leve: abduz ambos os quadris para levantar o pé do chão durante 10 s, mas não mantém tronco na vertical.

(1) Moderada: abduz apenas um quadril para levantar o pé do chão durante 10 s, com o tronco na vertical.

(0) Grave: não abduz nenhum dos quadris para levantar o pé do chão durante 10 s com o tronco na vertical ou não.

5. Sentar no chão e levantar (tempo________segundos)

(3) Normal: senta-se e levanta-se do chão independentemente.

(2) Leve: usa uma cadeira para se sentar no chão ou para se levantar.

(1) Moderado: usa uma cadeira para se sentar no chão e para se levantar.

(0) Grave: não se senta no chão nem se levanta, mesmo com uma cadeira, ou se recusa.

II. Limites de Estabilidade
(Seção II:___/21 pontos)

6. Verticalidade ao sentar e inclinação lateral

Inclinação	Verticalidade
E D	E D
(3)(3) Inclinação máxima, o indivíduo move os ombros além da linha média do corpo, muito estável.	(3)(3) Realinha para vertical com muito pouco ou nenhum movimento em excesso.
(2)(2) Inclinação moderada, o ombro do indivíduo se aproxima da linha média do corpo ou há alguma instabilidade.	(2)(2) Movimentos significativos a mais ou a menos, mas eventualmente realinha para a vertical.
(1)(1) Inclinação muito pequena, ou instabilidade significativa.	(1)(1) Falha ao realinhar para a vertical.
(0)(0) Sem inclinação ou cai (excede os limites).	(0)(0) Cai com os olhos fechados.

7. Alcance funcional para a frente (distância alcançada:____cm)

(3) Máximo para os limites: maior 32 cm.

(2) Moderado: 16,5–32 cm.

(1) Pobre: menor 16,5 cm.

(0) Inclinação não mensurável – ou deve ser amparado.

8. Alcance funcional lateral (distância alcançada: esquerdo:___cm; direito:___cm)

E D
(3)(3) Máximo para o limite: maior 25,5.
(2)(2) Moderado: 10–25,5cm.
(1)(1) Pobre: menor 10 cm.
(0)(0) inclinação não mensurável, ou deve ser pego.

III. Transições – ajustes posturais antecipatórios
(Seção III:___/18 pontos)

9. Sentado para de pé

(3) Normal: passa, para de pé sem ajuda das mãos e se estabiliza independentemente.

(2) Passa, para de pé na primeira tentativa com uso das mãos.

(1) Passa, para de pé após várias tentativas ou requer assistência mínima para ficar de pé ou se estabilizar ou requer tocar a parte de trás das pernas na cadeira.

(0) Requer assistência moderada ou máxima para ficar de pé.

10. Ficar na ponta dos pés

(3) Normal: estável por 3 segundos com boa altura.

(2) Calcanhares levantados, mas não na amplitude máxima (menor que quando segurando com as mãos, então não requer equilíbrio) ou instabilidade leve e mantém por 3 segundos.

(1) Mantém por menos que 3 segundos.

(0) Incapaz.

11. De pé em uma perna

Esquerdo – Tempo em segundos (s):_____	Direito – Tempo em s:_____
(3) Normal: estável por mais de 20 s.	(3) Normal: estável por mais de 20 s.
(2) Movimentação do tronco OU 10-20 s.	(2) Movimentação do tronco OU 10-20 s.
(1) De pé 2-10 s.	(1) De pé 2-10 s.
(0) Incapaz	(0) Incapaz.

12. Tocar degrau alternadamente

Número de toques bem-sucedidos:____; Tempo em s:_______.

(3) Normal: fica em pé independentemente e com segurança e completa 8 toques em menos de 10 s.

(2) Completa 8 toques (10-20 s) E/OU mostra instabilidade como posicionamento inconsistente do pé, movimento excessivo de tronco, hesitação ou sem ritmo.

(1) Completa menos de 8 toques sem assistência mínima (dispositivos auxiliares) OU mais de 20 s para 8 toques.

(0) Completa menos de 8 toques, mesmo com dispositivo auxiliar.

13. De pé, levantar o braço

(3) Normal: permanece estável.

(2) Oscilação visível.

(1) Passos para recuperar equilíbrio/incapaz de mover-se rapidamente sem perder o equilíbrio.

(0) Incapaz, ou necessita assistência para estabilidade.

IV. Respostas Posturais Reativas
(Seção IV:___/18 pontos)

14. Resposta no lugar – para a frente

(3) Recupera a estabilidade com os tornozelos, sem movimentação adicional de braços ou quadris.

(2) Recupera estabilidade com algum movimento de braços ou quadris

(1) Dá um passo para recuperar a estabilidade.

(0) Cairia se ninguém o segurasse OU requer ajuda OU não tenta.

15. Resposta no lugar – para trás

(3) Recupera a estabilidade com os tornozelos, sem movimentação adicional de braços ou quadris.

(2) Recupera estabilidade com algum movimento de braços ou quadris.

(1) Dá um passo para recuperar a estabilidade.

(0) Cairia se ninguém o segurasse OU requer ajuda OU não tenta.

16. Correção com passo compensatório – para a frente

(3) Recupera independentemente com passo único e amplo (segundo passo para realinhamento é permitido).

(2) Mais de um passo usado para recuperar o equilíbrio, mas recupera a estabilidade independentemente OU 1 passo com desequilíbrio.

(1) Dá vários passos para recuperar o equilíbrio, ou necessita de assistência mínima para prevenir uma queda.

(0) Nenhum passo OU cairia se não fosse pego OU cai espontaneamente.

17. Correção com passo compensatório – para trás

(3) Recupera independentemente com passo único e amplo.

(2) Mais de um passo usado, mas estável e recupera independentemente OU 1 passo com desequilíbrio.

(1) Dá vários passos para recuperar o equilíbrio, ou necessita de assistência.

(0) Nenhum passo OU cairia se ninguém o segurasse OU cai espontaneamente.

18. Correção com passo compensatório – lateral

Esquerdo	Direito
(3) Recupera independentemente com um passo de comprimento/largura normais (cruzado ou lateral permitido).	(3) Recupera independentemente com um passo de comprimento/largura normais (cruzado ou lateral permitido).
(2) Muitos passos usados, mas recupera independentemente.	(2) Muitos passos usados, mas recupera independentemente.
(1) Dá passos, mas necessita ser auxiliado para prevenir uma queda.	(1) Dá passos, mas necessita ser auxiliado para prevenir uma queda.
(0) Cai, ou não consegue dar um passo.	(0) Cai, ou não consegue dar um passo.

V. Orientação sensorial
(Seção V:___/15 pontos)

19. Integração Sensorial para o equilíbrio (CTISB modificado)

a. Olhos abertos, superfície firme.

Tentativa 1_____s

Tentativa 2_____s

(3) 30 s estável

(2) 30 s instável

(1) Menor 30 s

(0) Incapaz

a. Olhos fechados, superfície firme.

Tentativa 1_____s

Tentativa 2_____s

(3) 30 s estável

(2) 30 s instável

(1) Menor 30 s

(0) Incapaz

b. Olhos abertos, superfície de espuma.

Tentativa 1_____s

Tentativa 2_____s

(3) 30 s estável

(2) 30 s instável

(1) Menor 30s

(0) Incapaz

c. Olhos abertos, superfície de espuma.

Tentativa 1_____s

Tentativa 2_____s

(3) 30 s estável

(2) 30 s instável

(1) Menor 30s

(0) Incapaz,

20. Inclinação – olhos fechados

Dedos apontados para o topo

(3) Fica de pé independentemente, estável sem oscilação excessiva, mantém por 30 s e alinha com a gravidade.

(2) Fica de pé independentemente 30s com maior oscilação do que no item 19-B OU alinha com a superfície.

(1) Requer auxílio pelo toque OU fica de pé sem assistência por 10-20 s.

(0) Incapaz de ficar de pé por mais de 10 s OU não tenta ficar de pé independentemente.

VI. Estabilidade na marcha
(Seção VI:___/21 pontos)

21. Marcha – superfície plana (tempo____s)

(3) Normal: anda 6 m, com boa velocidade (menor e igual a 5,5 s), sem evidência de desequilíbrio.

(2) Leve: 6 m, com velocidade menor (5,5 s), sem evidência de desequilíbrio.

(1) Moderado: anda 6 m, com evidência de desequilíbrio (base larga, movimento lateral do tronco, trajetória de passos inconsistente) – em qualquer velocidade preferida.

(0) Grave: não consegue andar 6 m sem assistência OU desvios graves de marcha OU desequilíbrio grave

22. Mudança na velocidade da marcha

(3) Normal: muda a velocidade da marcha significativamente sem desequilíbrio.

(2) Leve: incapaz de mudar velocidade da marcha sem desequilíbrio.

(1) Moderado: muda a velocidade da marcha, mas com sinais de desequilíbrio.

(0) Grave: incapaz de alcançar mudança significativa da velocidade E sinais de desequilíbrio.

23. Andar com viradas de cabeça – horizontal

(3) Normal: realiza viradas de cabeça sem mudar velocidade da marcha e bom equilíbrio.

(2) Leve: realiza viradas de cabeça suavemente com redução da velocidade da marcha.

(1) Moderado: realiza viradas de cabeça com desequilíbrio.

(0) Grave: realiza viradas de cabeça com velocidade reduzida E desequilíbrio E/OU não movimenta a cabeça na amplitude disponível enquanto anda.

24. Andar e girar sobre o eixo

(3) Normal: gira com pés próximos um do outro RÁPIDO (menor e igual a 3 passos) com bom equilíbrio.

(2) Leve: gira com pés próximos um do outro DEVAGAR (mais ou igual a 4 passos) com bom equilíbrio.

(1) Moderado: gira com pés próximos um do outro em qualquer velocidade com sinais leves de desequilíbrio.

(0) Grave: não consegue girar com pés próximos um do outro em qualquer velocidade e desequilíbrio significativo.

25. Passar sobre obstáculos (tempo: ____s).

(3) Normal: capaz de passar sobre as duas caixas de sapato empilhadas sem mudar a velocidade e com bom equilíbrio.

(2) Leve: passa sobre duas caixas de sapato empilhadas, mas reduz a velocidade, com bom equilíbrio.

(1) Moderado: passa sobre as duas caixas de sapato empilhadas com desequilíbrio ou as toca.

(0) Grave: não consegue passar sobre as caixas E reduz a velocidade com desequilíbrio ou não consegue realizar com assistência.

26. "Get up & Go" cronometrado (tempo: ____s).

(3) Normal: rápido (menos de 11 s) com bom equilíbrio.

(2) Leve: devagar (mais de 11 s) com bom equilíbrio.

(1) Moderado: rápido (menos de 11 s) com desequilíbrio.
(0) Grave: devagar (mais de 11 s) E desequilíbrio.

27. "Get up & Go" cronometrado com dupla tarefa (tempo: ____s).
(3) Normal: nenhuma mudança notável entre sentado e de pé, no ritmo ou precisão da contagem regressiva e nenhuma mudança na velocidade da marcha.
(2) Leve: desaceleração notável, hesitação ou erros na contagem regressiva OU marcha lenta (em 10%) na dupla tarefa.
(1) Moderado: afeta a tarefa cognitiva E diminui a velocidade de marcha (em 10%) na dupla tarefa.
(0) Grave: não consegue contar regressivamente enquanto anda ou para de andar enquanto fala.

do déficit de equilíbrio, direcionando o tratamento. Este instrumento pode ser usado na avaliação de indivíduos de qualquer idade e acometidos por diversas afecções. O BESTest é formado por 27 questões, com um total de 36 tarefas. As questões são divididas em seis seções, que correspondem aos sistemas responsáveis pela manutenção do equilíbrio postural, sendo elas: restrições biomecânicas, limites de estabilidade/verticalidade, transições e ajustes posturais antecipatórios, respostas posturais à perturbação, orientação sensorial e estabilidade na marcha. Cada item é pontuado em uma escala ordinal de quatro pontos variando de zero a três pontos, em que zero é o pior desempenho e três, o melhor.[44]

Avaliação Posturográfica

O teste de posturografia permite mensurar a oscilação anteroposterior e médio-lateral do corpo, por meio do registro da pressão exercida pelos pés em uma plataforma de força. A importância diagnóstica da posturografia é reconhecida na identificação de diversas alterações que envolvem os sistemas sensoriais[45] e alguns modelos permitem analisar as reações posturais secundárias ao deslocamento do centro de massa. Vários modelos de posturografia estática e dinâmica são disponíveis no mercado, como os aparelhos Equitest®, Biodex Balance System®, Smart Balance Master® e Balance Rehabilitation Unit®, entre outros.

Conclusões

O desequilíbrio postural e alterações do padrão de marcha podem ser vistos em todas as faixas etárias, sendo mais prevalente nos indivíduos idosos, decorrente de alterações associadas a várias doenças cronicodegenerativas (osteoartrite, osteoporose, síndromes demenciais, síndromes parkinsonianas, neuropatias periféricas, diabetes, entre outras) e de alterações relacionadas à idade sobre os sistemas sensoriais, musculoesqueléticos e cognitivos,[46] predispondo estes indivíduos a maiores chances de quedas.[47] Há inúmeras formas de avaliação para identificação do prejuízo, possibilitando ao profissional de reabilitação direcionar o programa de tratamento.

Referências Bibliográficas

1. Pollock AS, Durward BR, Rowe PJ, Paul JP. What is balance? Clin Rehabil. 2000;14(4):402-6.
2. Horak FB. Postural orientation and equilibrium: what do we need to know about neural control of balance to prevent falls? Age Ageing. 2006;35, Suppl 2:ii7-ii11. Review.
3. Perracini MR, Gazzola JM. Balance em Idosos. In: Perracini MR, Fló CM. (Org.). Funcionalidade e Envelhecimento..Rio de Janeiro: Guanabara Koogan, 2009, p. 115-151.

4. Shumway-Cook A, Woollacott MH. Controle motor – teoria e aplicações práticas. 3 ed. Barueri: Manole, 2011. 232 p.
5. Hobeika CP. Equilibrium and balance in the elderly. Ear Nose Throat J. 1999;78(8):558-62, 565-6.
6. Ricci NA, Gonçalves DFF, Coimbra AM, Coimbra IB. Sensory interaction on static balance: a comparison concerning the history of falls of community-dwelling elderly. Geriatr Gerontol Int. 2009;9(2):165-71.
7. Singer JC, Prentice SD, McIlroy WE. Dynamic stability control during volitional stepping: a focus on the restabilisation phase at movement termination. Gait Posture. 2012;35(1):106-10.
8. Alexandre TS, Gazzola JM. Síndrome do desequilíbrio e quedas. In: Prado FC; Ramos J; Valle JR; Borges DR; Rothschild HA. (Org.). Atualização terapêutica: diagnóstico e tratamento. 25 ed. Porto Alegre: Artes Médicas, 2017.
9. Horak FB. Clinical assessment of balance disorders. Review article. Gait & Posture. 1997;6:76-84.
10. Shumway-Cook A, Horak FB. Assessing the influence of sensory interaction on balance. Phys Ther 1986;66(10):1548-1550.
11. Lanska DJ, Goetz CG. Romberg's sign: development, adoption and adaptation in the 19th century. Neurology. 2000; 55:1201-1206.
12. Ekdahl C, Jarnlo GB, Andersson SL. Standing balance in health subjects. Scand J Rehab Med. 1989;21-187-195.
13. Goldie PA, Bach TM, Evans OM. Force plataform measures for evaluating postural control: reliability and validity. Arch Phys Med Rehabil. 1989;70;510-517.
14. Manista GC, Ahmed AA. Stability limits modulate whole-body motor learning. J Neurophysiol. 2012;107(7):1952-61.
15. Duncan PW, Weiner DK, Chandler J, Studenski S. Functinal reach: a new clinical measure of balance. Journal Gerontol. 1990;45(6):M192-197.
16. Brauer S, Burns Y, Galley P. Lateral reach: a clinical measure of medio-lateral postural stability. Physioter Res Int. 1999:4(2):81-88.
17. Podsiadlo D, Richardson S. The timed "Up & Go": a test of basic functional mobility for frail elderly persons. J Am Geriatr Soc. 1991;39(2):142-8.
18. Perry J. Análise de Marcha: marcha normal. vol. 1. São Paulo: Manole, 2005.
19. Norkin CC. Análise da marcha. In: O'Sullivan SB, Schimitz TJ. Fisioterapia: avaliação e tratamento. 4 ed. São Paulo: Manole, 2004, p. 257-307.
20. Perry J. Análise de Marcha: marcha patológica. vol. 2. São Paulo: Manole, 2005.
21. Nutt JG, Marsden CD, Thompson PD. Human walking and higher-level gait disorders, particularly in the elderly. Neurology. 1993;43(2):268-79.
22. Masdeu JC, Sudarsky L, Wolfson L. Gait disorders of aging: falls and therapeutic strategies. Published by Lippincott Williams & Wilkins, 1997.
23. Umphred DA. Reabilitação neurológica. 4 ed. São Paulo: Manole, 2008.
24. Saad M, Battistella LR. Análise de marcha: manual do CAMO-SBMFR. São Paulo, Lemos Editorial, 1997. 190p.
25. De Castro SM, Perracini MR, Ganança FF. Versão Brasileira do Dynamic Gait Index. Rev Bras Otorrinolaringol. 2006;72(6):817-25.
26. Wrisley DM, Marchetti GF, Kuharsky DK, Whitney SL. Reliability, internal consistency, and validity of data obtained with the functional gait assessment. Phys Ther. 2004;84(10):906-18.
27. Collen FM, Wade DT, Robb GF, Bradshan CM. The Rivermead Mobility Index: a further development. Riverm Motor Asses Inter Durabil Stud 1991;13:50-4.
28. Baer HR, Wolf SL. Modified emory functional ambulation profile: an outcome measure for the rehabilitation of post stroke gait dysfunction. Stroke. 2001 Apr;32(4):973-9.
29. Rancho Los Amigos National Rehabilitation Center. Observational gait analysis handbook. 4 ed. Downey: Los Amigos Research and Education Institute Incorporated; 2001.
30. Toro B, Nester C, Farren P. A review of observational gait assessment in clinical practice. Physiother Theory Pract. 2003;19(3):137-49.
31. Dickens WE, Smith MF. Validation of a visual gait assessment scale for children with hemiplegic cerebral palsy. Gait Posture. 2006;23(1):78-82.
32. Perry J. Análise de Marcha: sistemas de análise de marcha. vol. 3. São Paulo: Manole, 2005.
33. Wells M, Wade M. Physical performance measures: an important component of the comprehensive geriatric assessment. Nurse Pract. 2013;38(6):48-53.
34. Isaacs B, Kennie AT. The set test as an aid to the detection of dementia in old people. Br J Psychiatry. 1973;123:467-470.

35. Yassuda MS. Desempenho de memória e percepção de controle no envelhecimento saudável. In: Neri AL, Yassuda MS, Cachioni M. Velhice bem-sucedida: Aspectos afetivos e cognitivos. Coleção Vivaidade. Campinas, SP: Editora Papirus 2004. p.111-125.
36. Berg KO, Wood-Dauphinee SL, Williams JI, Gayton D. Measuring balance in the elderly: preliminary development of an instrument. Physiother Can. 1989;41:304-11.
37. Miyamoto ST, Lombardi Júnior I, Berg KO, Ramos LR, Natour J. Brazilian version of the Berg balance scale. Braz J Med Biol Res. 2004;37(9):1411-21.
38. Duncan P, Weiner DK, Chandler J, Prescott B. Functional reach: a new clinical measure of balance. J. Gerontol. 1992;45: M192-M197.
39. Berg KO, Wood-Dauphinee SL, Williams JI, Maki B. Measuring balance in the elderly: validation of an instrument. Can J Public Health. 1992;83 (Suppl 2):S7-11.
40. Shumway-Cook A, Baldwin M, Polissar NL, Gruber W. Predicting the probability for falls in community--dwelling older adults. Phys Ther. 1997;77(8):812-9.
41. Tinetti ME. Performance – oriented assessment of mobility problems in elderly patients. J Am Geriatric Soc. 1986. 34:119-126.
42. Gomes GC. Translation, transcultural adaptation, and analysis of the psychometric properties of the "performance- oriented mobility assessment" (POMA) for a sample of Brazilian institutionalized elderly. Campinas: Dissertação de Mestrado em Gerontologia: Programa de Pós-Graduação em Gerontologia da Faculdade de Educação da UNICAMP, Campinas, SP, 2003.
43. Horak FB, Wrisley DM, Frank J. The Balance Evaluation Systems Test (BESTest) o Differentiate Balance Deficits. Phys Ther. 2009; 89(5):484-498.
44. Maia AC. Tradução e adaptação para o português – Brasil do Balance Evaluation Systems Test e do MINIBESTest e análise de suas propriedades psicométricas em idosos e indivíduos com doença de parkinson. [Dissertação]. Minas Gerais: Universidade Federal de Minas Gerais; 2012.
45. Hageman PA, Leibowitz M, Blanke D. Age and gender effects on postural control measures. Arch Phys Med Rehabil. 1995;76: 961-965.
46. Horak FB, Shupert CL, Mirka A. Components of postural dyscontrol in the elderly: a review. Neurobiol Aging. 1989;10(6):727-38.
47. American Geriatrics Society and British Geriatrics Society. Panel on prevention of falls in older persons. Summary of the updated American Geriatrics Society/British Geriatrics Society clinical practice guideline for prevention of falls in older persons. JAGS. 2011;59(1):148-57.

Movimento Voluntário – Aspectos Cognitivos

3

Flávia Priscila Paiva Vianna de Andrade
Renata Morales Banjai
Sandra Regina Alouche

Introdução

O movimento humano garante ao indivíduo sua interação com o ambiente. Por meio do movimento, somos aptos a nos deslocar de um lugar para outro, expressar ideias e emoções com gestos e expressões faciais, assim como alcançar, pegar e manipular objetos. O ambiente e seus estímulos são fontes de informações para o planejamento, execução e correção de nossas ações.

Para que esta interação entre o indivíduo e o ambiente tenha sucesso, o comportamento motor humano é caracterizado pela sua extrema flexibilidade. Nós podemos tomar uma xícara de café com uma das mãos, com as duas, ou com os membros superiores posicionados de diferentes formas. De todas as formas é possível ter sucesso, ou seja, alcançar o objetivo desejado. Assim, o comportamento motor pode ser visto como o meio para resolução de problemas. Continuamente, somos forçados a encontrar soluções para os problemas que aparecem no ambiente e elas não podem ser estáticas, precisam sempre ser adequadas para os requisitos da tarefa. Se os requisitos do ambiente não são sempre os mesmos, as soluções também não podem ser.

A equivalência motora, que é a capacidade em executar ações motoras de formas diferentes, compartilhando características comuns, permite tal flexibilidade e sugere que os movimentos realizados para um objetivo específico são representados no cérebro de uma forma abstrata.[1] Essa característica essencial do sistema motor está baseada na aquisição de representações neurais generalizadas das várias formas pelas quais as propriedades mecânicas do ambiente afetam o sistema motor.[2] Conexões funcionais entre essas representações criam uma organização distribuída de extrema flexibilidade e capacidade de armazenamento disponível para o uso.

Este é um ponto importante, pois indica que o sistema motor não pode ser o resultado de um sistema hierárquico, rigidamente organizado, com relacionamento *top-down,* no qual níveis superiores geram comandos eferentes para músculos e articulações individuais com base em programas motores armazenados centralmente. Ao contrário, é possível sugerir que o comportamento dependa de um processo heterárquico, baseado na contínua interação entre processos sensoriais, cognitivos e motores para que a ação alcance seu objetivo. Tal interação levaria ao desenvolvimento de um estado de equilíbrio entre os componentes do sistema biológico sob os requisitos específicos da tarefa,[3] ou seja, ao desenvolvimento de uma coordenação para a ação (Figura 3.1).

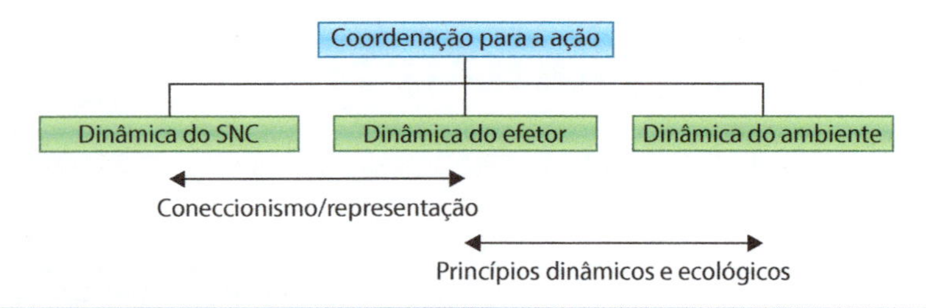

Figura 3.1 Representação da interação entre os componentes do sistema biológico para a ação. SNC: sistema nervoso central.
Fonte: Zanone e Kostrubiec, 2004.[3]

Fazendo uma breve contextualização histórica, em meados do século XIX, acreditava-se que as áreas corticais superiores estavam envolvidas no processamento de informações cognitivas e não motoras, cujo controle seria desempenhado apenas por centros inferiores.[4] Em 1867, John Hughlings Jackson, um neurologista britânico, publicou observações sobre pacientes com epilepsia unilateral, relatando a presença de uma sequência temporal de movimentos involuntários ou sensações nesses pacientes, os quais começavam pelas mãos, face e raramente pelas pernas. Essas observações sugeriram que havia áreas de representação para movimentos específicos no sistema nervoso.[5] Na mesma época (1870), Gustav Fritsch e Eduard Hitzig demonstraram que a estimulação galvânica de fraca intensidade no córtex frontal de cães produzia movimentos no lado oposto do corpo. David Ferrier também observou a presença de centros motores em primatas àquela época.[5]

Em 1906, Charles Sherrington publicou o livro *The Integrative Action of the Nervous System*, no qual sumarizou suas pesquisas sobre o sistema nervoso central (SNC) de mamíferos. Sherrington relatou suas observações sobre a estimulação elétrica de regiões distintas do córtex motor de primatas, as quais promoviam movimentos em regiões específicas do corpo.[6,7] Wilder Penfield e seus colaboradores, a partir de 1937 e por meio de estudos com estimulação cortical cerebral em humanos, confirmaram a presença de regiões específicas de controle cortical sensorial e motor de determinadas partes do corpo. Penfield descreveu uma representação cortical do sistema motor, ou "mapa motor", com o pé localizado medialmente e a face lateralmente, caracterizando o que denominamos homúnculo motor. Nesse, as áreas corticais referentes às partes do corpo que realizam movimentos mais finos, como a face e as mãos, apresentam uma representação proporcionalmente maior do que as demais áreas.[4,8]

A partir desses estudos iniciais, o papel das distintas áreas do sistema nervoso no controle do movimento humano foi descrito progressivamente. Sabe-se hoje que os correlatos neurais das operações de tomada de decisão envolvidas no movimento voluntário são distribuídos ao longo das áreas corticais responsáveis pelo controle motor dos efetores que implementam aquelas decisões. Nenhuma área isolada é responsável pelas decisões gerais sobre a ação. Um mesmo estímulo é processado simultaneamente em diferentes áreas encefálicas para diferentes propósitos.

Os movimentos promovidos pelo nosso corpo podem ser classificados, em geral, em três tipos: reflexos, automáticos (padrões motores rítmicos) ou voluntários. Os movimentos reflexos são relativamente estereotipados e involuntários, como quando percutimos com um martelo de avaliação de reflexos sobre um tendão ou tocamos um objeto muito quente. Uma série de respostas e ações musculares ocorrem em decorrência de estímulos sensoriais, os quais percebemos, mas não temos total controle sobre as respostas. Esses eventos sensório-motores são controlados em níveis inferiores do sistema nervoso, como medula espinal e tronco encefálico. Muitos de nossos movimentos também são caracterizados como automáticos ou de padrões motores rítmicos, como a marcha. A ativação muscular, nesse tipo de movimento, ocorre em uma sequência específica para promover a estabilização e o deslocamento do corpo no espaço sem a necessidade de atenção para a ação. Áreas subcorticais estão envolvidas no controle desses padrões de movimento. Entretanto, se durante os movimentos ditos automáticos uma mudança de direção ou na velocidade é necessária, há uma modificação no controle que passa a depender da intencionalidade e atenção do indivíduo. Nesse caso, o movimento passa a ser chamado de voluntário e recruta a atividade de áreas corticais distintas. Apesar dessa classificação, esses mecanismos ocorrem em conjunto para que as tarefas cotidianas sejam realizadas.

O controle do movimento voluntário envolve a interação de centros superiores corticais, funcionalmente diferentes, com núcleos subcorticais e diversas vias de projeção e associação entre essas regiões e a medula espinal, via final do controle dos movimentos.[1,4]

Referências Sensoriais para a Produção do Movimento

As informações sensoriais são fundamentais para o planejamento e execução do movimento voluntário. Quando direcionamos nossa atenção para um determinado objeto e/ou situação do nosso cotidiano, como um copo com água por exemplo, e decidimos pegá-lo, antes de iniciar, o movimento utilizamos referências sensoriais externas e internas para identificar, reconhecer e perceber o ambiente e nosso corpo em relação a ele, respectivamente. As referências sensoriais externas, que fornecem informações sobre o ambiente, são detectadas por nossos sistemas visual, vestibular, auditivo e somatossensorial, determinando, por exemplo, as características do objeto (distância, tamanho, direção etc.) e o espaço ao seu redor. Já as referências sensoriais internas, responsáveis pela formação da representação do nosso corpo no sistema nervoso, são provenientes do sistema somatossensorial.[1,9,10] Mesmo após o início do movimento, podemos utilizar essas informações para fazer correções e atingir nosso objetivo com sucesso, ou seja, pegar o copo com acurácia.[9,11]

As informações sensoriais são enviadas às regiões corticais pelo sistema lemniscal medial por via talâmica (exceto as informações olfativas). A partir do tálamo, tais informações são direcionadas ao córtex sensorial primário e às áreas associativas. Além dessas projeções ascendentes, há ainda vias espinocerebelares que enviam aferências proprioceptivas ao cerebelo, propiciando a organização *online* dos ajustes posturais e de movimentos voluntários. As vias cerebelares anteriores e posteriores fornecem informações referentes ao estado dos efetores e as vias cerebelares rostrais projetam informações internas oriundas dos centros corticais.[12] Por meio de todas essas informações, estamos aptos a perceber a posição de nosso corpo no espaço, assim como a identificarmos os objetos e o ambiente ao nosso redor, elaborando representações internas do ambiente e do nosso corpo. Processos cognitivos permitem a elaboração de um plano motor que é retransmitido aos sistemas de ação para execução do movimento por meio, principalmente, de circuitos frontoparietais.[11,13,14]

A informação da visão, da propriocepção e do tato é essencial para o conhecimento da posição dos membros em relação ao corpo e ao espaço, necessário para o movimento coordenado. A forma de combinação dessas informações pelo sistema nervoso ainda é controversa.[15] Durante movimentos rápidos do membro superior dirigidos a alvos, parece que a utilização da informação visual é referência predominante para o planejamento da direção do movimento, enquanto a informação proprioceptiva é usada para especificar a estratégia articular necessária para alcançar de forma acurada a distância do movimento especificada por mecanismos de *feedback*.

Áreas Corticais de Controle do Movimento Voluntário

O controle do movimento voluntário é distribuído entre diversas áreas corticais, que atuam de forma específica e associada. Essas áreas integram e processam impulsos neurais para o planejamento e execução do movimento, utilizando referências internas e externas para elaboração do plano motor.[16,17] As áreas motoras corticais comunicam-se entre si e com os demais sistemas envolvidos no controle do movimento por meio de projeções recíprocas, convergentes e divergentes. Além dos processos neurais envolvidos no controle do movimento, o sistema motor contribui para processos cognitivos, como a compreensão das ações de outros indivíduos e as possíveis consequências das situações observadas.[18]

As áreas motoras corticais podem ser divididas estrutural e funcionalmente em área motora primária (M1), área pré-motora (APM) e área motora suplementar (AMS). Há também mais duas outras áreas localizadas no córtex do cíngulo, sendo elas a área motora cingulada rostral (AMCr) e a área motora cingulada caudal (AMCc). A área M1 está localizada ao longo da borda anterior do sulco pré-central e no giro pré-central, enquanto a APM e a AMS encontram-se cefálica e medialmente à M1. Na porção hemisférica medial, observam-se as áreas cinguladas (Figura 3.2).

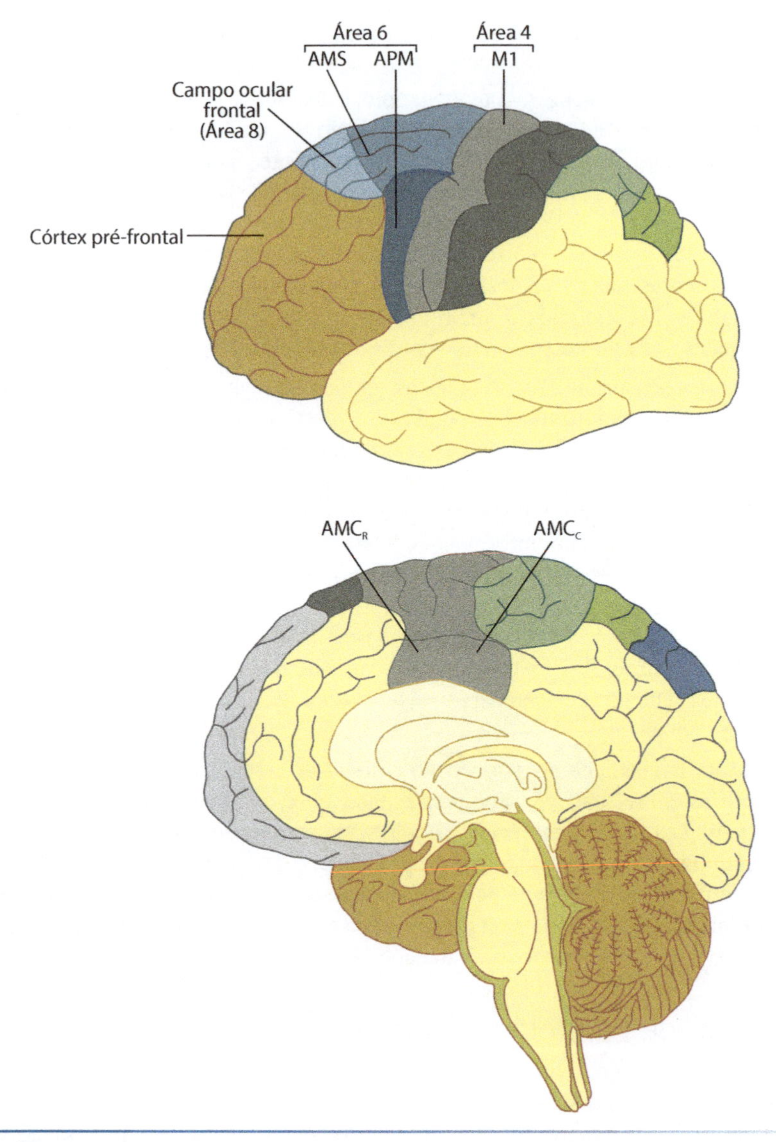

Figura 3.2 Áreas motoras corticais.
Fonte: Lent, 2010.

O córtex motor primário ou M1 (área 4 de Brodmann) é responsável direto pela produção do movimento voluntário, pois tem projeções (30 a 50% das vias corticospinais) sobre os neurônios motores medulares. A maioria das células de M1 dispara previamente ao início do movimento e sua atividade está relacionada à ativação dos músculos que o produzirão. A área M1 está relacionada com o controle de músculos sinérgicos em torno de uma ou duas articulações do lado contralateral do corpo, podendo controlar reciprocamente músculos agonistas e antagonistas. Além disso, os neurônios de M1 são responsáveis pelo controle de parâmetros específicos do movimento: força muscular, velocidade e direção do movimento. Enquanto o movimento está sendo produzido, M1 recebe aferências organizadas somatotopicamente do córtex somatossensorial primário (S1) e de regiões mais rostrais do córtex parietal,[18] contendo informações proprioceptivas dos músculos que estão sendo controlados, assim como informações táteis provenientes da pele de regiões que participam do movimento que está em execução, o que permite refinar o controle neural sobre os padrões de movimento que estão sendo produzidos.

A área M1 contém mapas somatotópicos bem delineados, assumindo assim um controle eficiente sobre as ações planejadas.[19,20] Nela pode-se encontrar uma representação de todas as partes do corpo, sendo especializada no controle dos movimentos do membro superior, principalmente da mão, que apresenta uma grande área de representação cortical (Figura 3.3).

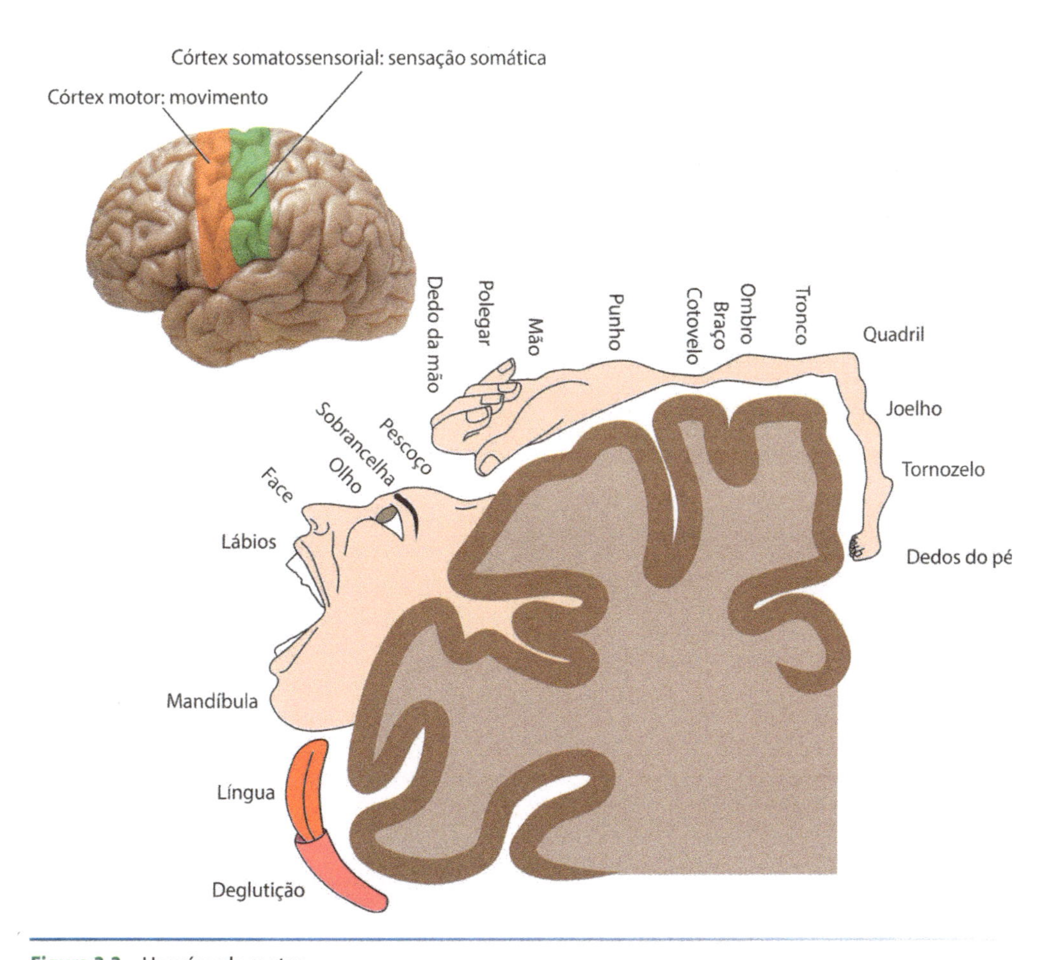

Figura 3.3 Homúnculo motor.
Fonte: Baseado em Radanovic e Kato-Narita, 2016.

As projeções de M1 são direcionadas às regiões subcorticais e à medula espinal através do trato corticospinal. O trato corticospinal se origina na camada V do córtex motor primário, assim como na de áreas pré-centrais e parietais, as quais também podem influenciar a função motora medular. Grande parte dos axônios do trato corticospinal decussam nas pirâmides no bulbo e dão origem ao trato corticospinal lateral, que se projeta à medula espinal contralateralmente, transmitindo informações sobre a motricidade axial. Essa característica neuroanatômica explica o fato de indivíduos com lesão hemisférica unilateral apresentarem comprometimento dos movimentos no lado do corpo oposto à lesão. Os axônios que não decussam nas pirâmides bulbares dão origem ao trato corticospinal medial, responsável por conduzir informações referentes a movimentos mais proximais dos membros. Na medula espinal, parte desses axônios também direcionar-se-ão para o lado contralateral.[21] Estudos têm demonstrado que os movimentos do membro superior ipsilesional, ou seja, do mesmo lado da lesão são comprometidos em lesões hemisféricas unilaterais, porém em menor proporção em relação ao lado oposto à lesão.[22-26] Parte desse comprometimento pode estar relacionado a essa inervação ipsilateral; entretanto, alguns autores também relacionam a importância de outras vias eferentes corticossubcorticais e de conexões inter-hemisféricas.[25,27-29] As projeções corticospinais também podem influenciar a função motora medular por meio das projeções provenientes de áreas pré-motoras e parietais e não apenas de M1 (Figura 3.4).

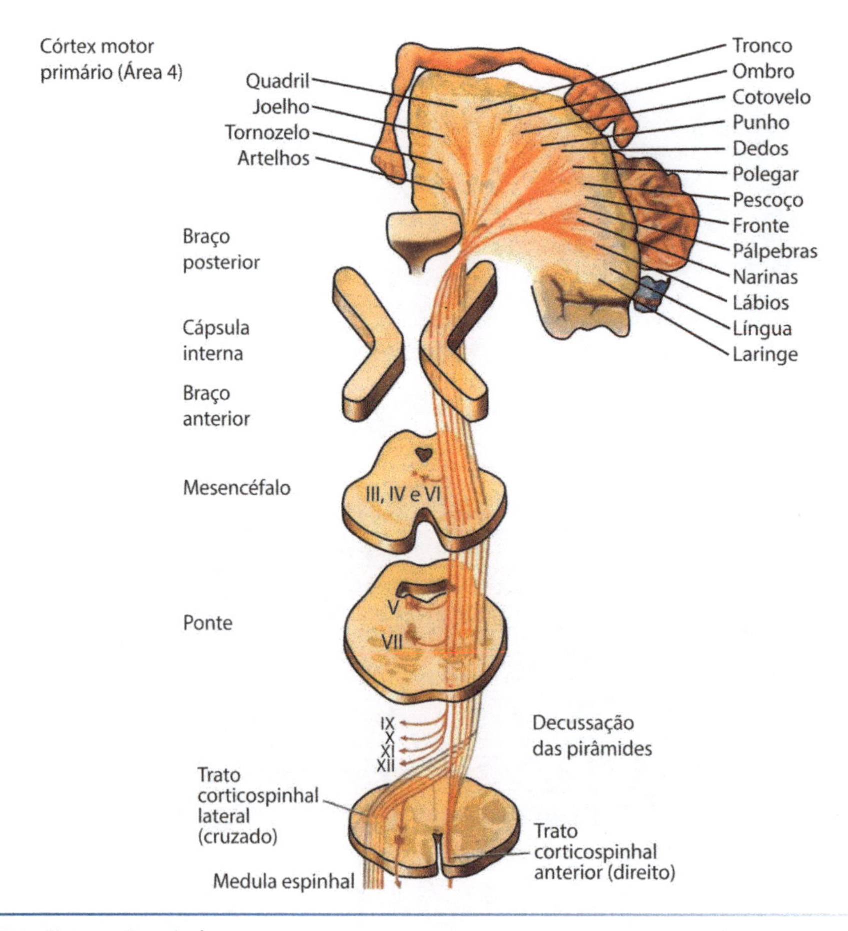

Figura 3.4 Trato corticospinal.
Fonte: Baseado em Netter, 2015.

Em M1, pode-se encontrar axônios que emergem nessa região e farão sinapse diretamente com interneurônios medulares, sendo denominados corticomotoneurônios. As projeções monossinápticas para a medula espinal são mais densas para os músculos distais dos membros superiores, havendo, inclusive, uma sobreposição de áreas de controle das mãos e dedos no córtex.

Lesões focais em M1 podem produzir fraqueza muscular (paresia), lentidão (lentificação no recrutamento muscular), imprecisão e incoordenação dos movimentos. O maior comprometimento ocorre nos movimentos distais das extremidades em relação aos proximais e axiais. As lesões também podem se associar a outros comprometimentos neuromusculares, tais como espasticidade, hiperreflexia, desaparecimento de reflexos superficiais e surgimento de reflexos patológicos, como o sinal de Babinski, contralateralmente à área de lesão.

As áreas pré-motoras (APM), que são divididas em regiões ventrolateral e dorsolateral, além da área motora suplementar,[30] preparam a área M1 para o ato motor e estão relacionadas com os mecanismos antecipatórios para o controle do movimento voluntário. Experimentos sugerem que células da APM disparam durante sinais imperativos para o início do movimento (planejamento/preparação) e silenciam enquanto o movimento é executado.[31] As áreas pré-motoras não têm mapas motores bem definidos e, durante sua ativação, ao contrário do que ocorre com o córtex motor primário, são desencadeados movimentos mais complexos, como o movimento dirigido ao alvo. A área pré-motora ventrolateral produz adaptações às referências proprioceptivas durante a execução dos movimentos em relação às características dos objetos. A área pré-motora dorsolateral prepara o sistema motor para a ação, pois está relacionada com o movimento produzido a partir de aferências visuais durante os movimentos dirigidos, a chamada transformação sensório-motora.[32]

Lesões na área pré-motora podem desencadear incoordenação e lentificação dos movimentos. Observa-se também comprometimento na execução de movimentos rítmicos e da capacidade de aprender tarefas motoras complexas ou sequenciais, além de dificuldade na realização de tarefas cujos estímulos deflagradores são sensoriais. As tarefas sequenciais aprendidas previamente também podem ser prejudicadas.[4]

A área motora suplementar participa do controle dos movimentos bilaterais, como movimentos sequenciais dos dedos, e está envolvida no planejamento mental dos movimentos voluntários. Essa área atua sem a dependência de referências externas, os movimentos são iniciados a partir de representações internas. Lesões na área motora suplementar estão relacionadas a apraxia, acinesia contralateral à lesão, mutismo, dificuldade de expressão facial e em movimentos bilaterais das mãos, assim como em tarefas autoiniciadas.[4] Juntas, a AMS e APM traduzem o conhecimento da maneira de executar um ato motor em sequência específica de comandos motores, transformando a estratégia em tática.[31]

O córtex parietal posterior, relacionado com a integração sensório-motora, é uma das áreas envolvidas no planejamento dos movimentos. Esta área tem uma representação sensório-motora específica e relaciona as pistas visuais do alvo com a execução apropriada de movimento. Essas características foram confirmadas por exames de neuroimagem funcional que evidenciaram a ativação neuronal da região dorsomedial do córtex parietal posterior e da junção parieto-occipital, esta última mostrando-se ativa durante a preparação para o movimento.[33]

As áreas motoras cinguladas regulam aspectos emocionais relacionados aos movimentos, além de participar na identificação das diferentes opções de comportamento e escolha dos mesmos.[34]

Regiões Subcorticais de Controle do Movimento

Regiões subcorticais participam intensamente de todas as ações planejadas e executadas pelas áreas motoras corticais. Os núcleos da base e o cerebelo são estruturas essenciais na modulação cortical do controle do movimento voluntário (Figura 3.5).

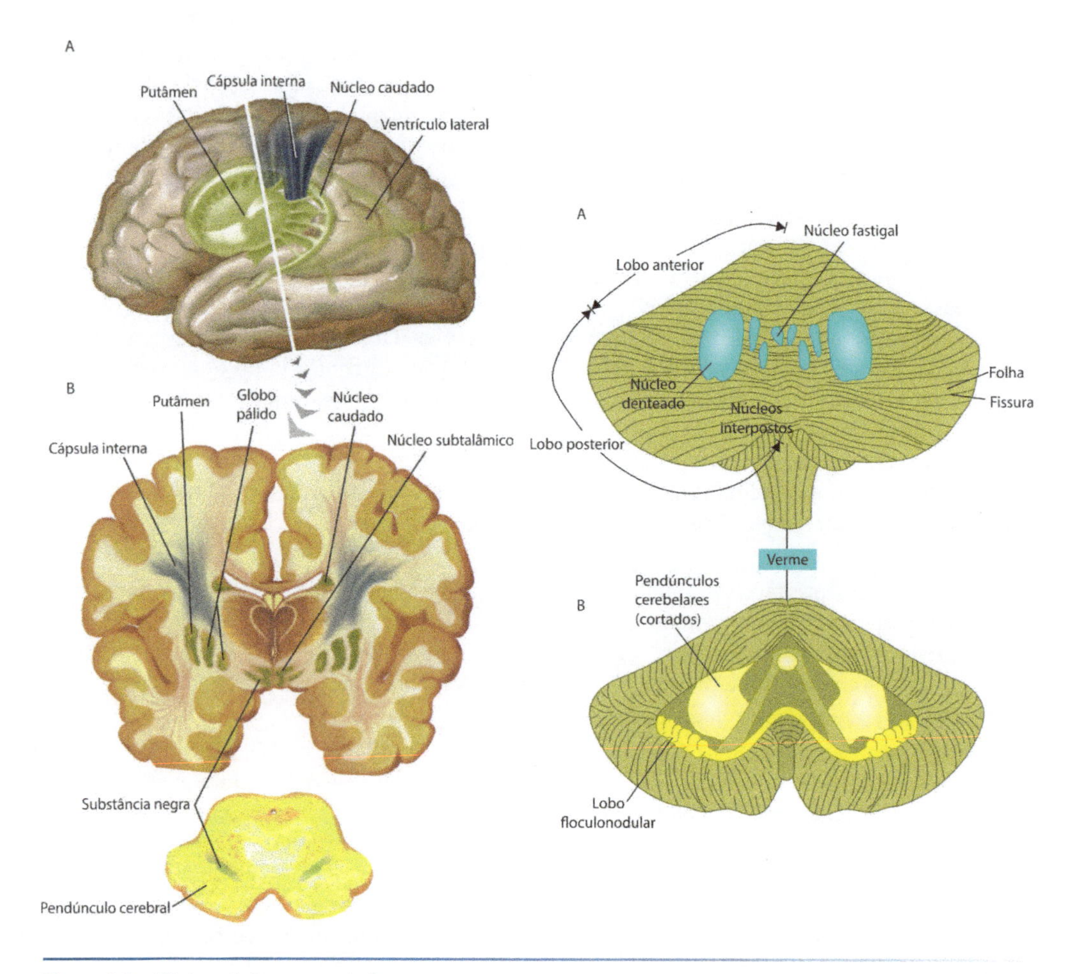

Figura 3.5 Núcleos da base e cerebelo.

Os núcleos da base organizam ações motoras internamente planejadas e se conectam com a AMS via tálamo. O cerebelo ajusta os movimentos de acordo com as referências externas fornecendo parametrização do movimento e tem intensas conexões com as áreas pré-motoras, formando a alça pré-motor-cerebelo-rubrocerebelar, que é relacionada ao ensaio mental para realização dos movimentos. As conexões tanto dos núcleos da base quanto dos núcleos cerebelares não se projetam diretamente aos neurônios medulares. Tal comunicação se faz por meio das vias descendentes do tronco encefálico e reciprocamente para as áreas motoras corticais.[32]

Núcleos da Base

Os núcleos da base consistem em cinco núcleos subcorticais localizados do mesencáfalo ao telencéfalo. São eles: núcleo caudado, putâmen, globo pálido (GP), núcleo subtalâmico (NST) e substância negra (SN). O núcleo caudado e putâmen são denominados em conjunto como núcleo estriado, uma vez que apresentam muitas similaridades embriológicas e estruturais. São separados entre si pela cápsula interna, um feixe de fibras composto por axônios eferentes corticais. As informações provenientes de axônios aferentes para os núcleos da base são transmitidas inicialmente ao estriado. O GP também se divide em duas partes por um feixe fibroso: segmento interno (GPi) e externo (GPe) e localiza-se no mesencéfalo. As células de ambos os segmentos são similares e recebem aferências do estriado, porém projetam-se para regiões diferentes. O GPi é uma das principais vias de saída dos núcleos da base; em conjunto com o GPe e o putâmen podem ser denominados núcleo lentiforme. A SN localiza-se dorsalmente ao pedúnculo cerebral e é constituída por dois grupos de células. A porção compacta (SNc) encontra-se mais dorsalmente e é constituída por células produtoras de dopamina. A porção reticulada (SNr) tem células e conexões similares às do GPi, sendo considerados os núcleos de saída dos núcleos da base.

As funções dos núcleos da base passaram a ser compreendidas após estudos desenvolvidos em indivíduos com lesões nessas estruturas. James Parkinson, em 1817, descreveu uma "paralisia agitante", que foi relacionada posteriormente a lesões na substância negra, cujas manifestações clínicas se apresentam em forma de lentidão e pobreza de movimentos.[35] Já estudos em indivíduos com doença de Huntington, que apresentam atrofia de núcleo caudado, demonstraram a existência de sintomas de exacerbação dos movimentos. Tais manifestações estão diretamente relacionadas às funções específicas dos diferentes núcleos da base no controle dos movimentos voluntários. A maioria das informações chega aos núcleos da base pelo estriado, principalmente provenientes do córtex ipsilateral. As áreas M1, APM, AMS e o córtex somatossensorial primário projetam-se essencialmente para o putâmen. Os núcleos da base também recebem projeções dos núcleos talâmicos intralaminares, da amígdala e núcleos da rafe dorsal. Há outras projeções menos extensas, como as provenientes de M1 e APM que se projetam diretamente para o NST.

Os núcleos da base não apresentam conexões diretas com a medula espinal. Eles se projetam para áreas motoras corticais (M1, APM e AMS) através dos núcleos talâmicos ventrolateral, ventral anterior, centromedial e centrodorsal, assim como ao núcleo pedúnculo-pontino. Os sinais eferentes dos núcleos da base provenientes, em sua maior parte, do GPi e SNr, são inibitórios. A SNr também projeta axônios para o colículo superior do mesencéfalo. A AMS é a área que mais recebe projeções provenientes dos núcleos da base. Por intermédio dessa alça motora córtex – núcleos da base – córtex, os núcleos da base influenciam indiretamente as áreas motoras no tronco encefálico e medula espinal. Há outras projeções que saem dos núcleos da base e influenciam diferentes regiões cerebrais, como as células dopaminérgicas da SNr, que enviam informações para o sistema límbico e centros motores corticais (Figura 3.6).

Os núcleos da base apresentam dois circuitos internos distintos. A via direta (núcleo estriado → núcleos de saída: GPi e SNr) e a via indireta (núcleo estriado → GPe → NST → núcleos de saída: GPi e SNr).

A via direta inicia-se com aferências excitatórias provenientes do córtex para o núcleo estriado e aumentam sua atividade. O núcleo estriado tem células inibitórias (que utilizam o neurotransmissor GABA, aumentando o efeito inibitório sobre os núcleos de saída, reduzindo sua atividade neuronal, que também é inibitória. Assim, os efeitos inibitórios sobre o tálamo são reduzidos e o estímulo talâmico excitatório ao córtex é aumentado, promovendo facilitação dos movimentos.

Na via indireta, axônios corticais (excitatórios) projetam-se para o núcleo estriado, que aumenta sua atividade inibitória. Projeções são enviadas ao GPe, que tem sua atividade inibitória diminuída. Em consequência da diminuição da atividade do GPe, que se projeta para o NST, o NST, que é um núcleo excitatório (neurotransmissor glutamato), tem sua atividade neuronal aumentada, promovendo uma maior atividade excitatória sobre os núcleos de saída. Estes, por sua

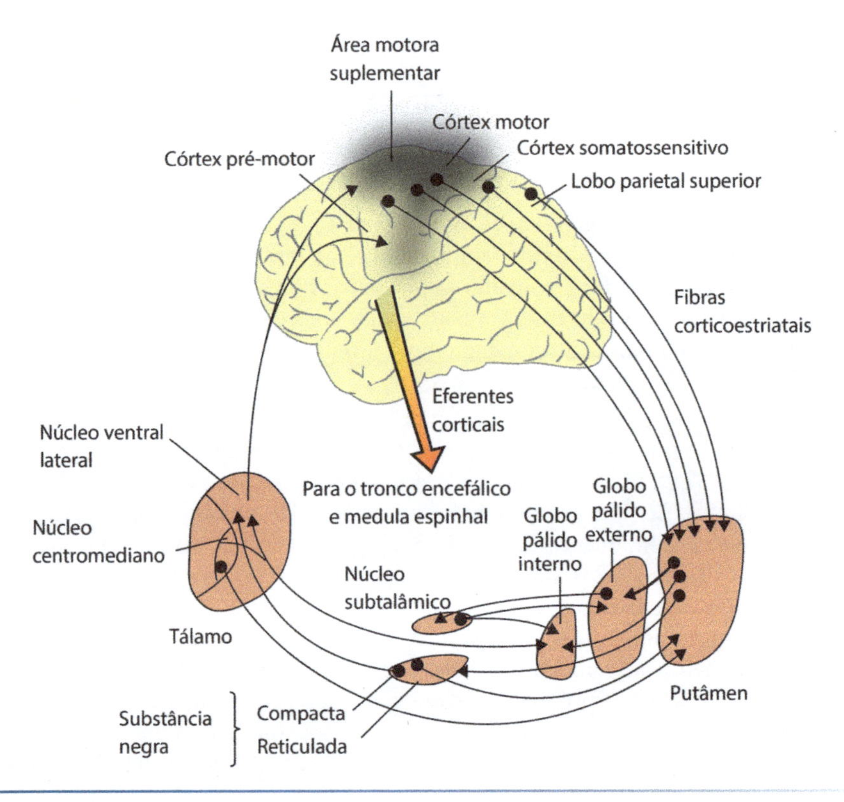

Figura 3.6 Conexões entre os núcleos da base.
Fonte: Radanovic e Kato-Narita, 2016.

vez, aumentam o envio de estímulos inibitórios ao tálamo, que diminuirá a atividade excitatória ao córtex. Essa via é conhecida por promover a inibição dos movimentos, ao contrário da via direta (Figura 3.7).

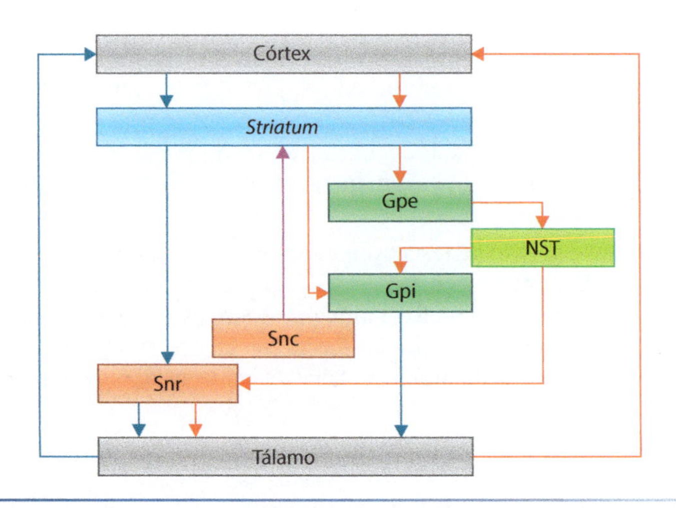

Figura 3.7 Circuitos dos núcleos da base: via direta (flechas azuis) e via indireta (flechas vermelhas).
Fonte: Radanovic e Kato-Narita, 2016.

Além disso, a SNc envia fibras dopaminérgicas ao núcleo estriado para diferentes grupos de receptores (D1 e D2); a dopamina apresenta efeito excitatório sobre as células GABAérgicas que se projetam aos núcleos de saída, aumentando a atividade da via direta. Entretanto, a dopamina também inibe algumas células GABAérgicas que se projetam ao GPe, inibindo a via indireta, facilitando o movimento. Sinais retroativos são enviados do núcleo estriado à SNc através de células produtoras de substância P (excitatória).

Os núcleos da base não têm funções exclusivamente motoras, estando envolvidos em aspectos cognitivos do movimento, assim como com as funções do sistema límbico. Seu papel motor está relacionado à modulação de movimentos sem a necessidade de pistas sensoriais externas (gerados internamente) e execução de estratégias motoras complexas. O GP está relacionado ao processamento de informações para início de movimentos adquiridos, recordados. Muitas das células do GP e putâmen estão ativas em alguns períodos de movimentos sequenciais, mas não em todo o movimento. Sequências específicas de movimento podem ativar outras células, sendo os núcleos da base relacionados à geração dos movimentos sequenciais complexos. Algumas células do estriado encontram-se ativas simultaneamente às células de M1 durante a execução de movimentos.[36]

Lesões nos núcleos da base apresentam diferentes manifestações clínicas relacionadas ao movimento e podem ser de diferentes origens: traumáticas, vasculares, infecciosas, tumorais ou por processos bioquímicos. Dependendo da área envolvida, os indivíduos poderão apresentar escassez de movimentos ou movimentos involuntários fásicos (tremores), podendo essas manifestações ocorrer, por exemplo, na doença de Parkinson, em que há uma depleção nos níveis de dopamina da SN consequente à perda das células nigroestriatais. Lesões no núcleo estriado poderão desencadear movimentos involuntários nas mãos e face principalmente, sendo eles oscilatórios, lentos e contínuos (atetoides) ou rápidos e espasmódicos (coreicos). Lesões no NST poderão promover movimentos bruscos, contralaterais, principalmente em músculos proximais (balismo).

Cerebelo

As lesões cerebelares não estão relacionadas à paralisia ou déficits sensoriais, mas promovem ruptura nas habilidades de realizar movimentos sinérgicos, sequenciais e suaves, desencadeando tremores e movimentos atáxicos. Além disso, desencadeiam déficits no controle postural e coordenação motora manual, o que gera impacto negativo sobre a realização das atividades cotidianas dos indivíduos. A estrutura celular e organização do cerebelo é similar em toda sua extensão, entretanto, em virtude de suas aferências e eferências, promove influência sobre diversos aspectos do movimento em diferentes regiões do corpo.

O cerebelo constitui um quarto do volume craniano humano e apresenta 80% do total de neurônios presentes no cérebro. Trata-se de uma estrutura globosa com dois hemisférios que apresentam dobras paralelas transversais (folhas) e que são separadas por fissuras. Pode ser dividido em três lobos: anterior, posterior e floculonodular (Figura 3.5 e 3.8).

O córtex cerebelar (localizado externamente) tem três camadas e a substância branca (internamente) apresenta, em seu meio, quatro núcleos profundos em cada hemisfério (fastigial, interposto – globoso e emboliforme –, além do núcleo denteado). Cada núcleo recebe e projeta informações provenientes de diferentes regiões do sistema nervoso. O núcleo floculonodular (também denominado vestibulocerebelo) recebe aferências do verme cerebelar com informações provenientes dos núcleos vestibulares do tronco encefálico e projeta-se novamente para eles. Lesões nessa região são caracterizadas por distúrbios do equilíbrio e na manutenção da postura antigravitária. O núcleo interposto, composto pelos núcleos globoso e emboliforme, recebe aferências da zona longitudinal intermediária dos hemisférios cerebelares. Essas regiões estão relacionadas ao controle dos movimentos voluntários. O verme e a zona intermediária do hemisfério cerebelar recebem informações provenientes da medula espinal (espinocerebelo) e enviam aferências através dos núcleos fastigial e interposto para os núcleos vestibulares do tronco

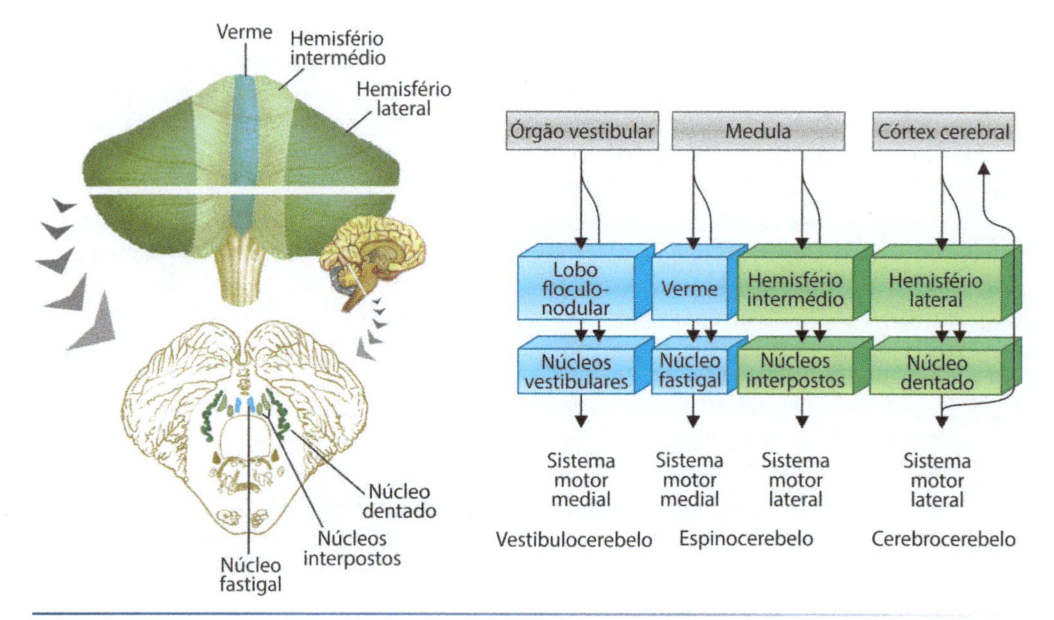

Figura 3.8 Cerebelo e suas vias de projeção.
Fonte: Lent, 2010.

encefálico, a formação reticular e o colículo superior, assim como para o núcleo rubro. Lesão nessas regiões poderão promover erros na execução dos movimentos. O núcleo denteado recebe aferências das regiões laterais dos hemisférios cerebelares (cérebro-cerebelo) com informações provenientes de núcleos da ponte com informações motoras e cognitivas. Projeta-se para M1, APM e córtex frontal através dos núcleos ventrolateral e ventral anterior do tálamo. Lesões nessa região promovem distúrbios no planejamento motor, influenciando os movimentos voluntários e automáticos aprendidos.

Sistemas de Controle

A atividade neural necessária para a produção do movimento voluntário é organizada por meio de dois sistemas de controle: o sistema de controle em circuito aberto (ou *forward model*) e o sistema de controle em circuito fechado (ou *inverse model*).

O sistema *forward* é um modelo de controle antecipatório da ação, a qual é preparada antes da detecção sensorial por conjuntos estruturados de sinais aferentes. Este sistema de controle transforma o comando motor em comportamento estimando a direção e distância em que o movimento deve ocorrer, sendo essencial para ações de curta duração. Por esse sistema, há uma antecipação do estado final em que o sistema motor se encontrará em função da ação.

Contudo, o sistema *inverse model* utiliza o *feedback* sensorial para orientar a ação. Assim, o sistema considera as características biomecânicas do membro que se move, comparando a informação sensorial e a experiência anterior para a geração de correções.

De forma geral, para o desempenho motor habilidoso, são necessários tanto a predição como o controle do movimento, os quais são representados, respectivamente, pelos sistemas *forward* e *inverse*. A predição transforma os comandos motores em consequências sensoriais esperadas enquanto o controle torna as consequências sensoriais desejadas em comandos motores (Figura 3.9).

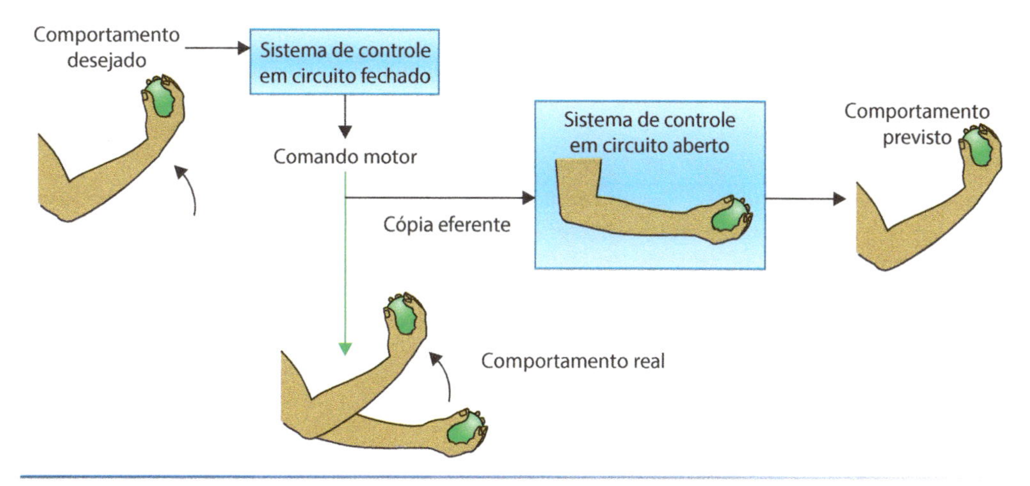

Figura 3.9 Modelos internos e controle motor.
Fonte: Adaptado de Wolpert.[1]

Tais sistemas de controle podem ser exemplificados pela análise dos movimentos do membro superior que são, em sua grande maioria, voluntários e de alta complexidade, envolvendo tarefas que exigem coordenação motora ampla ou refinada. De forma geral, três principais funções são desempenhadas pelo membro superior: o alcance, a preensão e a manipulação de objetos. Nossos movimentos precisam se adaptar e recrutar diferentes grupos musculares dependendo das características do objeto com que interagiremos, tais como o local onde o objeto está (distância e direção para a qual o membro deverá se mover para alcançá-lo), o tamanho do objeto (determinando a forma de preensão, assim como necessidade de maior ou menor acurácia no movimento) e a massa do objeto (promovendo menor ou maior demanda de força muscular). Todos esses aspectos influenciam na elaboração do plano motor, permitindo que realizemos os movimentos com melhor desempenho ou não, considerando inclusive nossa experiência prévia com o objeto. Você já tentou tocar um piano? A demanda de coordenação entre o uso dos dedos e o deslocamento do membro superior em direção às teclas corretas é alta. Com a prática, podemos nos tornar aptos a executar sequências de movimentos adequados produzindo a música.

Adaptação do Movimento Voluntário em Função da Experiência e do Desenvolvimento

A participação das áreas encefálicas no planejamento do movimento modifica-se, em função da prática e do desenvolvimento. A prática de uma habilidade motora pode ser acompanhada tanto pelo aumento como pela diminuição de atividade cerebral. O aumento indica recrutamento neural enquanto a diminuição implica que uma região deixou de ser importante ou o desenvolvimento de uma coordenação mais eficiente da tarefa foi alcançada.

Em estudo de Wiestler e Diedrichsen,[37] utilizando ressonância magnética funcional, os participantes foram treinados durante 4 dias a produzir sequências de movimentos diferentes com sua mão esquerda. Depois desse treinamento, a ativação cortical durante a produção das sequências treinadas e não treinadas foram comparadas. Significante ativação no córtex motor primário contralateral (M1) e córtex sensorial (S1) foi observada. Ativação bilateral adicional foi encontrada em áreas motoras secundárias, incluindo o córtex dorsal e ventral pré-motor (PMd, PMv), a área motora suplementar (AMS/pré-AMS) e regiões do aspecto medial do sulco intraparietal (SIP) e na junção occipito-parietal (JPO). Todas as ativações foram altamente correlacionadas à melhora do desempenho. A acentuada ativação ipsilateral durante os movimentos da mão não dominante é consistente com o papel especial do hemisfério esquerdo na produção de movimentos complexos. Nesse estudo, contrastes diretos mostram as áreas com menor atividade para as sequências treinadas comparadas às não treinadas. Essas áreas foram encontradas em ambos os hemisférios no PMd e em áreas ao longo do SIP medial. As mudanças refletem a formação de circuitos neurais especializados que permitem movimentos sequenciais rápidos e mais acurados.

Hardwick e colaboradores[38] desenvolveram uma metanálise com 70 estudos que utilizaram a ressonância magnética funcional ou tomografia por emissão de pósitrons para análise das áreas ativas em função do aprendizado de tarefas sensório-motoras ou sequenciais. Os resultados do estudo demonstraram ativações em córtex pré-motor dorsal, área motora suplementar, M1, S1, lobo parietal superior, tálamo, putâmen e cerebelo. Tarefas sensório-motoras foram mais consistentes em demonstrar ativação de núcleos da base e cerebelo, enquanto tarefas sequenciais foram mais consistentes na ativação de áreas pré-motoras.

A atividade cortical durante o movimento voluntário modifica-se também em função da idade do indivíduo. Heuninckx e colaboradores[39] mostram mudanças no recrutamento neural durante tarefas motoras em função da idade. Neste estudo com ressonância magnética funcional, os autores investigaram as mudanças relacionadas à idade nos movimentos cíclicos (rítmicos) da mão e do pé em tarefas com diferentes graus de complexidade. Voluntários destros (11 jovens e 10 idosos) foram orientados a realizar movimentos de flexão-extensão do punho e tornozelo direito isolados ou em combinação. Os achados revelam uma ativação típica de rede neural em ambos os grupos, mas várias áreas cerebrais adicionais estão ativas em idosos para que os indivíduos apresentassem o mesmo nível de desempenho. Regiões sensório-motoras e frontais foram significativamente mais ativadas em idosos quando comparados aos jovens e uma correlação positiva entre a atividade dessas áreas e o desempenho motor foi encontrada nos indivíduos mais velhos. Os autores colocam como hipótese o recrutamento adicional dessas áreas em idosos a fim de manter o sucesso na tarefa, caracterizando a neuroplasticidade do sistema no encéfalo idoso.

Considerações Finais

O movimento voluntário ocorre por intermédio de sistemas de controle que nos permitem gerar respostas motoras frente às diferentes situações que enfrentamos em nosso cotidiano. Tais sistemas têm uma alta flexibilidade no processamento de respostas motoras para que possamos perceber o ambiente e as pessoas ao nosso redor e interagir com elas. Para tanto, é necessário que nosso sistema nervoso esteja constantemente integrando regiões neurais relacionadas à percepção e elaboração de respostas baseadas em nossas experiências prévias e memória. Frente a isso, antes que nossos movimentos sejam executados, nosso sistema nervoso prediz parte do comportamento a ser realizado e, durante e após sua execução, faz uso de aferências sensoriais para promover correções. Tais ajustes podem ocorrer durante o movimento executado, quando a duração da ação permite, ou para modificar os próximos movimentos elaborados para responder à demanda de tarefas similares. Conforme envelhecemos, nosso sistema nervoso lança mão de outros recursos para que estejamos aptos a executar diferentes funções motoras com o mesmo desempenho de antes, mediante a ativação de outras regiões encefálicas, inclusive aquelas envolvidas no processamento cognitivo.

Referências Bibliográficas

1. Wolpert DM, Pearson KG, Ghez CPJ. A organização e o planejamento do movimento. In: Kandel E, Schwartz J, Jessell T, Siegelbaum S, Hudspeth AJ (eds.). Princípios de Neurociências. 5 ed. Porto Alegre: AMGH, 2014.
2. Mulder T. Motor imagery and action observation: cognitive tools for rehabilitation. J Neural Transm (Vienna). 2007;114(10):1265-78. Epub 2007/06/21.

3. Zanone PG, Kostrubiec V. Searching for (dynamic) principles of learning. Jirsa VK, Kelso JAS, editors. Berlim: Springuer, 2004.
4. Porter LL. O córtex motor. In: Cohen H, editor. Neurociência para fisioterapeutas: incluindo correlações clínicas. Barueri: Manole, 2001. p. 494.
5. York III GK, Steinberg DA. Hughlings Jackson's neurological ideas. Brain. 2011;134(10):3106-13.
6. Burke RE. Sir Charles Sherrington's the integrative action of the nervous system: a centenary appreciation. Brain. 2007;130(Pt 4):887-94. Epub 2007/04/18.
7. Sherrington C. The integrative action of the nervous system. New Haven: Yale University Press, 1906.
8. Schott GD. Penfield's homunculus: a note on cerebral cartography. J Neurol Neurosurg Psychiatry. 1993;56(4):329-33. Epub 1993/04/01.
9. Bozzacchi C, Volcic R, Domini F. Effect of visual and haptic feedback on grasping movements. J Neurophysiol. 2014;112(12):3189-96. Epub 2014/09/19.
10. Harris LR, Carnevale MJ, D'Amour S, Fraser LE, Harrar V, Hoover AE, et al. How our body influences our perception of the world. Front Psychol. 2015;6:819. Epub 2015/07/01.
11. Sarlegna FR, Mutha PK. The influence of visual target information on the online control of movements. Vision Res. 2015;110(Pt B):144-54. Epub 2014/07/20.
12. Lundy-Ekman L. Sistema somatossensorial. In: Lundy-Ekman L, editor. Neurociência: fundamentos para a reabilitação. Rio de Janeiro: Elsevier, 2008.
13. Haaland KY, Harrington DL, Knight RT. Neural representations of skilled movement. Brain. 2000;123 (Pt 11):2306-13. Epub 2000/10/26.
14. Haaland KY, Harrington DL, Knight RT. Spatial deficits in ideomotor limb apraxia. A kinematic analysis of aiming movements. Brain. 1999;122 (Pt 6):1169-82. Epub 1999/06/04.
15. Bagesteiro LB, Sarlegna FR, Sainburg RL. Differential influence of vision and proprioception on control of movement distance. Exp Brain Res. 2006;171(3):358-70. Epub 2005/11/25.
16. Capaday C. The integrated nature of motor cortical function. Neuroscientist. 2004;10(3):207-20. Epub 2004/05/25.
17. Shabbott BA, Sainburg RL. Differentiating between two models of motor lateralization. J Neurophysiol. 2008;100(2):565-75. Epub 2008/05/24.
18. Kalaska JF, Rizzolatti G. Movimento voluntáio: o córtex motor primário. In: Kandel ER, Schwartz JH, Jessell TM, Siegelbaum SA, Hudspeth AJ (eds). Princípios de neurociências. 5 ed. Porto Alegre: AMGH, 2014.
19. Putrino DF, Chen Z, Ghosh S, Brown EN. Motor cortical networks for skilled movements have dynamic properties that are related to accurate reaching. Neural Plast. 2011;2011:413543. Epub 2011/10/19.
20. Hatsopoulos NG, Suminski AJ. Sensing with the motor cortex. Neuron. 2011;72(3):477-87. Epub 2011/11/15.
21. Ng YS, Stein J, Ning M, Black-Schaffer RM. Comparison of clinical characteristics and functional outcomes of ischemic stroke in different vascular territories. Stroke. 2007;38(8):2309-14. Epub 2007/07/07.
22. Haaland KY, Mutha PK, Rinehart JK, Daniels M, Cushnyr B, Adair JC. Relationship between arm usage and instrumental activities of daily living after unilateral stroke. Arch Phys Med Rehabil. 2012;93(11):1957-62. Epub 2012/05/29.
23. Marque P, Felez A, Puel M, Demonet JF, Guiraud-Chaumeil B, Roques CF, et al. Impairment and recovery of left motor function in patients with right hemiplegia. J Neurol Neurosurg Psychiatry. 1997;62(1):77-81. Epub 1997/01/01.
24. Sunderland A, Bowers MP, Sluman SM, Wilcock DJ, Ardron ME. Impaired dexterity of the ipsilateral hand after stroke and the relationship to cognitive deficit. Stroke. 1999;30(5):949-55. Epub 1999/05/07.
25. Haaland KY, Schaefer SY, Knight RT, Adair J, Magalhaes A, Sadek J, et al. Ipsilesional trajectory control is related to contralesional arm paralysis after left hemisphere damage. Exp Brain Res. 2009;196(2):195-204. Epub 2009/05/30.
26. Silva FPP, Freitas SM, Silva PV, Banjai RM, Alouche SR. Ipsilesional arm motor sequence performance after right and left hemisphere damage. J Mot Behav. 2014;46(6):407-14. Epub 2014/09/11.
27. Jankowska E, Edgley SA. How can corticospinal tract neurons contribute to ipsilateral movements? A question with implications for recovery of motor functions. Neuroscientist. 2006;12(1):67-79. Epub 2006/01/06.
28. Chen JL, Schlaug G. Resting state interhemispheric motor connectivity and white matter integrity correlate with motor impairment in chronic stroke. Front Neurol. 2013;4:178. Epub 2013/11/14.
29. Yin D, Song F, Xu D, Peterson BS, Sun L, Men W, et al. Patterns in cortical connectivity for determining outcomes in hand function after subcortical stroke. PLoS One. 2012;7(12):e52727. Epub 2013/01/04.
30. Keele SW, Ivry R, Mayr U, Hazeltine E, Heuer H. The cognitive and neural architecture of sequence representation. Psychol Rev. 2003;110(2):316-39. Epub 2003/05/16.
31. Kingsley LE. Sistemas motores II: sistemas motores descendentes. In: Kingsley LE, editor. Manual de neurociência. 2 ed. Rio de Janeiro: Guanabara-Koogan, 2003.

32. Rizzolatti G, Kalaska JF. Movimento voluntário: os córtices parietal e pré-motor. In: Kandel E, Schwartz J, Jessell T, Siegelbaum S, Hudspeth AJ (eds). Princípios de neurociências. Porto Alegre: AMGH, 2014.
33. Bernier PM, Grafton ST. Human posterior parietal cortex flexibly determines reference frames for reaching based on sensory context. Neuron. 2010;68(4):776-88. Epub 2010/11/26.
34. Lent R. O alto comando motor. Estruturas e funções dos sistemas supramedulares em comando e controle do movimento. In: Lent R, editor. Cem bilhões de neurônios? Conceitos fundamentais de neurociência. 2 ed. São Paulo: Atheneu, 2010.
35. Goetz CG. The history of Parkinson's disease: early clinical descriptions and neurological therapies. Cold Spring Harb Perspect Med. 2011;1(1):a008862. Epub 2012/01/10.
36. Wichmann T, DeLong MR. Núcleos da base. In: Kandel ER, Schwartz JH, Jessell TM, Siegelbaum SA, Hudspeth AJ, editors. Princípios de neurociência. Porto Algre: AMGH, 2014.
37. Wiestler T, Diedrichsen J. Skill learning strengthens cortical representations of motor sequences. Elife. 2013;2:e00801. Epub 2013/07/16.
38. Hardwick RM, Rottschy C, Miall RC, Eickhoff SB. A quantitative meta-analysis and review of motor learning in the human brain. Neuroimage. 2013;67:283-97. Epub 2012/12/01.
39. Heuninckx S, Wenderoth N, Swinnen SP. Systems neuroplasticity in the aging brain: recruiting additional neural resources for successful motor performance in elderly persons. J Neurosci. 2008;28(1):91-9. Epub 2008/01/04.
40. Radanovic M, Kato-Narita EM. Neurofisiologia Básica para Profissionais da Área da Saúde. 1ed. São Paulo: Atheneu, 2016.

4 Aspectos Cognitivos do Controle e Aprendizado Motor

Sheila de Melo Borges
Renata Morales Banjai
Márcia Radanovic

Introdução

Por controle motor entende-se a capacidade de regular ou orientar os mecanismos essenciais para o movimento, por meio do esforço cooperativo entre processos múltiplos, incluindo a percepção, a cognição e a ação.[1] Essa capacidade é considerada uma área de estudo que envolve aspectos neurais, físicos e comportamentais do movimento (Figura 4.1).[2]

A percepção fornece informações sobre o estado do corpo (p. ex.: sua posição no espaço) e as características do ambiente por meio dos sistemas sensoriais/perceptivo.[1] A cognição significa aquisição, armazenamento, retenção e uso do conhecimento mediante uma série de funções mentais e também é responsável pela capacidade de solucionarmos problemas, realizarmos julgamentos e planejarmos/executarmos ações.[3] E a ação é definida como um conjunto de movimentos realizados para determinado fim, uma vez que denota uma tarefa com um propósito específico,[4] tais como andar, correr, pegar um objeto ou simplesmente ficar parado. É possível observar que a cognição exerce um papel central entre a percepção e a ação (Figura 4.2).[1]

Desse modo, a ação, a percepção e a cognição mostram-se interdependentes, sendo o conhecimento sobre a cognição importante na educação, pesquisa e principalmente na prática clínica fisioterapêutica, sobressaindo-se a aprendizagem motora na experiência perceptivo-motora do desenvolvimento e na recuperação funcional inserida no processo de reabilitação.[3]

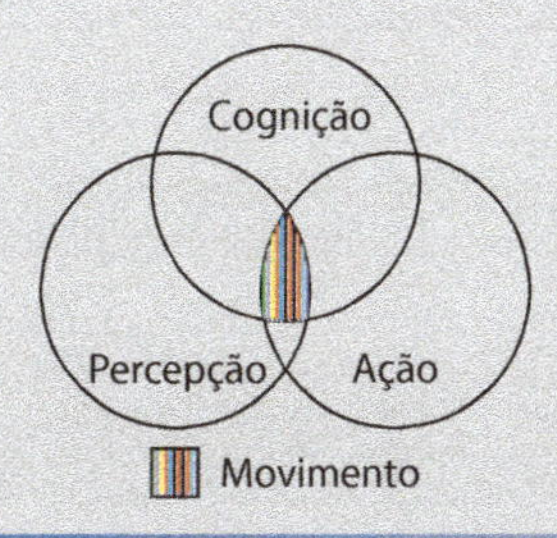

Figura 4.1 O movimento emergindo da relação entre a percepção, cognição e a ação.
Fonte: Adaptado de Shumway-Cook, 2011.[1]

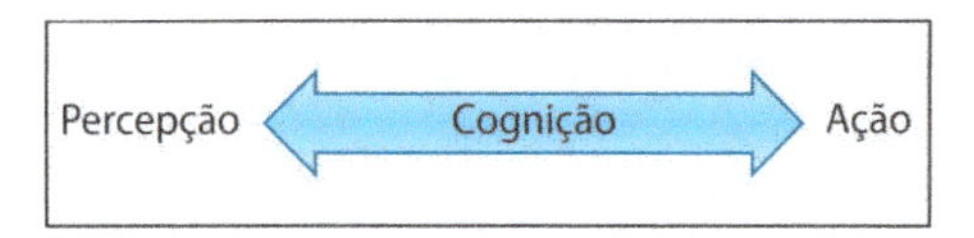

Figura 4.2 A cognição como mediadora entre a percepção e a ação.
Fonte: Adaptado de Shumway-Cook, 2011.[1]

Cognição e Aprendizado Motor

A cognição inclui diversos processos mentais como atenção, função executiva, memória, linguagem, abstração, resolução de problemas, raciocínio, tomada de decisão, ação e interação social. Portanto, a cognição não abrange apenas as habilidades cognitivas mais tradicionais, mas também as habilidades motoras e sociais.[3]

A cognição para fisioterapeutas deve ser abordada com base na aprendizagem motora envolvida na reorganização da estabilidade postural e na produção de movimentos.[5] A aprendizagem é um processo de aquisição de conhecimento para o qual são essenciais os aspectos cognitivos, tais como atenção, memória[6], bem como a maturação do sistema nervoso central (SNC). Além disso, a aprendizagem motora é a base da recuperação funcional (reabilitação), uma vez que possibilita a mudança de comportamentos motores já adquiridos, como também a aquisição de novos comportamentos motores.[7,8] Nesse sentido, o aprendizado motor pode ser estudado por meio da influência de fatores intrínsecos e extrínsecos[2,9] (Quadros 4.1 e 4.2) e da compreensão de três estágios do processo de aprendizado (cognitivo, associativo e autônomo),[10,11] detalhados no Quadro 4.3.

Para que o movimento ocorra, contamos com *feedforward* (disponível antes do movimento, também conhecido como controle antecipatório), bem como o *feedback* (disponível como resultado do movimento), sendo fundamental o *feedback* extrínseco na identificação dos erros e, consequentemente, na correção do movimento no estágio cognitivo. Já no estágio associativo, o *feedback* extrínseco torna-se menos importante e deverá ser empregado com o objetivo de

Quadro 4.1 Fatores intrínsecos do aprendizado motor

1) Atenção (capacidade de concentração no movimento e/ou na tarefa, e/ou na instrução, inibindo os estímulos irrelevantes);
2) Memória (capacidade de adquirir conhecimento/habilidade motora, armazenar essa informação e, posteriormente, reproduzir quando forem requisitados);
3) Motivação (processo emocional que facilita o processo de atenção e memória); e
4) Fase da aprendizagem psicomotora (no desenvolvimento ontogenético, conforme ocorre a aquisição cognitiva, as habilidades motoras são aprendidas e/ou aprimoradas).

Fonte: Adaptado de Lee, 2011[2] e Sizer, 2008[9]

Quadro 4.2 Fatores extrínsecos do aprendizado motor

1) Prática (repetição do movimento ou da tarefa, ou seja, aprender fazendo);
2) *Feedback* (informação sensorial indicativa do movimento – inclui processos internos/intrínsecos, como a propriocepção e externos/extrínsecos, como a correção do movimento pelo fisioterapeuta);
3) Classificação da tarefa (classifica a complexidade da tarefa); em que isso importa para o aprendizado? Por que é um fator?
4) Forma da instrução (instrução verbal e/ou cinestésica de como o movimento e/ou a tarefa deve ser realizada);
5) Contexto do movimento (abordagem funcional do movimento, este geralmente está associado à importância da atividade para o indivíduo).

Fonte: Adaptado de Lee, 2011[2] e Sizer, 2008[9]

Quadro 4.3 Estágios da aprendizagem motora

Estágio	Descrição
Cognitivo	Responsável pela atenção e compreensão da tarefa
Associativo	Momento de tentativa de manter o desempenho mais estável necessitando menos atenção conforme a percepção do indivíduo sobre o movimento/tarefa se estabeleça
Autônomo	Momento em que o indivíduo realiza as atividades de forma automática

Fonte: Adaptado de Fits, 1967[10] e Ladewig, 2000[11]

refinar o movimento, uma vez que o *feedback* intrínseco passa a ser mais ativado para controlar a movimentação e, então, por fim, o estágio autônomo poderá ser conquistado após muita prática e é nessa etapa que o indivíduo consegue desempenhar mais de uma tarefa ao mesmo tempo.[4]

É possível observar que as estratégias cognitivas podem fornecer informações importantes para o direcionamento da estimulação do desenvolvimento motor e da recuperação funcional (reabilitação) visto que a utilização dos princípios de aprendizagem motora por fisioterapeutas, geralmente, é um processo intuitivo e pode ser melhorado com a estratégia cognitiva.[12,13]

Atenção

A atenção é um componente importante da função cognitiva e está relacionada à capacidade de concentrar-se em um estímulo específico, inibindo estímulos irrelevantes (controle inibitório) e selecionar estímulos relevantes (atenção seletiva).[1] A atenção é um dos fatores intrínsecos do aprendizado, importante para a harmonia do fator extrínseco, bem como compõe o estágio cognitivo e associativo da aprendizagem motora.

A atenção é um dos requisitos básicos para a o controle motor uma vez que a falta ou o déficit de atenção implica danos na aprendizagem das habilidades motoras.[14] Entretanto, a atenção é um conceito comumente associado às demandas posturais (controle postural), sendo relativamente recente a utilização desse conhecimento e a abordagem para classificar a tarefa do movimento no campo do controle motor.[1]

Com relação ao controle motor, a atenção dividida (dupla tarefa) tem ganhado destaque não apenas em pesquisas,[15,16] mas também na prática clínica fisioterapêutica[3,17,18] e é importante para o treino funcional em um contexto ecológico (ambiental).[15,17]

Além da atenção seletiva (capacidade de concentrar a atenção na presença de um estímulo divergente) e atenção dividida (capacidade em responder simultaneamente a tarefas múltiplas), a atenção pode ser classificada em atenção concentrada (capacidade em responder a estímulos específicos), atenção prolongada (capacidade de manter a atenção com o passar do tempo) e atenção alternada (capacidade de mudar o enfoque da atenção de uma tarefa para outra).[1]

Mas quando o assunto é a produção do movimento, a atenção pode ser classificada em três níveis, são eles: nível pré-atencional, nível atencional e nível subatencional (Quadro 4.4).[19]

Apesar de o "nível atencional" ser frequentemente referido como superior aos demais, é no nível subatencional que o trabalho mais complexo do controle motor se realiza.[19] Portanto, um indivíduo com comprometimento da atenção (nível atencional) terá dificuldade em integrar adequadamente as informações sensoriais advindas do ambiente, comprometendo, assim, a coordenação motora e, consequentemente, a ação muscular adequada para a situação.

Em condições terapêuticas, o fisioterapeuta pode dar instruções verbais com o foco no que ele deseja que seja trabalhado (atenção externa), bem como fornecer instruções não verbais para que sejam acionados os mecanismos de atenção internos (inconsciente).[13] Veja o exemplo:

- O fisioterapeuta pode solicitar que o paciente faça uma tarefa de mobilidade funcional, como a troca postural consciente de sentado para o ortostatismo e do ortostatismo para

Quadro 4.4 Níveis de atenção e produção do movimento[19]

Nível de atenção	Relação com movimento
Pré-atencional	Composto por funções automáticas captadas pelos órgãos sensoriais, ou seja, apresentam relação entre o indivíduo e o ambiente.
Atencional	Responsável pelo tratamento da informação sensorial recebida, sendo aqui processada de forma consciente
Subatencional	Compreende a etapa do processo de organização dos movimentos em que as ações das diversas unidades de controle motor são integradas, também chamada de coordenação motora

Fonte: Adaptado de Teixeira, 2006[19]

sentado, pedindo a ele que direcione as mãos para um apoio à sua frente, realizando o deslocamento do centro de massa na direção do apoio e, portanto, com o foco externo na utilização de um banco de apoio e/ou andador (Figura 4.3A e B), como também o paciente pode utilizar as mãos do fisioterapeuta como referência para realização da tarefa ou, ainda, realiza-la com o foco de atenção apenas no movimento/tarefa em execução (Figura 4.3C). Os focos de atenção interno e externo também podem ser estimulados simultaneamente e, à medida que o aprendizado evolui, as exigências nos processos da atenção diminuem, permitindo que o indivíduo direcione o foco da atenção para outros aspectos importantes durante a realização da tarefa, fase considerada autônoma (inconsciente).[11]

A fase autônoma permite que o indivíduo realize a atividade com consistência e quase sem pensar e, para isso, é necessário que outros componentes cognitivos, como a função executiva e, em especial a memória, estejam envolvidos no processo de aprendizado motor.

Função Executiva

A função executiva compreende uma variedade de habilidades cognitivas superiores que usa sistemas sensoriais corticais,[20,21] especialmente dos lobos frontal (córtex pré-frontal) e temporal (hipocampo)[22] com o objetivo de planejamento, monitoramento e produção destinados à

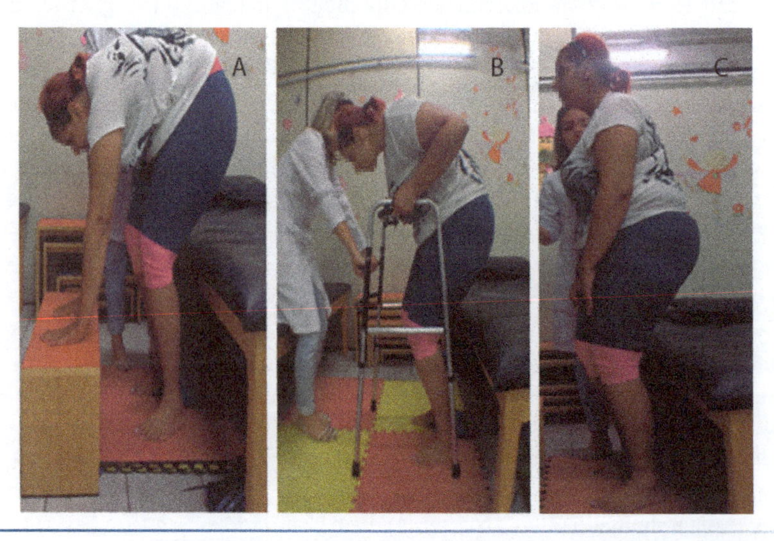

Figura 4.3 Exercício de mobilidade funcional: Imagem A: atenção externa utilizando banco de apoio. Imagem B: atenção externa utilizando o andador. Imagem C: atenção interna realizando o movimento com direcionamento da atenção para a execução da atividade.
Fonte: Acervo pessoal.

execução de uma atividade motora com um determinado propósito.[23] Para isso, a função executiva necessita de subcomponentes como a atenção, organização, flexibilidade mental, pensamento abstrato, planejamento de sequências, inibição de informações impróprias e processos concorrentes, e monitoramento, sendo essas habilidades necessárias para a independência funcional dos indivíduos.[24,25] Dessa maneira, a função executiva apresenta-se em três regiões funcionais distintas no córtex pré-frontal:

1. a região dorsolateral, responsável pela atenção seletiva, sustentada e dividida, pelo planejamento e memória operacional;
2. a área orbitofrontal, relacionada a alterações comportamentais e de atenção (quando esta área estiver lesada);
3. a região ventromedial, relacionada com a iniciativa para movimentos dos membros, fala e olhos, e tomada de decisão.[21,26]

Para a produção de uma ação motora, as habilidades cognitivas de controle e de integração são desempenhadas por meio da função executiva que utiliza componentes cognitivos, atencionais e comportamentais para manter e redirecionar a atenção, possibilitando as ações motoras pretendidas e "ignorando" outras entradas irrelevantes. A função executiva contribui também para as ações automáticas e é responsável pelo planejamento e pela execução da ação intencional. Desse modo, é fundamental no gerenciamento das atividades da vida diária.[27,28]

O Quadro 4.5 descreve cada um dos componentes da função executiva e analisa o que ocorre quando cada componente está prejudicado, tomando como exemplo a marcha.[28]

Segundo o modelo neurocognitivo para a atenção seletiva, o lobo parietal superior está envolvido na representação espacial exterior, proporcionando referências do ambiente, e o córtex pré-motor lateral atua nos movimentos de exploração e orientação (p. ex.: nos movimentos oculares), pois está envolvido no planejamento de movimentos com referências externas.[29] O giro cingulado anterior participa nos aspectos executivos da atenção seletiva, incluindo a monitoração da resposta.[30,31] Já no modelo de inibição das respostas, o córtex pré-frontal atua protegendo as representações de informações relevantes das interferências externas e os núcleos da base promovem a inibição de comportamentos inadequados: o núcleo caudado e o putâmen recebem os sinais do córtex frontal e os enviam de volta ao córtex via globo pálido e tálamo. Esta rede, conhecida como "rede frontoestriatal", modula a atividade na área motora suplementar que tem um papel primário no planejamento, iniciação e momento do movimento, em ações planejadas internamente e independentes de referências externas.[30,31]

Memória

A memória não envolve uma única área cortical, sendo distribuída por diferentes áreas cerebrais, e pode ser analisada em diversos subcomponentes independentes, porém interativos[32]. É formada a partir da codificação, do armazenamento e da recuperação da informação e pode ser classificada em relação ao "conteúdo" (tipo de função) e em relação ao "tempo" (duração do tempo de fixação).[33]

No que diz respeito à classificação do tipo conteúdo, a memória pode ser dividida em declarativa (também conhecida como explícita) e não declarativa (também conhecida como implícita ou de procedimentos); e em relação ao tempo, a memória pode ser classificada em memória operacional, de curto e longo prazo.

A memória operacional caracteriza-se pela efemeridade, ela dura segundos ou poucos minutos e é responsável pela manutenção transitória de conteúdo ativo e facilmente acessível para realização de tarefas em tempo real, por exemplo, o indivíduo lembrar que saiu do quarto para buscar um objeto (tesoura) na sala ou acompanhar uma conversa. A memória de curto prazo é importante para a aquisição da memória de longo prazo e dura mais tempo do que a operacional.[34,35]

Quadro 4.5 Apresentação dos componentes da função executiva e sua definição em relação às implicações na marcha

Componente	Definição	Efeito sobre a marcha (quando o componente está prejudicado)
Volição	Capacidade para um comportamento intencional, formulação de um objetivo ou de intenção, e iniciação de atividade.	Perda de mobilidade consequente à redução da motivação. Dificuldade em iniciar o movimento, que pode ser confundida com bradicinesia.
Autoconhecimento	Capacidade de colocar-se (psicológica e fisicamente) no ambiente físico.	Estimativa pobre ou imprecisa de suas limitações físicas podem levar à inadequada avaliação dos riscos ambientais e ao aumento do risco de cair.
Planejamento	Identificação e organização das etapas e dos elementos necessários para realizar uma intenção. Pode utilizar outras habilidades cognitivas, tais como pensamento, escolha e controle de impulsos.	Os déficits de habilidades de tomada de decisão prejudicam a caminhada em um ambiente complexo, por escolhas arriscadas e/ou por ineficiência desse processo. Dessa maneira, o indivíduo poderá ter dificuldade em encontrar o melhor caminho ou perder tempo ou, ainda, fazer maior esforço para chegar ao destino desejado.
Inibição da resposta	Responsável por "ignorar" *inputs* sensoriais irrelevantes, superar os reflexos primários e filtrar distrações para resolver problemas. Esta capacidade está intimamente relacionada com atenção seletiva.	Ao caminhar nos ambientes complexos do cotidiano, a inibição da resposta permite ao indivíduo concentrar-se na marcha, propiciando-lhe atenção e prioridade adequadas, apesar de inúmeras distrações.
Monitoramento da resposta	Permite que se comparem ações em curso com um plano interno, para detecção de erros. Esta habilidade facilita a tomada de decisão e o ajuste do comportamento de forma flexível, na medida do possível e dentro das limitações impostas (por doenças neurológicas, por exemplo).	Este componente da função executiva também pode ser importante para caminhadas em ambientes complexos. Pacientes com demência, por exemplo, pode andar muito rápido, aumentando o risco de quedas, por causa da redução da inibição.
Atenção dividida	A capacidade de alocar apropriadamente a atenção entre tarefas executadas ao mesmo tempo.	Capacidade de realizar a tarefa primária motora (p. ex.: andar) e uma tarefa secundária (p. ex.: segurar um copo com água e/ou conversar) ao mesmo tempo, sem prejudicar as tarefas, especialmente a primária.

Fonte: Adaptado de Yogev-Seligmann, Hausdorff e Giladi, 2008.[28]

É uma memória que possibilita ao indivíduo lembrar, depois de algum tempo, se travou o carro, se desligou o ferro elétrico, enfim, tarefas simples do cotidiano.

A memória de longo prazo é um tipo de memória que dura dias, meses, anos e décadas. Além da atenção, utiliza-se de um sistema de associação com diferentes regiões do cérebro e, por isso, é mais duradoura. Pode ser declarativa (explícita) e não declarativa (implícita). A memória explicita refere-se a informações que podem ser trazidas à consciência por meio de recordações verbais ou imagens visuais.[33] É dividida em dois subsistemas: um responsável pelo armazenamento e pela recuperação de informações pessoais, como eventos e episódios que ocorreram em uma época específica da vida (memória episódica); e outro responsável por conhecimentos gerais, fatos sobre o mundo (memória semântica).[33]

A memória implícita envolve múltiplos comportamentos, incluindo habilidades e hábitos (p. ex.: a aprendizagem em sequência), *priming* ou pré-ativação (p. ex.: a conclusão de um raciocínio/palavra), a aprendizagem associativa (p. ex.: condicionamento por associação) e aprendizagem não associativa (p. ex.: a habituação).[36] Outro tipo de memória implícita é a memória processual (também conhecida como memória de procedimento ou procedural), que permite ao indivíduo aprender habilidades tais como andar de bicicleta ou realizar tarefas motoras.[37] Portanto, o aprendizado motor faz parte da memória implícita, definido como um conjunto de processos não conscientes, associados com a prática e a repetição de movimentos, que levam às mudanças permanentes nas respostas motoras.[38] Apesar de a habilidade motora ser adquirida primordialmente pela prática, os indivíduos que a realizam, mesmo muito habilidosos, são frequentemente incapazes de expressar o que aprenderam nesse tipo de habilidade e, por esse motivo, a aprendizagem motora é referida como uma aprendizagem implícita, ao contrário da aquisição explícita de conhecimento, que é, geralmente, expressa em palavras.[40] Isso é possível em virtude das modificações das redes neurais responsáveis pelas respostas motoras, possibilitando um desempenho mais eficaz da tarefa treinada.[39,40] As informações relacionadas à memória implícita são adquiridas gradualmente ao longo de diversas experiências, sobretudo por meio do treino/repetição e, com o decorrer do processo, o desempenho evolui de impreciso para acurado, de lento para veloz e de controlado pela atenção para automático, ou seja, quanto mais uma tarefa for praticada, menos atenção é requerida para sua execução.[18]

O aprendizado também pode ser classificado em não associativo e associativo. O aprendizado associativo envolve íntima relação temporal, ou seja, a simultaneidade entre dois estímulos/eventos (condicionamento clássico) ou entre um comportamento e um reforço, também conhecido como tentativa e erro (condicionamento operante), permitindo ao indivíduo chegar a conclusões sobre as relações causais no seu ambiente para que o aprendizado ocorra. Já o aprendizado não associativo não envolve nenhuma relação temporal entre os estímulos, sendo a sensibilização (aumento de uma resposta após um estímulo intenso ou nocivo) e a habituação (diminuição da resposta local durante a aplicação repetitiva de um estímulo inócuo ou benigno) integrantes desse paradigma.[41] A Figura 4.4 expõe de forma esquemática a taxonomia da memória.

Segundo Sá e Medalha (2001),[32] para a aquisição de uma nova habilidade motora são necessárias diversas etapas:

a. recepção do estímulo (inclui o mais simples como tátil, visual ao mais complexo como o volitivo e mnemônico);

b. identificação e codificação do estímulo;

c. ativação da memória para comparação com informações anteriores;

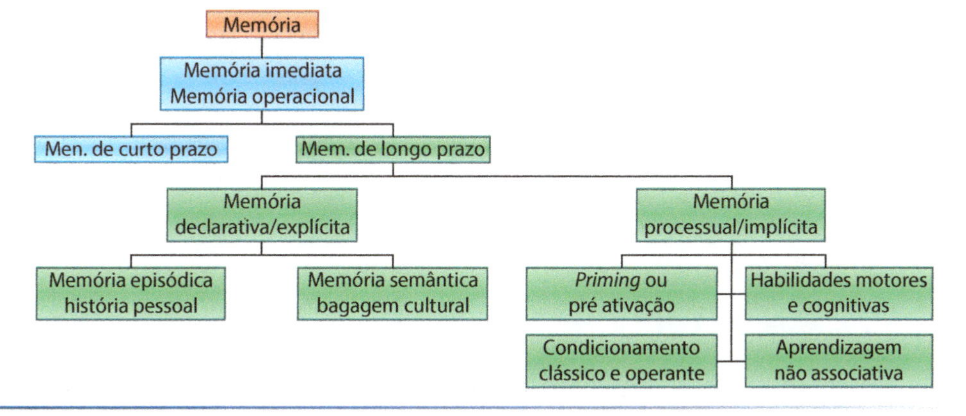

Figura 4.4 Taxonomia da memória.
Fonte: Adaptado de Squire e Zola-Morgan.[42]

d. escolha e programação da resposta motora por meio da ativação da área motora primária;

e. geração do movimento.

Na etapa de execução do movimento, os *feedbacks* intrínseco e extrínseco são fundamentais para correção e a fixação da resposta. Os intrínsecos podem elucidar a importância da repetição na aprendizagem implícita e os extrínsecos, potencializar a aprendizagem. O entendimento sobre a relação entre o movimento adequado e/ou inadequado é a essência para o resultado final da aprendizagem motora (Figura 4.4).

É importante reforçar que o movimento pode ser dividido em três classes, muito amplas e superponíveis: as respostas reflexas (p. ex.: reflexo patelar), os padrões motores rítmicos (p. ex.: a marcha) e os movimentos voluntários (atividades simples como pentear o cabelo até a mais complexa como dirigir um automóvel).[43] Ressalte-se também que além das informações contidas na Figura 4.5, há três níveis de controle motor: a medula espinhal, os sistemas descendentes do tronco encefálico e as áreas motoras do córtex cerebral, sendo a integração realizada por *feedback*, *feedforward* e por movimentos adaptativos, distribuídos por entre esses níveis.[43]

Segundo Brooks,[44] as máximas como "tente, tente, tente de novo" e "a prática leva à perfeição" expressam o conhecimento comum sobre a prática continuada para melhorar os movimentos aprendidos. Contudo, segundo esse mesmo autor, não basta trabalhar com a repetição de um movimento (ação), é necessário e primordial a estruturação das sessões de treino da atividade visando a aquisição eficiente e melhor retenção da habilidade motora, potencializando o aprendizado.[4,12] O conhecimento sobre as memórias pode contribuir nesse processo.

Em contraste com a memória explícita, a implícita não depende diretamente da consciência e é uma forma de memória na qual uma experiência anterior influencia indiretamente um comportamento, sem recuperação intencional ou consciente da experiência,[43,44] dessa maneira, só pode ser evidenciada por meio do desempenho e não como uma lembrança/recordação (como na memória explícita).[45] Por esse motivo, os fisioterapeutas utilizam testes funcionais durante a

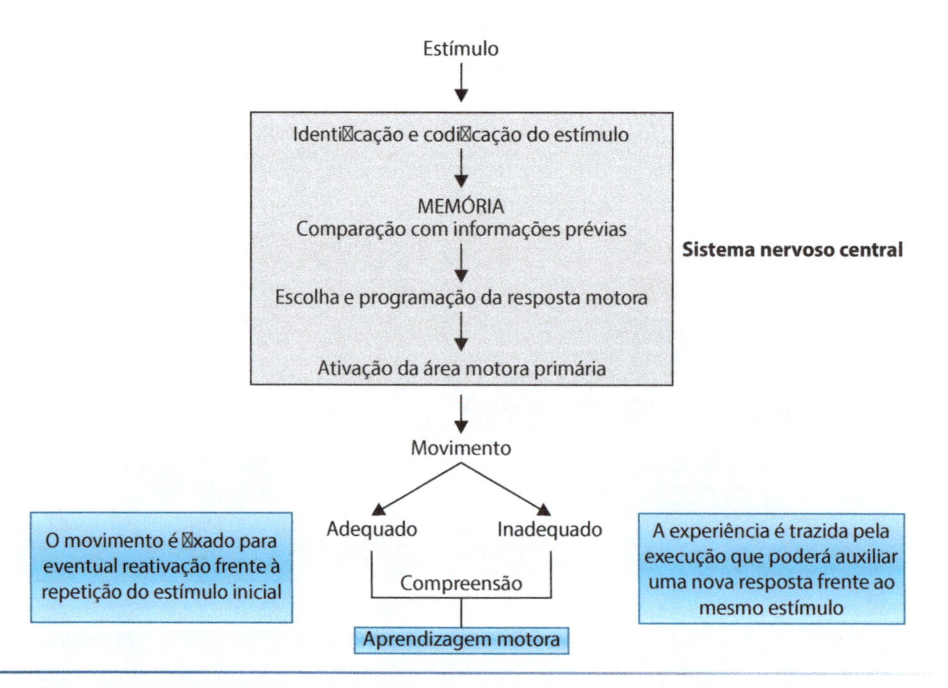

Figura 4.5 Esquema do processo da aprendizagem motora e sua relação com a memória.
Fonte: Adaptado de Kalaska, 2013.[43]

prática clínica para avaliar a melhora da força muscular de membros inferiores (p. ex.: o teste de se sentar e levantar-se da cadeira), do equilíbrio em base imóvel e dinâmico (p. ex.: a escala de equilíbrio de Berg) e da funcionalidade (p. ex.: Medida de Independência Funcional).

A aprendizagem motora pode ser estimulada não apenas pela repetição do movimento em si, mas também por meio do treino com estratégias de prática mental, sendo esta definida como um estado dinâmico no qual o sujeito evoca uma representação imaginária de uma ação motora ou habilidade para aprender ou aperfeiçoar a ação.[46] A prática mental pode ser explicada do ponto de vista neuromuscular e cognitivo.[4] A explicação neuromuscular pode ser feita por meio de registros eletromiográficos de grupos musculares demonstrando a ativação desses grupos quando se imagina a realização da atividade estabelecida[4] e por meio de neuroimagem funcional.[45] Já a explicação cognitiva refere-se aos benefícios do aprendizado relacionado à sua capacidade em criar imagens mentais da ação.[4]

A prática mental pode ser utilizada como estratégia para o aprendizado de habilidades, e esta produz melhores resultados se associada à prática física[4]. Entretanto, segundo revisão publicada por García Carrasco e Aboitiz Cantalapiedra,[46] embora resultados de exames utilizando imagem funcional tenham mostrado que a prática mental produz padrões de ativação cortical semelhantes aos do movimento, a eficácia clínica de tais métodos para a recuperação funcional ainda tem de ser demonstrada.

Esse é um dos motivos que justificam a visão de que a aprendizagem implícita não é um processo inconsciente uma vez que o paciente precisa ser capaz de entender a tarefa que é praticada.[5] Porém, há evidência substancial de que a aprendizagem implícita e aprendizagem explícita são controladas por diferentes substratos neurais.[5] A rede neural funcional para a aprendizagem implícita inclui os núcleos basais, cerebelo e o córtex pré-frontal; já a rede de aprendizagem explícita compreende o córtex temporal, hipocampo, tálamo, e córtex fronto-parietal.[5]

Apesar de as memórias implícita e explicita serem distintas, não apenas funcional como também anatomicamente, há uma relação de dependência entre elas que pode ser explorada terapeuticamente, visando facilitar a aquisição das habilidades motoras.[4] Vejamos um exemplo: quando um fisioterapeuta ensina a maneira correta de descer e subir escadas a um paciente com prótese para nível de amputação transfemural à direita, é necessário que, ao subir a escada, o paciente utilize primeiro o membro não amputado (membro inferior esquerdo) no degrau e depois o membro amputado e com prótese (membro inferior direito) e, para descer, o paciente inicie o movimento com o membro amputado e com prótese (membro inferior direito) e, depois, o membro não amputado (membro inferior esquerdo). Neste exemplo, o fisioterapeuta deve explicar ao paciente o exercício e a nova maneira de subir e descer escadas e, geralmente, o profissional fornece os seguintes comandos verbais, tomando como referência os membros inferiores e sua consciência corporal: para subir – "esquerda, direita, esquerda, direita, esquerda, direita" até o paciente chegar ao topo da escada; e para descer – "direita, esquerda, direita, esquerda, direita, esquerda" até finalizar a escada. Esses comandos do fisioterapeuta (*feedback* extrínseco) podem ser fornecidos até que o paciente possa dispensar a "consciência" durante o movimento (*feedback* intrínseco), ou seja, até a tarefa ser aprendida e, portanto, quando o paciente conseguir alcançar a fase autônoma da tarefa, como exposto no Quadro 4.3 (Figura 4.6).

Neste exemplo, é possível perceber que a aprendizagem da habilidade motora requer a seleção de informações que podem estar contidas no meio ambiente (no exemplo, uso da escada com a prótese) e/ou fornecidas por uma pessoa (como um fisioterapeuta),[10] associada aos aspectos psicomotores do paciente. E apesar de a recuperação de habilidades motoras ser baseada na memória implícita, as tentativas para orientar a aprendizagem, geralmente, usam instruções explícitas sobre "como" realizar uma tarefa de movimento.[36] Os fisioterapeutas usam considerável tempo com instruções para seus pacientes, entretanto poucos estudos têm considerado o

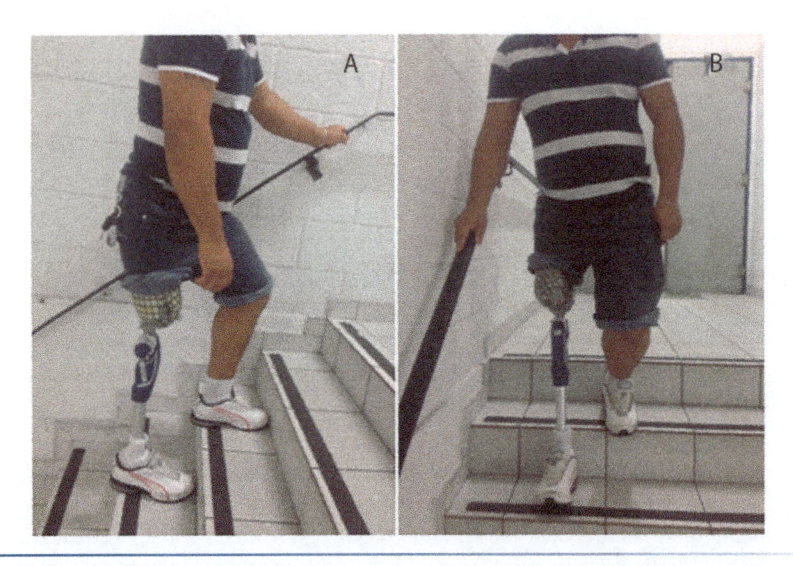

Figura 4.6 Treino de subir e descer escadas com o paciente usando prótese em decorrência de amputação transfemural à direita: Imagem A: paciente subindo o degrau. Imagem B: paciente descendo o degrau. Fonte: Acervo pessoal.

impacto da informação explícita sobre a aprendizagem de habilidades motoras,[36] sendo o ideal a utilização de estratégias explícitas e implícitas na aprendizagem motora.

Nos últimos anos, vem ganhando destaque na literatura o sistema conhecido como "neurônios-espelho",[47] descrito pela primeira vez no córtex pré-motor ventral (área F5) de macacos em 1996.[48] Esses neurônios disparam em resposta à visualização de movimentos que têm um *objetivo específico*, mas não quando ocorrem movimentos simples, como deslocamento de membros que não tem um propósito. Neurônios com as mesmas características são encontrados no lóbulo parietal inferior, formando uma rede relacionada à organização do movimento. Aparentemente, o principal papel funcional deste sistema neuronal é o de compreender ações realizadas por outros indivíduos de uma forma automática, isto é, transpondo a ação observada para o próprio repertório de representações mentais do indivíduo que a observa. Diversos experimentos[49-52] têm demonstrado em humanos a participação deste sistema no aprendizado por *imitação* e na facilitação da construção de memórias motoras a partir da observação de um ato motor previamente à sua realização pelo indivíduo, isto é, indivíduos que *observam e treinam simultaneamente* aprendem com mais facilidade do que indivíduos que apenas treinam uma determinada sequência motora ensinada previamente.

As definições discutidas neste capítulo são operacionais e, de maneira geral, descrevem um nível comportamental de análise, mas, durante a prática clínica, algumas das distinções entre os vários modelos cognitivos apresentados desaparecem. Portanto, com o objetivo de facilitar o aprendizado motor, os aspectos cognitivos devem ser levados em consideração para conduzir a sessão de fisioterapia, além do tratamento adequado, respeitando-se as particularidades de cada indivíduo. Nesse sentido, estão listadas no Quadro 4.6 algumas estratégias que podem colaborar neste processo.[1]

Conclusão

A compreensão sobre a relação dos aspectos cognitivos e controle motor é observada por meio da aprendizagem motora, sendo este conhecimento importante para todas as áreas de atuação do fisioterapeuta. Neste capítulo, destacou-se que o conhecimento sobre atenção, função executiva e os tipos de memória pode facilitar o aprendizado motor, conhecimento este tão essencial quanto o entendimento do funcionamento da ação muscular durante a realização de um movimento e/ou durante uma tarefa motora, respeitando-se a necessidade de cada indivíduo e seu processo de aprendizado motor com um olhar multidimensional e multidisciplinar cujo foco é a funcionalidade.

Quadro 4.6 Estratégias para facilitar o aprendizado motor e/ou melhorar um movimento/função

O fisioterapeuta deve:

- Verificar se o objetivo da tarefa está claro para o paciente;
- Ser consistente em seus objetivos e reforçar apenas os comportamentos compatíveis com eles;
- Usar instruções simples, claras e concisas;
- Começar com tarefas simples e aumentar gradualmente a complexidade das demandas;
- Destacar "dicas" para a execução da tarefa;
- No início do aprendizado, minimizar os estímulos irrelevantes do ambiente, introduzindo atividades de atenção dividida à medida que a tarefa é aprendida;
- Encorajar a aprendizagem declarativa e a processual – pedir que o paciente ensaie verbal e/ou mentalmente as sequências da tarefa, antes e/ou durante sua realização;
- Fornecer supervisão (verbal e/ou cinestésica) de acordo com a necessidade;
- Buscar um nível adequado de estimulação: pacientes agitados exigem uma intensidade reduzida de estímulos (voz baixa, lâmpadas fracas, toques lentos), os pacientes letárgicos precisam de uma elevação da intensidade do estímulo (comandos de voz alta, movimentos rápidos, trabalhar em posição vertical);
- Treinar a repetição, ou seja, praticar várias vezes a mesma atividade, da mesma maneira e de maneiras variadas (exemplo com foco de atenção interna e/ou externa, com *feedback* visual e/ou auditivo e/ou cinestésico);
- Trabalhar com tarefas relevantes e importantes para o paciente, isso tornará a atividade interessante, facilitando o processo de aprendizagem.

Fonte: Adaptado de Shumway-Cook, 2011.[1]

Referências Bibliográficas

1. Shumway-Cook AWMH. Motor control: translating research into clinical practice. Philadelphia, Pa.; London: Lippincott Williams & Wilkins, 2011.
2. Lee TD, Schmidt RA. Motor Learning and Memory. IN: Roediger HL. Cognitive Psychology of Memory. Learning and memory: a comprehensive reference, 4 vols. (J.Byrne Editor), Oxford: Elsevier, 2011; p. 645-662.
3. Lobo MA, Harbourne RT, Dusing SC, McCoy SW. Grounding early intervention: physical therapy cannot just be about motor skills anymore. Phys Ther. 2013;93(1):94-103.
4. Alouce SR e Sá CSC. Aprendizado, comportamento motor e envelhecimento. IN: Perracini MR e Fló CM. Funcionalidade e envelhecimento. Guanabara Koogan, 2010.
5. Pohl PS, McDowd JM, Filion DL, Richards LG, Stiers W. Implicit learning of a perceptual-motor skill after stroke. Phys Ther. 2001;81(11):1780-9.
6. Wolpert D, Pearson K, Ghez C. The organization and Planning of Movement. In: Kandel E, Schwartz J, Jessell T, Siegelbaum S, Hudspeth A (eds). Principles of Neural Science. 5 ed. New York: McGraw-Hill, 2012; p. 743:66.
7. Gallahue DL, Ozmunj C. Compreendendo o desenvolvimento motor: bebês, crianças, adolescentes e adultos. São Paulo: Phorte Editora, 2003.
8. Pereira ND. Aprendizagem motora: histórico da abordagem clássica e dos sistemas dinâmicos. http://efdesportes.com/Revista digital – Buenos Aires – ano 14, 2010.
9. Sizer P, Sawyer S, Felstehausen V, Couch S, Dornier L, Cook C. Intrinsic and extrinsic factors important to manual therapy competency development: a Delphi investigation. J Man Manip Ther. 2008;16(1):e9-e19.
10. Fitts PM, Posner MI. Human performance. Belmont, Brooks/Colemann, 1967.

11. Ladewig I. A importância da atenção na aprendizagem de habilidades motoras. Rev. Paul. Educ. Fís., São Paulo, supl.3, p.62-71, 2000.
12. Fuhrer MJ, Keith RA. Facilitating patient learning during medical rehabilitation: a research agenda. Am J Phys Med Rehabil.1998;77:557–561.
13. McNevin NH, Wulf G, Carlson C. Effects of attentional focus, self-control, and dyad training on motor learning: implications forphysical rehabilitation. Phys Ther. 2000;80(4):373-85.
14. Magill RA. Aprendizagem motora: conceitos e aplicações. 5 ed. São Paulo: Editora Edgard Blucher Ltda, 2000.
15. Shumway-Cook A, Woollacott M. Attentional demands and postural control: the effect of sensory context. J Gerontol A Biol Sci Med Sci. 2000;55(1):M10–M16.
16. Brauer SG, Woollacott M, Shumway-Cook A. The influence of a concurrent cognitive task on the compensatory stepping response to a perturbation in balance-impaired and healthy elders. Gait Posture. 2002;15(1):83–93.
17. Pichierri G, Wolf P, Murer K, de Bruin ED. Cognitive and cognitivemotor interventions affecting physical functioning: a systematic review. BMC Geriatr. 2011;11:29.
18. Lobo MA, Galloway JC. Enhanced handling and positioning in early infancy advances development throughout the first year. Child Dev. 2012; 83: 1290–1302.
19. Teixeira LA. Controle Motor. Manole, 2006; p. 52-68.
20. Fuster JM. Synopsis of function and dysfunction of the frontal lobe. Acta Psychiatr Scand Suppl 1999;395:51-57.
21. Fuster JM. Executive frontal functions. Exp Brain Res. 2000; 133(1): 66-70.
22. Nordgren B, Friden C, Demmelmaier I, Bergstrom G, Opava CH Long-term health-enhancing physical activity in rheumatoid arthritis – the PARA 2010 study. 2012; BMC Public Health 12: 397.
23. Fraser SA, Li KZ, Penhune VB. Dual-task performance reveals increased involvement of executive control in fine motor sequencing in healthy aging. J Gerontol B Psychol Sci Soc Sci. 2010 Sep;65(5):526-35.
24. Kristensen CH. Funções executivas e envelhecimento. Parente MA, editor. Porto Alegre: Artmed, 2006.
25. Pompeu SMAA. Elaboração e aplicação do teste de divisão de atenção em tarefas funcionais. Dissertação de mestrado. Instituto de psicologia. Universidade de São Paulo. São Paulo, 2013.
26. Ramos JLA. Custo da dupla tarefa como expressão da reserva cognitivo-motora em idosos comunitários. Mestrado. Universidade Estadual de Campinas. 2012.
27. Van-Iersel MB et al. Cortical function, postural control, and gait: executive functions are associated with gait and balance in community-living elderly people. Journal of Gerontology, 2008; 63(12):1344-1349.
28. Yogev-Seligmann G, Hausdorff JM, Giladi N. The role of executive function and attention in gait. Mov Disord. 2008 Feb 15;23(3):329-42.
29. Rizzolatti G, Kalaska JF. Voluntary movement: the parietal and premotor cortex. In: Kandel E, Schwartz J, Jessell T, Siegelbaum S, Hudspeth A (eds). Principles of Neural Science. 5 ed. New York: McGraw-Hill, 2012; p. 865:92.
30. Booth JR, Burman DD, Meyer JR, Lei Z, Trommer BL, Davemport, ND, LI W, Parrish TB, Gitelman DR, Mesulam MM. Neural development of selective attention and response inibition. NeuroImage, 20 (2): 737-751, October, 2003.
31. Andrade A, Luft CB, Rolim MKSB. O desenvolvimento motor, a maturação das areas corticais e a atenção na aprendizagem motora. Efdeesportes. Disponível em: http://www.efdeportes.com/efd78/motor.htm.
32. Sá CSC, Medalha CC. Aprendizagem e memória – contexto Motor. Rev. Neurociências 9(3): 103-110, 2001.
33. Brum PS. Treino de memória em idosos saudáveis e com comprometimento cognitivo leve: benefícios sobre parâmetros cognitivos [dissertação]. São Paulo: Faculdade de Medicina da Universidade de São Paulo, 2012.
34. Baddeley AD, Baddeley HA, Bucks RS. Attentional control in Alzheimer's disease. Brain. 2001;124:1492-508.
35. Ávila R, Moscoso MAA, Ribeiz S, Arrais J, Jaluul O, Bottino CMC. Influence of education and depressive symptoms on cognitive function in the elderly. International Psychogeriatrics. 2009;21: 560-567.
36. Boyd LA, Winstein CJ.Impact of explicit information on implicit motor sequence learning following middle cerebralartery stroke. Phys Ther. 2003; 83(11):976-89.
37. Wilson BA. Reabilitação da memória: integrando teoria e prática. Artmed. 2011; p.31-32.
38. Schacter DL, Wagner AD. Learning and Memory. In: Kandel ER, Schwartz JH, Jessell TM, Siegelbaum SA, Hudspeth AJ (eds.) Principles of neural science. 5 ed New York: McGraw-Hill, 2013; p. 1441-1460.
39. Molinari M, Leggio M.G, Solida A, Ciorra R, Misciagna S, Silveri MC, Petrosini L. Cerebellum and procedural learning evidence from focal cerebellar lesions. Brain, v. 20, p. 1756-62, 1997.
40. Willingham DB. A neuropsychological theory of motor skill learning. Psychological Review, v. 105 p. 558-584, 1998.

41. Kandel ER, Siegelbaum SA. Cellular mechanisms of implicit memory storage and the biological basis of individuality. In: Kandel ER, Schwartz JH, Jessell TM, Siegelbaum SA, Hudspeth AJ (eds.) Principles of Neural Science. 5 ed. New York: McGraw-Hill, 2013; p. 1461-1486.
42. Squire LR, Zola-Morgan S. The medial temporal lobe memory system. Science 253: 1380-1386, 1991.
43. Kalaska JF, Rizzolatti G. Voluntary movement: the primary motor cortex. In: Kandel ER, Schwartz JH, Jessell TM, Siegelbaum SA, Hudspeth AJ (eds). Principles of Neural Science. 5 ed. New York: McGraw-Hill, 2013; p. 835-864.
44. Brooks VB. Motor control.How posture and movements are governed. Phys Ther. 1983 May;63(5):664-73.
45. Squire LR, Kandel ER. Memória: da mente às moléculas. Artmed, 2003.
46. García Carrasco D, Aboitiz Cantalapiedra J. Effectiveness of motor imagery or mental practice in functional recovery after stroke: a systematic review. Neurologia. 2013. Disponível em: http://www.elsevier.es/sites/default/files/elsevier/eop/S02134853(13)00023-6.pdf.
47. Kolb B, Whishaw IQ. Neurociência do comportamento. Manole, 2002; p. 540-541.
48. Rizzolatti G, Fadiga L, Gallese V, Fogassi L. Premotor cortex and the recognition of motor actions. Cognitive Brain Research. 1996; 3:131-141.
49. Ertelt D, Small S, Solodkin A, Dettmers C, McNamara A, Binkofski F, Buccino G. Action observation has a positive impact on rehabilitation of motor deficits after stroke. Neuroimage.2007;36:T164-T173.
50. Celnik P, Webster B, Glasser DM, Cohen LG. Effects of action observation on physical training after stroke. Stroke. 2008;39:1814-1820.
51. Ertelt D, Hemmelmann C, Dettmers C, Ziegler A, Binkofski F. Observation and execution of upper-limb movements as a tool for rehabilitation of motor deficits in pareticstroke patients: protocol of a randomized clinical trial. BMC Neurol. 2012; 18:42.
52. Hamzei F, Lappchen CH, Glauche V, Mader I, Rijntjes M, Weiller C. Functional plasticity induced by mirror training: the mirror as the element connecting both hands to one hemisphere. Neurorehabilil Neural Repair. 2012; 26(5):484-96.

Neuroplasticidade e Movimento

Alessandre de Carvalho Júnior
Carlos Banjai

Introdução

A neuroplasticidade pode ser definida como a capacidade do tecido neural de sofrer adaptações funcionais e/ou estruturais frente a diferentes tipos de estímulos, sendo que estes devem ser persistentes e ter duração maior do que alguns segundos. A neuroplasticidade acontece em todas as fases do desenvolvimento humano, sendo mais evidente nos períodos mais precoces, denominados "críticos", e com decréscimo gradativo durante o envelhecimento. Não é exclusiva de situações fisiológicas, sendo encontrada, também, após lesões do sistema nervoso central (SNC) e periférico (SNP).

O avanço das pesquisas científicas dos últimos anos tem proporcionado aumento considerável na expectativa de vida das pessoas ao redor do mundo. Mas, concomitantemente a esse novo panorama, o aumento no índice de doenças cerebrovasculares e de acidentes automobilísticos gerou a inserção de milhares indivíduos que necessitam de tratamento especializado para minimizar as novas sequelas adquiridas. Apesar das crescentes conquistas científicas nas áreas de Neuroplasticidade e Neuroreabilitação, ainda são considerados avanços muitos pequenos quando comparados a áreas como a Imunologia e a Cardiologia.[10] A maioria dos estudos em neuroplasticidade se baseia em intervenções de aprendizagem motora, utilizando estratégias neurais para facilitar o restabelecimento de conexões sinápticas, entre as quais se destacam o retreinamento, o recrutamento e a restauração.

No entanto, nos últimos 6 anos foram conduzidos três grandes estudos multicêntricos controlados-randomizados na área de neurorreabilitação:

1. *Extremity Constraint Induced Therapy Evaluation* (EXCITE),[30] que verificou a eficácia na terapia de contenção induzida, em um período de 3 a 9 meses pós-acidente vascular encefálico (AVE), em 224 pacientes;
2. *Robot-Assisted Upper-Limb* (UL-Robot),[14] que testou a eficácia da terapia com assistência robótica em 127 pacientes com mais de 6 meses pós-AVE;
3. *Locomotor Experience Applied Post-Stroke* (LEAPS),[6] que verificou o efeito do treinamento motor com uso de suporte de peso corporal e esteira em 408 pacientes com mais de 2 meses pós-AVE e com prejuízo moderado-severo para deambulação. Dos três estudos, apenas o EXCITE demonstrou clara superioridade do grupo-intervenção em relação ao grupo-controle.

As teorias de reabilitação atuais se baseiam na ideia de como atividades comportamentais e experiências prévias modulam o processo de neuroplasticidade e promovam recuperação. Essa recuperação envolve três fases:

- Reversão da diásquise (diminuição da função de regiões distantes do cérebro devido ao hipometabolismo, desconexão neurovascular e neurotransmissão aberrante);[29]
- Ativação de células gênicas (mudança das propriedades das vias neurais existentes);
- Reparação (plasticidade neuroanatômica, principalmente de novas conexões).[16]

Esses eventos neurofisiológicos resultam de variados graus de recuperação espontânea,[5] experiência de treinamento motor,[20] aumento do envolvimento do hemisfério contralateral[7,31] e remodelação axonal do sistema corticospinal.[13] O grau de recuperação após uma lesão aparentemente idêntica pode variar de uma pessoa para outra. A fisioterapia desempenha papel fundamental para auxiliar na regeneração nervosa, principalmente em nível de estimulação, tanto sensorial como motora, entretanto a motivação do paciente para se recuperar é de esmagadora importância para os resultados de qualquer terapia de reaprendizagem.[1,27]

A reaprendizagem é o processo pelo qual a recuperação das funções perdidas após um evento lesivo se dá. Mas o que ainda é bastante discutido e cada vez mais estudado é a forma pela qual devem ser ofertados os estímulos pertinentes e, nesse contexto, destacam-se duas estratégias terapêuticas que devem ser melhor compreendias: intensidade e progressão.

Intensidade

Intensidade, do ponto de vista terapêutico, é definida pela "quantidade de trabalho por unidade de tempo",[8] ou seja, remete à produtividade de alguma tarefa específica, com base no fato de que a realização de diversas atividades melhora a manutenção das conquistas funcionais. Os três estudos citados mostraram que o emprego da intensidade durante as suas respectivas terapêuticas é mais benéfico do que o uso cautelar de terapêuticas mais conservadoras. A repetição de movimentos, principalmente de membros superiores, proporciona alto impacto na reconfiguração dos mapas corticais por meio de processos como a expansão do território estimulado pela movimentação repetida, o aumento das ramificações dendríticas e o crescimento sináptico. Em contraste com esse cenário, o fato de não se realizar estimulação, como a movimentação repetida de membros superiores, pode diminuir a expansão das zonas de remodelagem sináptica e, até mesmo, encolher as conexões neurais.[3,11] Sabe-se que o grau de intensidade é diferente para cada indivíduo e depende de vários fatores como sua expectativa, grau de atenção, gravidade dos déficits funcionais, capacidade de reaprendizagem, resistência para atividade física, motivação e fatores de personalidade, além de fatores sociais.

Progressão

A progressão contínua das atividades propostas é outro ponto crucial no processo de reabilitação e, embora o uso de movimento repetitivo ainda seja considerado um tabu no ambiente clínico, estudos que utilizam modelos animais sugerem importantes mudanças neuroplásticas quando usada esta terapêutica.[2] A progressão requer uma monitorização adequada quando o incremento da intensidade é associada, pois, quando se atinge um nível de sucesso em uma tarefa, deve-se ter cuidado para aferir adequadamente se essa nova adaptação é apropriada à condição tratada ou, ao contrário, se a associação de novas informações está causando sobrecarga.

A experiência repetida de reforço e recompensa resulta na aprendizagem, mudança na expectativa, mudança no comportamento e manutenção do desempenho. A repetição com o sentimento de sucesso (reforço) é um elemento fundamental no sucesso terapêutico. A repetição ou a oportunidade de praticar uma tarefa (motora ou cognitiva) em que o indivíduo deseja obter sucesso levará a uma aprendizagem de longa duração. Sem prática ou motivação, a chance de sucesso na aprendizagem é mínima ou mesmo inexistente (Figura 5.1).[26]

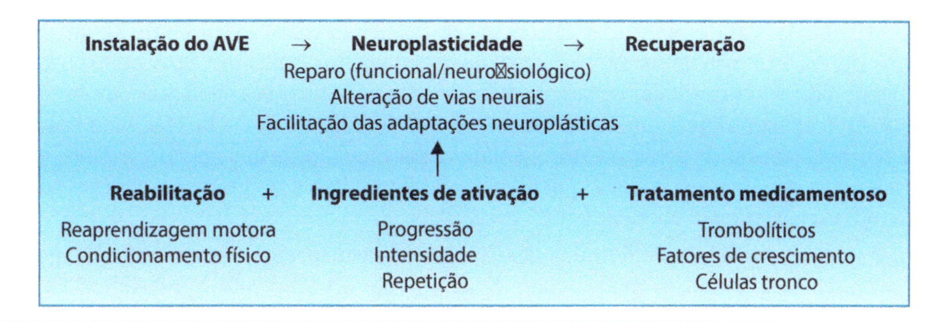

Figura 5.1 Modelo teórico da recuperação pós-AVE. AVE: acidente vascular encefálico.
Fonte: Bowden, Woodbury e Duncan, 2013.[2]

Não é nossa pretensão abordar toda a extensão do assunto neuroplasticidade, pois poder-se-ia discorrer muito somente sobre eventos biomoleculares, bioquímicos, estruturais ou funcionais. Entretanto, parece-nos que ainda são pouco claras as evidências que permitam direcionar o processo terapêutico e determinar os efeitos deste sobre a plasticidade, a recuperação funcional, a cognição e o comportamento pós-lesão encefálica.

Neuroplasticidade × Comportamento

Processos cognitivos, como o planejamento motor e a atenção, podem ter uma influência expressiva no desempenho motor.[24] Os mecanismos dos processos neuroplásticos que interagem com aspectos comportamentais, juntos, servem como uma ponte para o desenvolvimento de estratégias terapêuticas específicas que proporcionarão explorar ao máximo as potencialidades individuais e oferecer oportunidade de aprendizagem ao longo do processo de reabilitação. Algumas das manifestações neurais que ocorrem após um evento lesivo são a desinibição de sinapses silenciosas e a perda de sinais de excitação ou inibição das áreas lesadas para áreas íntegras.[9] Em ambos os casos é importante observar as mudanças funcionais nas áreas não lesadas influenciadas pelo controle do comportamento deficiente; com isso, o processo de reabilitação não pode apenas focar os déficits funcionais, mas também valorizar os aspectos comportamentais que influenciarão nos processos neuroplásticos. Os processos de reorganização sináptica por meio de alterações axono-dendríticas não são ativados apenas por aumento da ativação neural isolada, mas também depende do significado comportamental que se dá a essa ativação[17-19] e, entre esses aspectos comportamentais, a atenção e a motivação são variáveis que devem ser consideradas.

A atenção e a motivação são dois elementos essenciais no processo da neuroplasticidade.[21] O reaprendizado e a recuperação funcional envolvem alguma forma de plasticidade e mudanças morfológicas como o desenvolvimento de ramificação neural, ativação de novas sinapses e brotamento colateral.[15] Partindo dessa premissa, fica evidente a importância do fisioterapeuta em motivar o indivíduo e estimular a prática de tarefas que influenciem nas funções cognitivas-comportamentais. Watkins e colaboradores, ao realizar uma entrevista motivacional em 60 pacientes que sofreram AVE, ouviram as preocupações atuais, como questões relativas ao suporte físico, funcional ou social e, a partir dessas questões, traçaram metas realistas para a recuperação. Ao trabalhar com os dilemas desses pacientes, os terapeutas que conheciam as suas necessidades conseguiam identificar com maior facilidade as decisões necessárias.[28]

A instalação de um déficit motor após uma injúria do SNC, além de necessitar de habilidades essencialmente motoras para auxiliar na recuperação dos movimentos, ainda exige algum estímulo que aperfeiçoe o significado dessa recuperação e que produza resultados mais efetivos. Modificações comportamentais poderão auxiliar nesse processo de aprendizagem, servindo de ferramenta para facilitar a aquisição de novas habilidades e, como exemplo de abordagem terapêutica que utiliza princípios de análise de comportamento e identificação de aspectos que possam influenciar no resultado de uma tarefa, destaca-se a terapia cognitiva comportamental (TCC). Essa técnica propicia uma oportunidade de aprendizagem que é um facilitador nos processos neuroplásticos e, ao mesmo tempo, colabora para mudanças nos mapas cerebrais e induz outros aspectos que têm um impacto positivo na melhora clínica do paciente, como o aumento da motivação e a aderência ao tratamento.

Dados de entrevistas de indivíduos hemiplégicos revelam que existem barreiras psicológicas importantes que podem influenciar negativamente o tratamento e interferem ao longo de todo o processo reabilitacional, até mesmo na condição de cronicidade da doença. Relatos como "perdi minha mão" e "odeio minha mão, gostaria que ela fosse invisível" sugerem que os respectivos formuladores ainda não aceitam sua condição funcional e que essas barreiras psicológicas impossibilitam o desenvolvimento de novas habilidades que trarão benefício ao longo de toda a recuperação. Também evidenciam que cada vez mais é frequente o profissional fisioterapeuta lidar apenas com os aspectos físicos e não valorizar as variáveis que interferem na condição global do paciente. Tal constatação serve de alerta a todos os profissionais envolvidos no tratamento desses pacientes, para que possam adotar uma visão holística e reconhecer as demandas individuais, sabendo quais são os fatores condicionantes para a perpetuação de um quadro indesejado, fazendo, assim, do emprego de sua terapêutica o momento mais completo e direcionado possível.

Outros aspectos que interferem negativamente na recuperação e, consequentemente, no processo de aprendizagem e muitas vezes não são lembrados, são o cansaço e a fadiga, principalmente em indivíduos que tiveram um AVE. Ambos tem não apenas impacto no desempenho das tarefas motoras, mas no comprometimento e na adesão a qualquer tipo de terapêutica, reduzindo expressivamente a qualidade do movimento. Essas duas variáveis influenciam o surgimento de um novo sintoma, a sonolência diurna. O repouso adequado é considerado como um fator modulatório de recuperação. Em um estudo[25] sobre a relação do sono em indivíduos vítimas de AVE mostrou-se que pacientes classificados como tendo um sono mais pobre tiverem resultados negativos a longo prazo, ou seja, desenvolveram sonolência diurna e esta repercutiu negativamente no rendimento de suas atividades terapêuticas e afetou sua capacidade de aprendizagem e de processamento de informação. Além disso, muitas evidências sugerem que o sono aumenta o processo de neuroplasticidade em geral, e o aprendizado motor pode ser influenciado positivamente por uma noite de sono adequada.[22,23]

Recuperação × Compensação

Há uma diferença bem clara entre aprendizado em um cérebro intacto e reaprendizado em um cérebro que sofreu uma lesão. A reabilitação pode tirar vantagem dos comportamentos aprendidos previamente que ainda permanecem como um resquício dos circuitos neurais de um cérebro que sofreu um evento lesivo. Esses comportamentos podem até mascarar alguns fenômenos neurobiológicos, como inflamação, edema ou aumento da inibição neural.[4] Esses fenômenos não ocorrem durante um processo normal de aprendizagem, em que se dá a aquisição de comportamentos. Com isso, há dois mecanismos que podem proporcionar melhorias funcionais em um cérebro que sofreu uma lesão: recuperação e compensação.

Muitos neurocientistas argumentam que nunca haverá uma recuperação plena, pois, uma vez lesado, o tecido neural não retornará a suas propriedades iniciais, portanto qualquer melhoria funcional que venha a ocorrer será fruto de compensações ocorridas. Contudo, muitos terapeutas argumentam que as melhorias funcionais representam recuperação, pois agora o indivíduo pode realizar tarefas que não conseguia imediatamente após a lesão, como segurar um copo ou escovar os dentes. E, diante desse impasse, fez-se necessário estabelecer definições para melhor caracterizar os conceitos neuroplásticos no contexto terapêutico.[10]

Levin e colaboradores[12] propuseram recentemente definições inequívocas de recuperação e compensação para funções motoras usando a Classificação Internacional de Funcionalidade (CIF) (Quadro 5.1), que distingue a fisiopatologia, a deficiência das funções corporais e a incapacidade de ativação dos diferentes níveis funcionais. Distinguir a recuperação e a compensação do ponto de vista neural e comportamental é a chave para entender a relação entre neuroplasticidade e "mudanças reabiliticionais-dependentes".

Quadro 5.1 Relação entre diferentes estratégias neurais usadas pelo cérebro como suporte de melhoria funcional e seus mecanismos neurais[12]

	Ressuscitação	Recrutamento	Retreinamento
Estratégia	Reengajar áreas cerebrais residuais após injúria ou doença	Novo reengajamento	Treinamento de áreas cerebrais residuais para gerar novas funções
Mecanismos neurais	Recuperação	Compensação	Compensação

Conclusão

Entre as diferentes variáveis que influenciam o processo neuroplástico e os diversos conceitos que podem condicionar uma melhora no reparo desse processo, por que os fisioterapeutas devem se importar com neuroplasticidade? Em primeiro lugar, a neuroplasticidade serve como preditor de melhoria funcional que independe de um aspecto comportamental isolado e permite determinar quais sistemas neurais estão envolvidos e adaptados durante o processo reabilitacional.[10] Essas informações ajudam a desenvolver estratégias comportamentais usando informações que dizem respeito à quantidade de tempo e intensidade requeridas para iniciarem-se mudanças neurobiológicas.

Em segundo lugar, o nosso conhecimento pode ser usado para melhorar a performance terapêutica por meio das inúmeras estratégias conhecidas, sabendo que existe uma interação muito forte entre os aspectos comportamentais do paciente e o desempenho motor oferecido mediante técnicas terapêuticas.

Referências Bibliográficas

1. Aguilar-Rebolledo, F. Plasticidad cerebral: antecedents científicos y perspectivas de desarollo. Bol. Med. Hos. Info. Mex. 55(9): 514-525, 1998.
2. Bowden MG, Woodbury ML, Duncan PW. Promoting neuroplasticity and recovery after stroke: future directions for rehabilitation clinical trials.CurrOpin Neurol. 26(1): 37-42, 2013.
3. Cohen LG, Brasil-Neto JP, Pascual-Leone A, et al. Plasticity of cortical motor output organization following deafferentation, cerebral lesions and skill acquisition. AdvNeurol; 63:187-200, 1993.
4. Cramer SC. Repairing the human brain after stroke: I mechanisms of spontenous recovery. Annals of Neurology, 63(3), 272-287, 2008.
5. Duncan PW, Goldstein LB, Matchar D, et al. Measurment of motor recovery after stroke. Outcome assessment and sample size requirements. Stroke; 23: 1084-1089, 1992.
6. Duncan PW, Sullivan KJ, Behrman AL, et al. Protocol for the Locomotor Experience Applied Poststroke (LEAPS) trial: a randomized controlled trial. BMC Neurol; 7-39, 2007.
7. Enzinger C, Johansen-Berg H, Dawes H, et al. Functional MRI correlates of lower limb function in stroke victms with gait impairment. Stroke; 39: 1507-1513, 2008.
8. Hornby TG, Straube DS, Kinnaird CR, et al. Importance of specifity, amount and intensity of locomotor training to improve ambulatory function in patients post stroke. Topics Stroke Rehabil; 18:293-307, 2011.
9. Hummel FC, Cohen GL. Drivers of brain plasticity. Current Opinion in Neurology, vol.18, n.6, p. 667-674, 2005.
10. Kleim JA. Neural plasticity and neurorehabilitation: teaching the new brain old tricks.J Commun Disord.;44(5):521-8, 2011.

11. Kleim JA, Swain RA, Czerlanis CM, et al. Learning-dependent dendritic hypertrophy of cerebellar stellate cells: plasticity of local circuit neurons. Neurobiol Learn Memory; 67:29-33, 1997.
12. Levin MF, Kleim JA, Wolf SL. What do motor "recovery" and "compensation" mean in patients following stroke? Neurorehabilitation and Neural Repair, 23(4), 313-319, 2009.
13. Liu Z, Zhang RL, Li Y, et al. Remodeling of the corticospinal innervation and spontaneous behavioral recovery after ischemic stroke in adult mice. Stroke; 40: 2546-2551, 2009.
14. Lo AC, Guarino PD, Richards LG, et al. Robot-assisted therapy for long-term upper-limb impairment after stroke. N Eng J Med; 362:1722-1783, 2010.
15. Oda JY, Sant'ana DMG, Carvalho J: Plasticidade e regeneração funcional do sistema nervoso: contribuição ao estudo de revisão. Arq.Ciênc.Saúde Unipar, 6 (2): 171-176, 2002.
16. Pekna M, Pekny M, Nilsson M. Modulation of neural plasticity as a basis for stroke rehabilitation. Stroke; 43: 2819-2828, 2012.
17. Recanzone GH, Merzenich MM, Jenkins WM. Frequency discrimination training engaging a restricted ski surface results in an emergence of a cutaneous response zone in cortical area. Journal of Neurophysiology, vol. 67, n.5, pp. 1057-1070, 1992.
18. Recanzone GH, Merzenich MM, Jenkins WM, et al. Topographic reorganization of the hand representation in cortical area 3b of owl monkeys trained in a frequency-discrimination task. Journal of Neurophysiology, vol 67, n.5, pp. 1031-1056, 1992.
19. Recanzone GH, Schereiner CE, Merzenich MM. Plasticity in the frequency representation of primary auditory cortex following discrimination training in adult owl monkeys. Journal of Neuroscience, vol. 13, n.1, pp. 87-103, 1993.
20. Richards LG, Stewart KC, Woodbury ML, et al. Movement-dependent stroke recovery: a systematic review and meta-analysis of TMS and fMRI evidence. Neuropsychologia; 46: 3-11, 2008.
21. Robertson IH, Murre, JMJ. Rehabilitation of brain damage: brain plasticity and principles of guided recovery, Psychological Bulletin 125(5): 544-7, 1999.
22. Siengsukon C, Boyd A. Sleep enhances offline spatial and temporal motor learning after stroke. Neurorehabilitation and Neural Repair, vol. 23, n.4, pp. 327-335, 2009.
23. Siengsukon C, Boyd A. Sleep to learn after stroke: implicit and explicit off-line motor learning. Neuroscience Letters, vol. 451, n.1, pp. 1-5, 2009.
24. Sterr A, Conforto AB. Plasticity of adult sensorimotor system in severe brain infarcts: challenges and opportunities. Neural Plast; 970136, 2012.
25. Terzoudi A, Vorvolakos T, Heliopoulus, et al. Sleep architecture in stroke and relation to outcome. European Neurology, vol. 61, n.1, pp- 16-22, 2008.
26. Umphred D A. Rabilitação Neurológica. 4 ed. São Paulo: Manole, 2004; p. 56-177.
27. Villar MJ; Cavazzoli C.; Brumovsky P. Capacidad adaptativa del sistema nervioso: mecanismos de plasticidad neural. Acta Psiquiat. Psico. At 44 (1): 11-27, 1998.
28. Watkins CL, Auton CF, Hazel DA, Dickinson CIA, Lightbody JCE, Sutton CJ, Broek DM, Leathley JM. Al interviewing early after acute stroke: a randomized, controlled trial stroke; 38: 1004 – 1009, 2007.
29. Wieloch T, Nikolich K.Mechanisms of neural plasticity following brain injury. CurrOpinNeurobiol. Jun;16(3):258-64,2006.
30. Wolf SL, Winstein CJ, MillerJP, et al. Effect of constraint-induced movement therapy on upper extremity function 3 to 9 months after stroke: the EXCITE randomized clinical trial. J Am Med Assoc; 296:2095-2104, 2006.
31. Zemke AC, Heagerly PJ, Lee C, et al. Motor cortex organization after stroke is related to side of stroke and level of recovery. Stroke; 34: e23-e28, 2003.

Emoções e Movimento

6

Janette Canales

Introdução

O sistema motor esquelético é um dos mais versáteis e de complexa modalidade comunicativa. O fato é que esse sistema serve para muitas funções e é objeto de estudo na literatura tanto para a neurociência como para a interação humano-computador. Psicólogos têm se centrado sobre o seu papel particular na comunicação da emoção. No livro *A expressão da emoção no homem e nos animais*, Darwin (1872) descreve em detalhes as expressões faciais e corporais específicas associadas com as emoções em animais e humanos e considera essas expressões parte das ações adaptativas.[1]

O argumento essencial é que o corpo tem uma função adaptativa para lidar com eventos que comprometam ou promovam o bem-estar do organismo. O livro mencionado acima inspirou muitas teorias contemporâneas sobre a emoção.

Atualmente, os estudos mostram que as variações no corpo, movimento e postura transmitem informações específicas sobre o estado emocional de uma pessoa, mais especificamente na dinâmica do corpo todo, no movimento dos braços, nos gestos,[2] no corpo estático,[2,3] marcha e, até mesmo, na linguagem de sinais.

Com essa visão unificada do ser humano, surgiu a palavra "soma". Soma significa o corpo subjetivo, o corpo percebido do ponto de vista do indivíduo.[4] Em seguida, surgiu a Educação Somática, definida por Thomas Hanna, em 1983,[5] como a arte e a ciência de um processo relacional interno entre a consciência, o biológico e o meio ambiente. Engloba uma diversidade de conhecimentos em que os domínios sensorial, cognitivo, motor e afetivo se mesclam.[6]

Havendo, então, a necessidade de tratar o indivíduo englobando vários aspectos, criou-se uma linha de tratamentos terapêuticos com base na educação somática que visam trabalhar a unificação do ser humano e apresentam um ponto em comum: utilizar o movimento do corpo na recuperação e na manutenção da saúde; mover-se de forma consciente.

Em termos somáticos, o movimento não é só um fenômeno biomecânico, mas uma característica essencial do ser. A sensação, a emoção, o pensamento e a memória são também movimento.[7]

Neste capítulo, serão abordados temas como emoção, movimento e consciência corporal e serão apresentados alguns métodos que compreendem que a consciência corporal e a autorresponsabilidade pela saúde são fatores importantes no desenvolvimento físico, afetivo e intelectual dos pacientes.

Emoções

No século 20, Robert Plutchik (1980) propôs a existência de oito emoções básicas: medo, surpresa, tristeza, repulsa, raiva, antecipação, alegria e aceitação. Cada uma delas contribui para que os indivíduos se adaptem às demandas do ambiente que os cerca, embora de diferentes maneiras. Plutchik afirma que as emoções variam quanto à intensidade, um fato que explica, em parte, a vasta gama de emoções. As emoções adjacentes no "círculo" de emoções de Plutchik se assemelham mais entre si do que aquelas distantes ou situadas em extremos opostos (Figura 6.1).

Existe uma diferença enorme no modo como as culturas veem e classificam as emoções e, em algumas línguas, não há uma palavra corresponde ao termo "emoção".[8] Em razão das diferenças na distinção das emoções pelas culturas, a tendência hoje é distinguir entre emoções primárias e secundárias. As primárias, às quais corresponde uma expressão facial, são classificadas

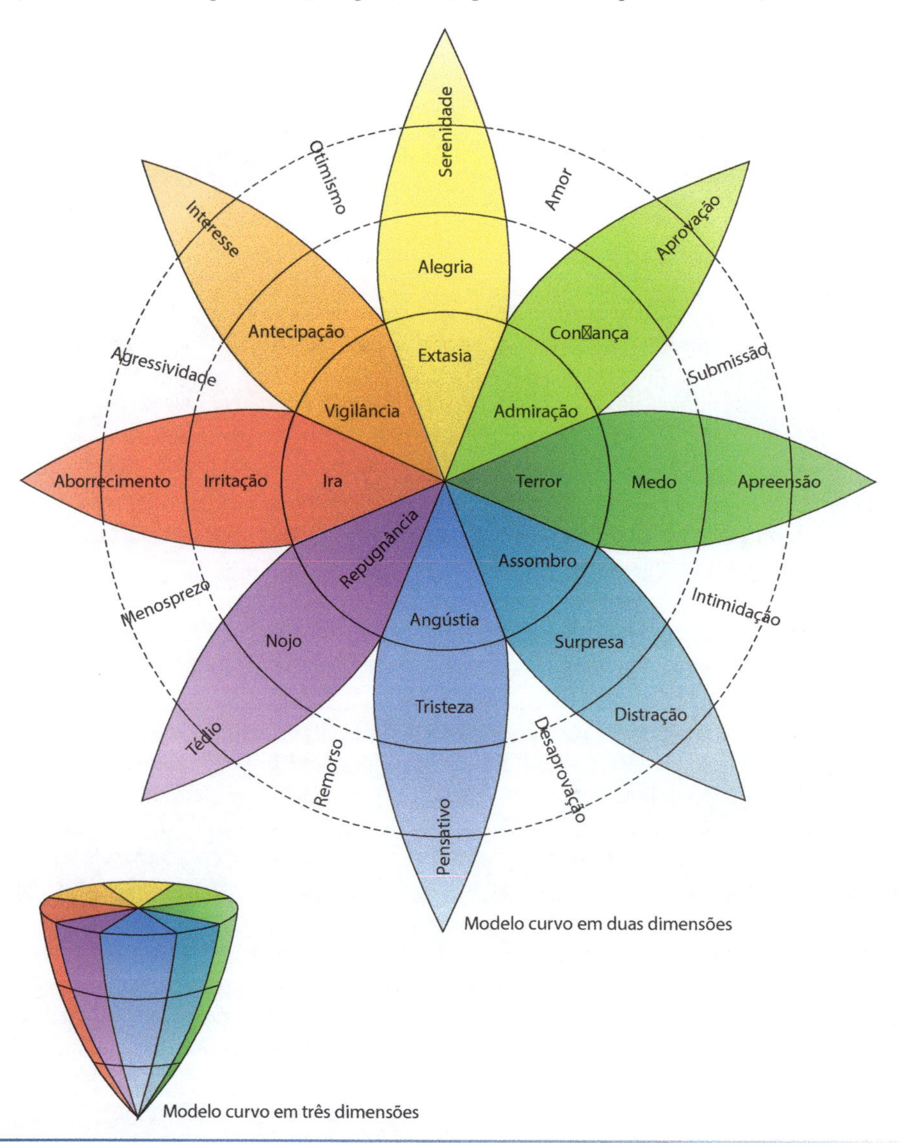

Figura 6.1 Círculo ou Roda das Emoções de Plutchik.
Fonte: Disponível em: https://commons.wikimedia.org/wiki/File:Roda_Das_Emocoes.png.

em seis: felicidade, surpresa, tristeza, medo, repulsa e raiva.[9,10] Alguns psicólogos afirmam que o amor também é uma emoção primária, mesmo que não tenha sido identificada uma expressão facial para o amor.[11]

As emoções e os sentimentos diferem. Sentimentos são estados organísmicos generalizados, não condicionados, não programados, enquanto as emoções são programas pré-fabricados de comportamento que têm seus próprios caminhos para entrar em ação. Para que possam ser expressos, os sentimentos criam um caminho. Ninguém precisa ensinar uma pessoa a ser irritada ou triste, mas é preciso ensinar a bondade e a ternura. Sendo assim, as emoções são feitas de sentimentos intensos o bastante para se organizarem como padrão comportamental.[12]

Existem várias teorias da emoção, relatamos aqui as mais conhecidas: a de James-Lange, de Cannon-Bard e a cognitiva.

De acordo com a teoria de James-Lange, os estímulos do ambiente (p. ex.: ver um cão rosnando) provocam alterações físicas em nossos corpos (batimentos cardíacos acelerados, pupilas dilatadas, transpiração excessiva, etc.) e as emoções se originam dessas mudanças fisiológicas.[13] Mas esta teoria apresenta uma falha já que as informações sensoriais relativas às mudanças corporais seguem até o cérebro por meio da medula espinhal, portanto pessoas portadoras de severos danos à medula espinhal deveriam sentir emoções menos intensas e com uma frequência menor, mas não é o que ocorre.[14]

A teoria de Cannon-Bard afirma que os indivíduos processam mentalmente as emoções e, ao mesmo tempo, respondem fisicamente.

A teoria cognitiva propõe que sistemas emocionais e cognitivos são representados por meio dos modelos de rede associativa. Segundo Gilligaan, a memória comporta uma rede de nodos relacionados, alguns deles constituídos de emoções. Cada nodo emocional é ligado a outro e, quando existe a ativação de um desses nodos emocionais, isso se difunde em uma parte da rede. Além disso, quando existe concordância entre o conteúdo emocional de uma informação a ser tratada e o estado emocional do sujeito submetido ao tratamento cognitivo, produz-se uma superativação do nodo emocional pertinente.[15]

Comunicando Emoções por Intermédio da Face

A capacidade de entender os pensamentos e sentimentos de outra pessoa é um pré-requisito importante para uma interação social bem sucedida.[16] Uma parte dessa habilidade é o reconhecimento da emoção facial. As expressões faciais são os indicadores emocionais mais óbvios e muitas delas são inatas.[17]

O reconhecimento das emoções é um processo complexo, que exige várias habilidades cognitivas do cérebro humano.[18,19] Primeiramente, exige a análise de forma, tamanho, cor e outras propriedades visuais ou geométricas do estímulos dados. Além disso, o reconhecimento implica várias formas de memória: as expressões faciais devem ser comparadas e categorizadas (por aparência visual ou conhecimento sobre elas) e integradas a uma rede associativa, o que ajuda a inferir uma emoção. Isso significa que o reconhecimento das emoções é um processo descritível baseado no conhecimento.[20]

Um grande número de diferentes estruturas cerebrais desempenham um papel importante no reconhecimento facial da emoção, por exemplo, córtices occipitotemporais,[21] o córtex orbitofrontal,[22] e o córtex somatossensorial[23] entre outros. Como essas estruturas estão envolvidos em várias processos e eles interagem uns com os outros, é difícil atribuir uma função distinta a cada um deles.[20]

Diversas variáveis são conhecidas por afetar a precisão do reconhecimento da emoção pela expressão facial. Sabe-se que sujeitos que sofrem de esquizofrenia, autismo, ou doença de Alzheimer apresentam dificuldades em reconhecer expressões emocionais.[24-27]

Linguagem Corporal – Uma Forma de Comunicação Não Verbal Cinésica

A comunicação não verbal cinésica é estabelecida pelo corpo, desenhada por cada uma das suas partes, movimentos, gestos e posturas. Embora as interpretações relativas a essas exteriorizações se enquadrem em culturas específicas, parece haver práticas e posturas comuns aos diferentes espaços geográficos e culturais. Na vida cotidiana, a percepção e interpretação dos sentimentos de outras pessoas são essenciais para uma interação social efetiva.[28]

A comunicação cinésica tem como pontos centrais:

- Gestos: os movimentos gestuais exprimem muito da mensagem que o emissor deseja passar e de como o receptor a recebe. Se o emissor estiver com raiva, seus movimentos podem, facilmente, denunciá-lo. Exemplo: se um indivíduo aponta o dedo furiosamente para outro, todos perceberão que este não é um diálogo amigável. Outro ponto interessante é que o contexto também interfere na comunicação gestual, um padre celebrando uma missa, geralmente não tem a mesma intensidade de gesticulação que um professor ministrando uma aula;
- Expressões faciais: os trejeitos faciais e o movimento dos olhos também são de grande importância na comunicação, o emissor pode obter um *feedback* instantâneo ao analisar a reação do receptor à determinada mensagem apenas mediante sua expressão facial, como afirmado anteriormente;
- Toque: em um contexto de maior proximidade entre o emissor e o receptor, o toque também tem grande influência na comunicação não verbal. É possível, por exemplo, relacionar, a uma determinada cultura, quem é mais ou menos caloroso quando duas pessoas de culturas diferentes se cumprimentam. É possível afirmar que a comunicação cinésica é culturalmente determinada.[28]

Entretanto, segundo Gaiarsa, "aquilo que de mim eu menos conheço é o meu principal veículo de comunicação". Esse mesmo autor sugere que um "observador atento consegue ver no outro quase tudo aquilo que o outro está escondendo – conscientemente ou não. Assim tudo aquilo que não é dito pela palavra pode ser encontrado no tom de voz, na expressão do rosto, na forma do gesto ou na atitude do indivíduo".[29]

Interessantemente, em um estudo de Cuddy e colaboradores, foram medidos os níveis dos hormônios testosterona e cortisol de 42 pessoas orientadas a ficar em posições expansivas ou contraídas (pernas e braços cruzados, ombros arqueados). Aquelas pessoas que tiveram a postura de "poder" (a expansiva) obtiveram aumento nos níveis de testosterona (ligado ao impulso de lutar) e queda nos de cortisol (ligado ao estresse). Esse é o perfil hormonal do "macho alfa", o líder do bando.[30] Os níveis dos hormônios na saliva dos pesquisados foram medidos antes do início do experimento e 17 minutos depois de cada postura ter sido mantida por 2 minutos. A influência no comportamento também foi avaliada: os voluntários receberam uma pequena quantia em dinheiro que podiam levar para casa ou apostar – nesse caso, arriscavam-se a perder tudo ou a ganhar em dobro. Entre os indivíduos que se colocaram nas posturas de poder, 86% tiveram coragem de arriscar, contra 60% dos participantes que ficaram em posições mais contraídas. Os dois grupos também fizeram um discurso para uma plateia que não sabia qual era o objetivo da pesquisa. O público avaliou melhor aqueles que, antes da apresentação, ficaram, por exemplo, com os pés esticados sobre a mesa ou com as mãos na cintura. Cuddy afirma que "mudando sua postura, você prepara seus sistemas mentais e psicológicos para enfrentar desafios e situações estressantes e pode aumentar sua confiança e melhorar seu desempenho".[30,31]

A postura tem sido considerada uma ferramenta poderosa, tanto expressando como reconhecendo a emoção[3,32,33] e a linguagem corporal retratada por uma postura pode servir como uma rica fonte de informações que podem revelar os objetivos, as intenções e as emoções de outros.[34]

Muitos estudos comprovam que a postura é um elemento crucial na indicação de certas emoções como raiva, frustração, tédio etc.[3,35,36]

Neurologicamente, a representação da linguagem corporal e seus componentes emocionais dependem de uma diversidade de redes cerebrais que processam diferentes tipos de informações relevantes para o corpo.

Um instrumento útil para compreender os correlatos neurais da interpretação da linguagem corporal destaca o papel das três redes coordenadas para decodificação:

1. os aspectos visuomotores da linguagem corporal;
2. a resposta emocional reflexa à linguagem corporal;
3. a resposta proprioceptiva (tanto físico como emocional) da linguagem corporal.[37]

A representação visual do corpo tem sido associada com a área estriada-corporal (EBA), localizado na lateral do córtex occipitotemporal[38,39] e na área de corpo fusiforme (FBA).[40,41]

Enquanto a EBA tem sido comumente implicada em responder questões relacionadas a partes do corpo, a FBA pode ajudar a formar uma interpretação holística do corpo.[42] Em conjunto, as três redes permitem obter retratos fiéis das imagens do corpo, combinadas com movimento, propriocepção e informações afetivas processadas por áreas cerebrais.[37]

Portanto, a linguagem corporal pode ser retratada por uma postura do corpo, sendo possível interpretar as emoções nela contida.

Emoção e Movimento

A preocupação com a compreensão do comportamento humano há muito tempo acompanha a humanidade. René Descartes (1596-1650) via mente e corpo de forma separada, mas interligadas.[43] No entanto, atualmente sabe-se que o corpo é o princípio e a condição estruturante da existência humana e o veículo do ser no mundo. Dessa forma, ele não pode ser encarado somente sob o ponto de vista físico ou "coisificado", mas em uma perspectiva mais ampla já que o indivíduo está não está no mundo diante do seu corpo; ele está no seu corpo, ou melhor, ele é o seu corpo.[44]

Segundo Feijó, o corpo é a expressão da unicidade da pessoa, o limite físico da personalidade, o território da liberdade subjetiva, a estruturação da autenticidade e da criatividade, bem como a manifestação da presença e da influência da pessoa.[45]

Por intermédio de suas manifestações corporais, o ser humano se comunica e se expressa, deixando transparecer suas carências, privações, necessidades, dificuldades existenciais e emocionais. Em cada palavra da linguagem corporal, cresce o diálogo entre os homens e o corpo proporciona diversas e sucessivas leituras.[46]

A motricidade emerge da corporeidade e a conduta motora pode ser considerada o comportamento motor enquanto portador de significação, de intencionalidade, de consciência clara, de vivência e "com-vivência", em uma dialética entre o intrapessoal e o interpessoal.

Fonseca ressalta que "o essencial são a intencionalidade, a significação e a expressão do movimento e, dessa forma, o movimento põe em jogo toda a personalidade do indivíduo". A motricidade é a projeção de um mundo (o próprio homem) em outro mundo (envolvimento), sendo, portanto, inconcebível perceber o homem sem movimento e envolvimento.[47]

O corpo responde continuamente a alterações emocionais tanto positivas como negativas, porém, quando uma emoção negativa ocorre em episódios repetidos ou durante longos períodos, como estresse emocional e ansiedade crônica, o corpo pode se sentir estagnado, perdendo sua capacidade de adaptação a diferentes estímulos e, com isso, é mais alta a possibilidade de surgimento de doenças psicossomáticas.[48]

O aparecimento de doenças após exposição ao estresse ainda não é totalmente compreendido. Enquanto muitos indivíduos se recuperam após um evento de estresse, outros desenvolvem sintomas somáticos persistentes, como dor crônica e fadiga e/ou distúrbios psicológicos, como depressão e ansiedade e desordem de estresse pós-traumático.[49]

O aspecto psicológico do indivíduo pode influenciar tanto no surgimento como na recuperação de doenças. Atitudes saudáveis que a pessoa tem em relação a si mesma podem ser demonstradas não só mediante a prática de exercícios físicos como também pelo controle e dos pensamentos e sentimentos.[50]

Neste contexto, percebe-se a necessidade de analisar mais profundamente os aspectos relacionados às emoções dos pacientes e as implicações na recuperação fisioterapêutica para, assim, buscar tratamento mais adequado.

Consciência Corporal

A consciência corporal é um construto complexo e multidimensional. O fenômeno é descrito de forma diversa em diferentes campos de atuação.[51]

Ainda que uma definição clara raramente tenha sido fornecida, pode-se dizer que a consciência corporal envolve um foco de atenção e a consciência das sensações corporais internas.[52,53]

Em virtude de diferentes conceitos sobre a consciência corporal, Mehling e colaboradores desenvolveram uma definição de consciência corporal que tenta integrar perspectivas de cuidados de saúde primários, ciência comportamental, psicologia da saúde, neurociência cognitiva, antropologia, massagem terapêutica, fisioterapia, psicoterapia de orientação corporal, artes marciais, ioga, o método Feldenkrais, terapia da respiração e a terapia Rolfing.[51] Dessa maneira, a definição ficou assim estabelecida: a consciência corporal é a percepção dos estados corporais, processos e ações, dos quais indivíduo tem a capacidade de estar ciente, que se presume originados de aferentes sensoriais proprioceptivos e interoceptivos. A consciência corporal inclui a percepção de sensações físicas específicas (p. ex.: a consciência da atividade cardíaca; a propriocepção da posição dos membros) e de síndromes complexas (p. ex.: dor, sensação de relaxamento; "marcadores somáticos" das emoções). A consciência corporal é assumida como o produto de um processo interativo, dinâmico e emergente pois:

a. reflete complexas atividades neurais aferentes, eferentes, de avanço e retrocesso;
b. inclui a avaliação cognitiva e a comutação inconsciente;
c. é moldada pelas atitudes da pessoa, crenças, experiências e de aprendizagem em um contexto social e cultural.[51]

O conceito de consciência corporal abrange a interocepcão e a propriocepção. Interocepção é o processamento de informações sensoriais a partir do interior do corpo em contraste com a exterocepção, o processamento de informações de fora do corpo (visão, audição, olfato, paladar e tato).[54]

A interocepção inclui a percepção de sensações físicas relacionadas à função de órgãos internos, tais como o batimento cardíaco, a respiração, a saciedade e a atividade do sistema nervoso autônomo relacionado às emoções.[54,55] A interocepção é a base de "como me sinto", abrange a sensação da condição fisiológica do corpo,[56] bem como a representação do estado interno no contexto de atividades contínuas e está intimamente associada à ação motivada para regular homeostaticamente o estado interno.[57]

A depressão e a ansiedade não são simplesmente distúrbios interoceptivos, mas estados interoceptivos alterados em consequência de estados de crença antecipatórios autorreferentes amplificados por interferências.[58]

A neurociência sugere uma rede de regiões cerebrais em que é processada a interocepção, ela está relacionada com as emoções e a dor e é essencial para a tomada de decisão.[59] Conhecimentos neuroanatômicos sugerem que a informação relativa ao estado interno do corpo é transmitida por um delicado caminho de lamina-1 espinotalamocortical que converge com vias aferentes vagais, para "centros interoceptivos" na ínsula e no córtex orbitofrontal.

A consciência das sensações físicas internas tem sido associada a ativações em áreas específicas do cérebro, incluindo a ínsula anterior direita e o córtex cingulado,[57] e foram esclarecidas as vias para uma representação multinível integrada da experiência corporal interior.[56,60] A consciência das sensações físicas associadas às emoções é um elemento fundamental para a regulação do afeto e para senti-lo.[61-63]

A propriocepção é a percepção de ângulos articulares e tensões musculares, do movimento, da postura e do equilíbrio.[64] A propriocepção e a interocepção são termos de percepção sensorial, um processo complexo que inclui os processos objetivos de codificação neural, transdução e representação central de estímulos periféricos e, principalmente, implica mecanismos tanto aferentes (de baixo para cima) como eferentes (de cima para baixo ou de propagação).

O termo "consciência corporal" vem sendo tradicionalmente utilizado em estudos de transtornos de ansiedade e de pânico para descrever uma atitude cognitiva caracterizada por um foco exagerado do paciente nos sintomas físicos, amplificação (denominada ''amplificação somatossensorial''), ruminação e crenças de desfechos catastróficos.[65] Neste conceito, o número de sensações corporais percebidas e presumidas potencialmente perturbadoras tem sido amplamente utilizado como um marcador para hipocondria, ansiedade e somatização,[65] todas intensamente associadas a desfechos clínicos desfavoráveis, tais como a trajetória da dor.[66]

"Imagem corporal" e "consciência" são termos frequentemente usados como sinônimos. No entanto, a imagem corporal reflete uma dependência preferencial na aparência visual sobre a percepção do interior o corpo, que é explorada em campos como psiquiatria[67] e neurociência.[68]

Consciência corporal é considerada um aspecto importante em diferentes tratamentos fisioterapêuticos como a fisioterapia psicomotora norueguesa e terapia básica de consciência corporal.[69] Esses tratamentos enfatizam que a capacidade dos pacientes para detectar os movimentos do corpo e seus aspectos emocionais refletem como eles vivenciam e se relacionam com seu próprio corpo. O tratamento em consciência corporal é considerado essencial para o sistema musculoesquelético e para a psicossomática, pois alivia a dor e tensão, melhorando a respiração e a função geral do corpo.[70]

Basic Body Awareness Therapy

Basic Body Awareness Therapy (BBAT) tem o foco na pessoa e na orientação da saúde, além disso oferece ferramentas estruturadas de avaliação e um programa de tratamento usado na fisioterapia em grupo e individual.

A BBAT é um programa de treinamento por intermédio da consciência pelo movimento e tem se demonstrado útil na prática clínica em diversas patologias, particularmente se concentrando na qualidade do movimento.

Essa terapia foi originalmente desenvolvida por um educador do movimento francês, Jacques Drospy, em 1960, e ele se inspirou na tradição do movimento consciente. Foi trazida para a fisioterapia por Ft. Phd. Gertrud Roxendal nos anos de 1970 e tem sido desenvolvida e explorada pela Associação Internacional de Professores em BBAT. É aceita na Suécia e na Noruega como um enfoque fisioterapêutico desde os anos 1980. Há aproximadamente 15 anos, a BBAT é implementada na clínica fisioterapêutica em diversos países e continentes.[71]

Baseia-se na hipótese de que o ser humano tem pouco contato com o corpo físico, com o próprio processo mental e fisiológico e/ou com o ambiente externo, incluindo relações com outras pessoas.

Pouco contato pode causar um movimento disfuncional e reduzir a atividade de vida diária. Consequentemente, a BBAT incorpora quatro perspectivas no programa de treinamento do movimento: biomecânico, fisiológico, psicossociocultural e existencial.[71]

A BBAT leva em consideração que o estado de tensão física e o de tensão existencial afetam a pessoa e toda sua existência e em todo o movimento do dia a dia. Assim, a BBAT oferece treinamento em diversas situações que tenham como foco o aspecto saudável do movimento: caminhando, sentando, utilizando a voz, movimentos relacionais. Corporificação e atenção, bem como consciência e qualidade de movimento representam a chave para o enfoque terapêutico. Terapeuticamente falando, estar em um movimento, explorar, experimentar, integrar, adquirir mais conhecimentos e refletir sobre sua própria coordenação motora é a base para obter mais movimentos funcionais e se preparar para a vida do dia a dia.

O Modelo de Qualidade de Movimento (MQM) apresenta 4 aspectos integrados na relação de espaço, tempo, energia e perspectiva pessoal que expressa o movimento humano. O aspecto fisiológico que está relacionado ao tempo, o biomecânico que está relacionado com o espaço, o psicossociocultural que está relacionado com a energia e o existencial está relacionado com a própria pessoa. Todos esses aspectos são trabalhado integralmente com o paciente tanto individualmente como em grupo.[72,73]

Muitos estudos têm comprovado a atuação da BBAT em diversas patologias.[74-76] Em um estudo qualitativo em que os pacientes com esquizofrenia foram tratados com BBAT, observaram-se relatos de efeitos positivos em três categorias: regulação do afeto, consciência corporal e autoestima.[77,78] Em outro estudo randomizado, em que a BBAT foi utilizada como terapia em pacientes com transtornos alimentares, concluiu-se que a BBAT proporcionou a melhora de alguns sintomas.[71,79] Portanto, a BBAT é uma técnica que engloba diversos aspectos tanto corporais como existenciais, abrangendo o indivíduo como um todo.

Referências Bibliográficas

1. Darwin C. A expressão das emoções no homem e nos animais. São Paulo: Companhia das Letras, 2000.
2. Atkinson AP, Dittrich WH, Gemmell AJ, Young AW. Emotion perception from dynamic and static body expressions in point-light and full-light displays. Perception. 2004;33(6):717-46. PubMed PMID: 15330366.
3. Coulson M. Attributing emotion to static body postures: recognition, accuracy, confusions, and view point dependence. Journal of Nonverbal Behavior. 2004;28:117-39.
4. Hanna T. What is somatics? Somatics. 2003;14:2.
5. Hanna T. Dictionary definition of the word Somatics. Somatics. 1983;4(2):1.
6. Fortin S. Educação somática. Cadernos do GIPE-CIT. 1999 (2).
7. Bolsanello DP. Em pleno corpo: educação somática, movimento e saúde. Curitiba: Juruá Editora, 2009.
8. Russell TG, Rowe W, Smouse A. Subliminal self-help tapes and academic achievement: an evaluation. Journal of Counseling and Development. 1991;69:359-62.
9. Ekman P, O'Sullivan M. The role of context in interpreting facial expression: comment on Russell and Fehr (1987). Journal of experimental psychology General. 1988 Mar;117(1):86-90. PubMed PMID: 2966232.
10. Izard CE. Innate and universal facial expressions: evidence from developmental and cross-cultural research. Psychological bulletin. 1994 Mar;115(2):288-99. PubMed PMID: 8165273.
11. Hazan C, Shaver P. Romantic love conceptualized as an attachment process. Journal of Personality and Social Psychology. 1987 Mar;52(3):511-24. PubMed PMID: 3572722.
12. Keleman S. Anatomia emocional. São Paulo: Summus, 1992.
13. James W. What is an emotion? Mind 9. 1884;35:188-205.
14. Chwalisz K, Diener E, Gallagher D. Autonomic arousal feedback and emotional experience: evidence from the spinal cord injured. Journal of Personality and Social Psychology. 1988 May;54(5):820-8. PubMed PMID: 2967896.

15. Gilligaan SG, Bower GH. Cognitive consequences of emotional arousal. Emotion, cognition and behavior. New York: Cambridge University Press, 1984. p. 547-88.
16. Eisenberger R, Cameron J. Detrimental effects of reward. Reality or myth? The American Psychologist. 1996 Nov;51(11):1153-66. PubMed PMID: 8937264.
17. Ekman P. Strong evidence for universals in facial expressions: a reply to Russell's mistaken critique. Psychological Bulletin. 1994 Mar;115(2):268-87. PubMed PMID: 8165272.
18. Adolphs R. Recognizing emotion from facial expressions: psychological and neurological mechanisms. Behavioral and Cognitive Neuroscience Reviews. 2002 Mar;1(1):21-62. PubMed PMID: 17715585.
19. Adolphs R, Tranel D, Damasio AR. Dissociable neural systems for recognizing emotions. Brain and Cognition. 2003 Jun;52(1):61-9. PubMed PMID: 12812805.
20. Steiner A. Effects of oxytocin on emotion recognition and eye gaze. Germany: Cuvillier Verlag Göttingen; 2008.
21. Hsieh S, Hornberger M, Piguet O, Hodges JR. Brain correlates of musical and facial emotion recognition: evidence from the dementias. Neuropsychologia. 2012 Jul;50(8):1814-22. PubMed PMID: 22579645.
22. Baggio HC, Segura B, Ibarretxe-Bilbao N, Valldeoriola F, Marti MJ, Compta Y, et al. Structural correlates of facial emotion recognition deficits in Parkinson's disease patients. Neuropsychologia. 2012 Jul;50(8):2121-8. PubMed PMID: 22640663.
23. Winston JS, O'Doherty J, Dolan RJ. Common and distinct neural responses during direct and incidental processing of multiple facial emotions. NeuroImage. 2003 Sep;20(1):84-97. PubMed PMID: 14527572.
24. Baron-Cohen S, Wheelwright S, Hill J, Raste Y, Plumb I. The "Reading the Mind in the Eyes" Test revised version: a study with normal adults, and adults with Asperger syndrome or high-functioning autism. Journal of Child Psychology and Psychiatry, and Allied Disciplines. 2001 Feb;42(2):241-51. PubMed PMID: 11280420.
25. Edwards J, Pattison PE, Jackson HJ, Wales RJ. Facial affect and affective prosody recognition in first-episode schizophrenia. Schizophrenia Research. 2001 Mar 30;48(2-3):235-53. PubMed PMID: 11295377.
26. Hargrave R, Maddock RJ, Stone V. Impaired recognition of facial expressions of emotion in Alzheimer's disease. The Journal of Neuropsychiatry and Clinical Neurosciences. 2002 Winter;14(1):64-71. PubMed PMID: 11884657.
27. Weiss EM, Kohler CG, Vonbank J, Stadelmann E, Kemmler G, Hinterhuber H, et al. Impairment in emotion recognition abilities in patients with mild cognitive impairment, early and moderate Alzheimer disease compared with healthy comparison subjects. The American Journal of Geriatric Psychiatry: Official Journal of the American Association for Geriatric Psychiatry. 2008 Dec;16(12):974-80. PubMed PMID: 19038896.
28. Morris CG, Maisto AA. Motivação e emoção. Introdução à Psicologia. São Paulo: Pearson, 2004.
29. Silva LMG, Brasil VV, Guimarães HCQCP, Savonitti BHRA. Comunicacão não verbal: reflexões acerca da linguaguem corporal. Revista Latino-Americana de Enfermagem. 2000;8(4):52-8.
30. Cuddy AJC, Wilmuth CA, Carney DR. Preparatory Power Posing Affects Performance and Outcomes in Social Evaluations. Harvard Business School Working Paper, 2012:13-027.
31. Carney DR, Cuddy AJ, Yap AJ. Power posing: brief nonverbal displays affect neuroendocrine levels and risk tolerance. Psychological Science. 2010 Oct;21(10):1363-8. PubMed PMID: 20855902.
32. Kleinsmith A, Bianchi-Berthouze N, Steed A. Automatic recognition of non-acted affective postures. IEEE transactions on systems, man, and cybernetics Part B, Cybernetics: a publication of the IEEE Systems, Man, and Cybernetics Society. 2011 Jan 28. PubMed PMID: 21278020.
33. Canales JZ, Cordas TA, Fiquer JT, Cavalcante AF, Moreno RA. Posture and body image in individuals with major depressive disorder: a controlled study. Revista Brasileira de Psiquiatria. 2010 Dec;32(4):375-80. PubMed PMID: 21308258.
34. Kana RK, Travers BG. Neural substrates of interpreting actions and emotions from body postures. Social cognitive and affective neuroscience. 2012 Apr;7(4):446-56. PubMed PMID: 21504992. Pubmed Central PMCID: 3324569.
35. Van den Stock J, Grezes J, de Gelder B. Human and animal sounds influence recognition of body language. Brain research. 2008 Nov 25;1242:185-90. PubMed PMID: 18617158.
36. Van den Stock J, Vandenbulcke M, Sinke CB, de Gelder B. Affective scenes influence fear perception of individual body expressions. Human brain mapping. 2014 Feb;35(2):492-502. PubMed PMID: 23097235.
37. de Gelder B, Hadjikhani N. Non-conscious recognition of emotional body language. Neuroreport. 2006 Apr 24;17(6):583-6. PubMed PMID: 16603916.
38. Downing PE, Jiang Y, Shuman M, Kanwisher N. A cortical area selective for visual processing of the human body. Science. 2001 Sep 28;293(5539):2470-3. PubMed PMID: 11577239.
39. Pourtois G, Peelen MV, Spinelli L, Seeck M, Vuilleumier P. Direct intracranial recording of body-selective responses in human extrastriate visual cortex. Neuropsychologia. 2007 Jun 18;45(11):2621-5. PubMed PMID: 17499819.

40. Peelen MV, Downing PE. Within-subject reproducibility of category-specific visual activation with functional MRI. Human brain mapping. 2005 Aug;25(4):402-8. PubMed PMID: 15852382.
41. Schwarzlose RF, Baker CI, Kanwisher N. Separate face and body selectivity on the fusiform gyrus. The Journal of neuroscience: the official journal of the Society for Neuroscience. 2005 Nov 23;25(47):11055-9. PubMed PMID: 16306418.
42. Taylor JC, Wiggett AJ, Downing PE. Functional MRI analysis of body and body part representations in the extrastriate and fusiform body areas. Journal of Neurophysiology. 2007 Sep;98(3):1626-33. PubMed PMID: 17596425.
43. Kolb B. Neurociência do comportamento. São Paulo: Manole, 2002.
44. Merleau-Ponty M. Fenomenologia da percepção. São Paulo: Martins Fontes, 1994.
45. Feijó OG. Corpo e movimento: uma psicologia para o esporte. 2 ed. Rio de Janeiro: Shape, 1998.
46. Cunha MSV. Para uma epistemologia da motricidade humana. Lisboa: Compendium, 1994.
47. Fonseca V. Psicomotricidade. 2 ed. São Paulo: Martins Fontes, 1996.
48. Lederman E. Fundamentos da terapia manual – fisiologia, neurologia e psicologia. São Paulo: Manole, 2001.
49. McLean SA, Domeier RM, DeVore HK, Hill EM, Maio RF, Frederiksen SM. The feasibility of pain assessment in the prehospital setting. Prehospital emergency care: Official Journal of the National Association of EMS Physicians and the National Association of State EMS Directors. 2004 Apr-Jun;8(2):155-61. PubMed PMID: 15060849.
50. Benson H. Medicina espiritual – o poder essencial da cura. São Paulo: Campus, 1998.
51. Mehling WE, Gopisetty V, Daubenmier J, Price CJ, Hecht FM, Stewart A. Body awareness: construct and self-report measures. PloS One. 2009;4(5):e5614. PubMed PMID: 19440300. Pubmed Central PMCID: 2680990.
52. Bekker MH, Croon MA, van Balkom EG, Vermee JB. Predicting individual differences in autonomy-connectedness: the role of body awareness, alexithymia, and assertiveness. Journal of Clinical Psychology. 2008 Jun;64(6):747-65. PubMed PMID: 18425792.
53. Haugstad GK, Haugstad TS, Kirste UM, Leganger S, Wojniusz S, Klemmetsen I, et al. Posture, movement patterns, and body awareness in women with chronic pelvic pain. Journal of Psychosomatic Research. 2006 Nov;61(5):637-44. PubMed PMID: 17084141.
54. Cameron OG. Interoception: the inside story – a model for psychosomatic processes. Psychosomatic Medicine. 2001 Sep-Oct;63(5):697-710. PubMed PMID: 11573016.
55. Barrett LF, Quigley KS, Bliss-Moreau E, Aronson KR. Interoceptive sensitivity and self-reports of emotional experience. Journal of Personality and Social Psychology. 2004 Nov;87(5):684-97. PubMed PMID: 15535779. Pubmed Central PMCID: 1224728.
56. Craig AD. How do you feel? Interoception: the sense of the physiological condition of the body. Nature Reviews Neuroscience. 2002 Aug;3(8):655-66. PubMed PMID: 12154366.
57. Craig AD. How do you feel--now? The anterior insula and human awareness. Nature Reviews Neuroscience. 2009 Jan;10(1):59-70. PubMed PMID: 19096369.
58. Paulus MP, Stein MB. Interoception in anxiety and depression. Brain Structure & Function. 2010 Jun;214(5-6):451-63. PubMed PMID: 20490545. Pubmed Central PMCID: 2886901.
59. Critchley HD, Wiens S, Rotshtein P, Ohman A, Dolan RJ. Neural systems supporting interoceptive awareness. Nature Neuroscience. 2004 Feb;7(2):189-95. PubMed PMID: 14730305.
60. Craig AD. Interoception: the sense of the physiological condition of the body. Current Opinion in Neurobiology. 2003 Aug;13(4):500-5. PubMed PMID: 12965300.
61. Bechara A, Naqvi N. Listening to your heart: interoceptive awareness as a gateway to feeling. Nature Neuroscience. 2004 Feb;7(2):102-3. PubMed PMID: 14747831.
62. Damasio A. Mental self: the person within. Nature. 2003 May 15;423(6937):227. PubMed PMID: 12748620.
63. Pollatos O, Kirsch W, Schandry R. On the relationship between interoceptive awareness, emotional experience, and brain processes. Brain Research Cognitive Brain Research. 2005 Dec;25(3):948-62. PubMed PMID: 16298111.
64. Laskowski ER, Newcomer-Aney K, Smith J. Proprioception. Physical Medicine and Rehabilitation Clinics of North America. 2000 May;11(2):323-40, vi. PubMed PMID: 10810764.
65. Cioffi D. Beyond attentional strategies: cognitive-perceptual model of somatic interpretation. Psychological Bulletin. 1991 Jan;109(1):25-41. PubMed PMID: 2006227.
66. Pincus T, Burton AK, Vogel S, Field AP. A systematic review of psychological factors as predictors of chronicity/disability in prospective cohorts of low back pain. Spine. 2002 Mar 1;27(5):E109-20. PubMed PMID: 11880847.

67. Skrzypek S, Wehmeier PM, Remschmidt H. Body image assessment using body size estimation in recent studies on anorexia nervosa. A brief review. European Child & Adolescent Psychiatry. 2001 Dec;10(4):215-21. PubMed PMID: 11794546.
68. Giummarra MJ, Gibson SJ, Georgiou-Karistianis N, Bradshaw JL. Mechanisms underlying embodiment, disembodiment and loss of embodiment. Neuroscience and Biobehavioral reviews. 2008;32(1):143-60. PubMed PMID: 17707508.
69. Kvåle A LA. Body awareness therapies. Encyclopedia of Pain. Berlin: Springer Verlag. p. 167-9.
70. Dragesund T, Raheim M. Norwegian psychomotor physiotherapy and patients with chronic pain: patients' perspective on body awareness. Physiotherapy Theory and Practice. 2008 Jul-Aug;24(4):243-54. PubMed PMID: 18574750.
71. Skjaerven LH. Basic body awareness therapy: promoting movement quality and health for daily life. In: College BU, editor. 2013.
72. Skjaerven LH, Kristoffersen K, Gard G. An eye for movement quality: a phenomenological study of movement quality reflecting a group of physiotherapists' understanding of the phenomenon. Physiotherapy Theory and Practice. 2008 Jan-Feb;24(1):13-27. PubMed PMID: 18300105.
73. Skjaerven LH, Kristoffersen K, Gard G. How can movement quality be promoted in clinical practice? A phenomenological study of physical therapist experts. Physical Therapy. 2010 Oct;90(10):1479-92. PubMed PMID: 20688872.
74. Vancampfort D, Vanderlinden J, De Hert M, Adamkova M, Skjaerven LH, Catalan-Matamoros D, et al. A systematic review on physical therapy interventions for patients with binge eating disorder. Disability and Rehabilitation. 2013;35(26):2191-6. PubMed PMID: 23594056.
75. Roxendal G. [Psychiatric physiotherapy in Sweden]. Lakartidningen. 1980 Jun 11;77(24):2266-7, 9. PubMed PMID: 7401780. Psykiatrisk sjukgymnastik i Sverige.
76. Gyllensten AL, Ovesson MN, Lindstrom I, Hansson L, Ekdahl C. Reliability of the body awareness scale-health. Scandinavian Journal of Caring Sciences. 2004 Jun;18(2):213-9. PubMed PMID: 15147485.
77. Hedlund L, Gyllensten AL. The experiences of basic body awareness therapy in patients with schizophrenia. Journal of Bodywork and Movement Therapies. 2010 Jul;14(3):245-54. PubMed PMID: 20538222.
78. Hedlund L, Gyllensten AL. The physiotherapists' experience of basic body awareness therapy in patients with schizophrenia and schizophrenia spectrum disorders. Journal of Bodywork and Movement Therapies. 2013 Apr;17(2):169-76. PubMed PMID: 23561863.
79. Catalan-Matamoros D, Helvik-Skjaerven L, Labajos-Manzanares MT, Martinez-de-Salazar-Arboleas A, Sanchez-Guerrero E. A pilot study on the effect of basic body awareness therapy in patients with eating disorders: a randomized controlled trial. Clinical Rehabilitation. 2011 Jul;25(7):617-26. PubMed PMID: 21402650.

Funcionalidade e Envelhecimento

Luciano Alves Leandro
Joelita Pessoa de Oliveira Bez

Introdução

Entre os aspectos relacionados a uma boa qualidade de vida na velhice, a boa funcionalidade é apontada pelos idosos e cuidadores como uma das mais importantes, pois está associada à independência e autonomia.[1]

O comprometimento da capacidade funcional do idoso tem implicações importantes para a família, a comunidade, o sistema de saúde e a vida do próprio idoso, uma vez que a incapacidade ocasiona maior vulnerabilidade e dependência, contribuindo para a diminuição do bem estar e da qualidade de vida.[2]

A incapacidade funcional afeta a motivação para a atividade, o senso de controle sobre o ambiente, as crenças de autoeficácia, a autoestima e a autoavaliação de saúde dos idosos. Os prejuízos a essas condições psicológicas refletem-se nas avaliações subjetivas que os idosos realizam sobre a sua qualidade de vida de modo geral e sobre aspectos específicos, tais como saúde, atividade, relações sociais e relações com o ambiente físico. Tais avaliações negativas tendem a prejudicar a disposição dos idosos para a manutenção de hábitos de autocuidado, gerando um círculo vicioso de danos e de riscos à sua saúde e ao seu bem-estar subjetivo.[3]

A incapacidade funcional dificulta a realização de tarefas que fazem parte do cotidiano do ser humano e que são indispensáveis para uma vida independente na comunidade. O conceito de incapacidade funcional cobre um conjunto de estados de saúde relacionados ao processo de aumento de limitação funcional.[4]

A literatura apresenta uma infinidade de modelos para conceituar a funcionalidade humana. No modelo médico, a incapacidade é tratada como um problema pessoal, diretamente causado por uma enfermidade, trauma ou outras condições de saúde. No modelo social, por sua vez, a incapacidade é entendida como um problema socialmente criado e, principalmente, como um problema de integração do indivíduo na sociedade. Desse modo, acreditamos que a integração dos modelos médico e social para explicar a funcionalidade por meio de uma aproximação biopsicossocial parece ser a visão mais coerente para o entendimento das relações entre as condições de saúde e a incapacidade durante o processo de envelhecimento.[1]

Logo, o conceito de saúde deve estar claro. Define-se saúde como uma medida da capacidade de realização de aspirações e da satisfação das necessidades e não simplesmente como a ausência de doenças. A maioria dos idosos é portadora de doenças ou disfunções orgânicas que, na maior parte das vezes, não estão associadas à limitação das atividades ou à restrição da participação social. Assim, mesmo com doenças, o idoso pode continuar desempenhando os papéis sociais. O foco da saúde está estritamente relacionado à funcionalidade global do indivíduo, definida como a capacidade de gerir a própria vida ou cuidar de si mesmo. A pessoa é considerada saudável quando é capaz de realizar suas atividades sozinha, de forma independente e autônoma, mesmo que tenha doenças.[5]

Fatores que Influenciam o Comprometimento da Funcionalidade

Renda, Gênero e Idade

A funcionalidade é influenciada não apenas pelo processo de envelhecimento fisiológico, como também por características de gênero, idade, classe social e escolaridade; e por condições de saúde, cognição, ambiente, história de vida, valores e crenças e personalidade.[6]

A renda é uma variável poderosa para determinar nível de funcionalidade porque incorpora outras condições que envolvem escassez de recursos sociais, acesso limitado aos serviços de saúde, más condições desses serviços, presença de doenças e de sintomas depressivos, estilos de vida prejudiciais à saúde, crenças que prejudicam quem adere a elas, baixo senso de autoeficácia e autocuidado deficitário, este em virtude de falta de informação.[7-11]

Baseado nos dados da Pesquisa Nacional por Amostra de Domicílios (PNAD) 1998-2003, Parahyba e Veras[4] apontam que a diminuição de renda ofereceu risco para manutenção da funcionalidade nos grupos de idosos com renda mais baixa em relação ao grupo de idosos com renda mais alta.

Em uma pesquisa com idosos chineses, a prevalência da redução da funcionalidade era na ordem de 8,1% e associações robustas desta condição estavam diretamente relacionada com o baixo nível de escolaridade e baixa renda.[12] Esses dados estão em consonância com outros estudos da literatura internacional.[8,9,13,14]

A associação entre baixo nível de funcionalidade e gênero feminino é consistentemente relatada na literatura. Em estudo longitudinal que investigou os efeitos da pobreza sobre amostra de 553 mulheres norte-americanas afrodescendentes, cobrindo um período de 30 anos, os autores concluíram que as desvantagens socioeconômicas são de importância particular para a saúde em todo o curso de vida. A pobreza aumenta a exposição a certas variáveis de natureza social, comportamental, psicológica e física que influenciam a saúde, limitam as oportunidades para educação e restringem o acesso a tratamentos de saúde adequados, expondo os indivíduos a numerosos eventos estressores.[15]

Dados de estudo de base populacional com idosos, sobre a subutilização de medicamentos por motivos financeiros, na região metropolitana de Belo Horizonte, mostraram associações significativas entre incapacidade funcional com a subutilização de medicamentos.[16] De acordo com autores desse estudo, entre os idosos, a subutilização de serviços de saúde pode resultar em piora do estado de saúde, do estado funcional, dos sintomas e do controle dos agravos. Além disso, podem resultar na necessidade de prescrição adicional de doses maiores ou de terapias mais potentes que, por sua vez, podem aumentar o risco de efeitos adversos, além de outros desfechos negativos como maior número de visitas a serviços de emergência, hospitalizações e morte.

Outros estudos[7,15,17] confirmam que a pobreza durante o curso de vida das mulheres compromete a força muscular e prejudica o *status* funcional na velhice. O decréscimo da força muscular é normativo no envelhecimento, torna-se mais evidente após os 60 anos e é mais pronunciado nas mulheres.

No estudo de Fiedler e Peres,[18] foram observadas relações entre gênero feminino, insatisfação com a situação econômica e incapacidade funcional associada a atividades profissionais pesadas.

A redução da força muscular resulta do envelhecimento fisiológico e pode ser acelerada pelos efeitos acumulativos da exposição à nutrição insuficiente, de disfunção hormonal ao longo da vida, de déficits nas oportunidades de cuidar da própria saúde, do sedentarismo, das agressões associadas ao trabalho como a exposição a toxinas e a trabalhos que demandam muita força. Esses efeitos são mais graves para as mulheres. Ainda que menos expostas às agressões do ambiente de trabalho, elas são oneradas no contexto doméstico, ao longo de toda a vida, principalmente em contextos de pobreza. As restrições de acesso a tratamentos de saúde podem amplificar os efeitos do envelhecimento fisiológico sobre as perdas em força muscular e em capacidade funcional.[7]

A forte associação da funcionalidade com a idade dos idosos é uma constatação frequente na literatura.[19,20] Com dados de um estudo multicêntrico sobre fragilidade que utilizou medidas objetivas de desempenho físico funcional, Neri e colaboradores[21] observaram que idosos com maior probabilidade de serem classificados como portadores de baixa força de preensão e como mais lentos foram os com 80 anos e mais. Os idosos com mais de 80 anos têm mais de 50% de chance do que os idosos mais jovens para desenvolver sarcopenia e suas consequências funcionais.[22,23] A fraqueza muscular relacionada com a idade afeta preferencialmente as extremidades inferiores, comprometendo diretamente o desempenho muscular, que é crucial para caminhar; manter o equilíbrio; subir escadas; levantar e mover objetos; levantar-se da cadeira, da cama ou do chão; limpar a casa; banhar-se ou vestir-se, que, na senilidade, são as primeiras atividades de vida diária afetadas pela sarcopenia.

Sarcopenia como Antecedente da Incapacidade Funcional

A sarcopenia é um dos elementos da definição da síndrome de fragilidade* e está associada a risco para quedas, fraturas, à maior chance de incapacidade funcional, dependência, hospitalização recorrente e morte.[24] Em maior ou menor grau, ela afeta todos os idosos, sem discriminação de gênero e situação econômica. Compreendê-la e tratá-la pode ter impacto positivo sobre a redução da incapacidade nessa população.[25] De acordo com o Consenso Europeu de Sarcopenia, o diagnóstico é feito com base na presença de quaisquer dois entre os três seguintes critérios: baixa massa muscular, baixa força muscular e baixo desempenho físico.[22]

Reflete-se diretamente em funções importantes do cotidiano dos idosos, tais como a locomoção e a transferência, que dependem de força muscular, destreza, controle postural e equilíbrio, e é altamente prevalente na população com mais de 65 anos.[26] É definida como perda de massa e força muscular relacionada à idade, um processo de declínio gradual da função e da qualidade do músculo, incluindo diminuição na capacidade de produção de força, redução da velocidade máxima e desaceleração geral da contração muscular.[22]

A sarcopenia é comum a várias populações, independentemente da presença de doenças, embora possa ser acelerada em decorrência destas. Estima-se que, a partir dos 40 anos, ocorre

* O ponto de vista mais difundido sobre fragilidade é o que a define como síndrome clínica geriátrica envolvendo declínio das reservas de energia, desregulação neuroendócrina, rebaixamento da função imune e diminuição da resistência a estressores, resultantes do processo normativo de envelhecimento fisiológico, ou senescência, em interação com riscos atuais e acumulados à saúde e funcionalidade. Indivíduos frágeis compõem um subconjunto de idosos portadores de maior susceptibilidade a desfechos adversos de saúde, tais como morte, incapacidade e hospitalização em virtude da redução de sua capacidade para responder a condições de estresse, vulnerabilidade que também os predispõe a doenças crônicas, anorexia, sarcopenia, osteopenia, déficits cognitivos e incapacidade funcional.

perda de cerca de 5% de massa muscular a cada década e declínio mais rápido após os 65 anos, particularmente nos membros inferiores.[27]

Do ponto de vista biológico, a perda de massa e força muscular ocorrem em função da redução e da atrofia de fibras musculares do tipo II, que têm uma grande capacidade glicolítica, de contração mais rápida, e a consequente predominância de fibras de contração lenta do tipo I.[26] Observa-se, ainda, uma alteração na qualidade das fibras musculares consequente à infiltração de gordura e de materiais não contráteis, tais como o tecido conectivo. Inclui alterações no metabolismo muscular e na resistência à insulina, na efetividade neural e no controle fino do equilíbrio, além de diminuição das aferências sensitivas e motoras.[28]

Há fortes evidências de que o desenvolvimento da sarcopenia tenha causas multifatoriais. Entre seus determinantes, podem ser citados o aumento do estímulo catabólico, evidenciado pelo aumento da citocina interleucina 6 (IL-6), a ocorrência de mudanças hormonais, tais como a queda do hormônio do crescimento e do fator de crescimento insulina *like* (IGF-1), e nutrição inadequada, relacionada com a queda da síntese proteica e com a inatividade física.[26] A associação de vários fatores contribui para o desenvolvimento da sarcopenia em idosos, conforme se pode observar no diagrama desenvolvido por Doherty[29] e adaptado para esta produção (Figura 7.1).

Em revisão de literatura, Cruz-Jenthoft e colaboradores[22] afirmam que a sarcopenia não pode ser considerada uma doença só relacionada à idade, mas uma verdadeira síndrome geriátrica, dada a sua alta prevalência entre os idosos, visto que mais de 50% da população com mais de 80 anos sofre desta condição clínica. Além dos aspectos inerentes ao próprio envelhecimento, ela é determinada por predisposição genética, por hábitos de vida, por mudanças nas condições de vida e por doenças crônicas. Em análise sobre a estimativa de sarcopenia em idosos da comunidade de Taiwan, Chien e colaboradores[30] concluíram que se trata de um problema de saúde pública. Suas consequências são a diminuição da força muscular, a baixa tolerância ao exercício e a redução da velocidade da marcha, que podem privar os idosos da sua independência funcional e aumentar o risco para quedas e fraturas.[31]

No ano 2000, foram gastos cerca de 18,5 bilhões de dólares no custeio de despesas com saúde nos Estados Unidos da América. Boa parte desse valor foi gasto com o tratamento de problemas de saúde associados à sarcopenia.[19] Estima-se que, nos próximos 10 anos, aproximadamente 6 bilhões de dólares serão gastos nos cuidados com as fraturas de quadril, decorrentes da sarcopenia. Avalia-se que ela afetará drasticamente a qualidade de vida de um crescente número de pessoas e que haverá um aumento significativo das demandas por cuidados no âmbito dos serviços públicos de saúde.[22] Dados de estudos nacionais apontam que o desafio maior do

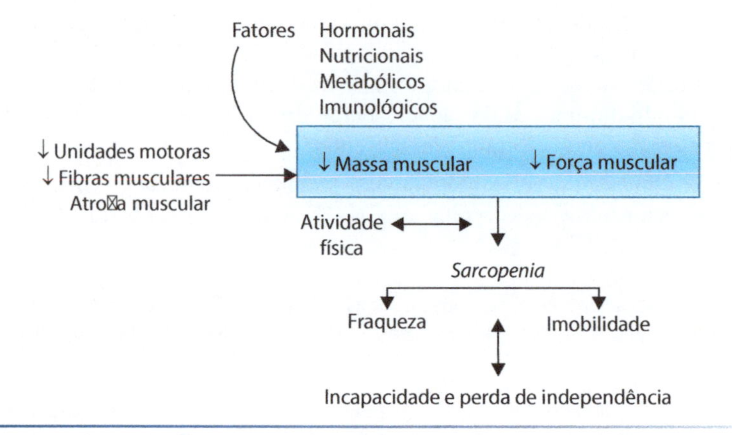

Figura 7.1 Variáveis relacionados à gênese da sarcopenia no idoso.
Fonte: Adaptado de Doherty, 2003.

século XXI, no Brasil, será cuidar de uma população de mais de 32 milhões de idosos, a maioria com baixo nível socioeconômico e educacional e com algum grau de incapacidade funcional.[17,21]

Avaliação da Funcionalidade do Idoso

Avaliar funcionalidade no idoso significa interpretar sua condição de saúde, como já foi dito anteriormente. O conceito de saúde para o indivíduo idoso se traduz mais pela sua condição de autonomia e independência do que pela presença ou ausência de doença orgânica.[5] Portanto, faz-se necessário avaliar um conjunto de elementos relacionados ao funcionamento integrado e harmonioso dos seguintes sistemas funcionais principais:

- Cognição: trata-se da capacidade mental de compreender e resolver os problemas do cotidiano.
- Humor: motivação necessária para atividades e/ou participação social. Inclui, também, outras funções mentais como o nível de consciência, a sensopercepção e o pensamento.
- Comunicação: capacidade de estabelecer um relacionamento produtivo com o meio, trocar informações, manifestar desejos, ideias, sentimentos; e está intimamente relacionada à habilidade de se comunicar. Depende da visão, audição, fala, voz e motricidade orofacial.
- Mobilidade: capacidade individual de deslocamento e de manipulação do meio onde o indivíduo está inserido. Depende da capacidade de alcance/preensão/pinça (membros superiores), postura/marcha/transferência (membros inferiores), capacidade aeróbica e continência esfincteriana.

Os sistemas funcionais estão de acordo com a nova perspectiva de avaliação baseada no modelo de funcionalidade criado pela Classificação Internacional de Funcionalidade (CIF). De acordo com a CIF, a capacidade funcional é a capacidade de executar uma tarefa ou uma ação, visando indicar o provável nível máximo de funcionalidade que a pessoa pode atingir em um dado domínio em determinado momento. Reflete a capacidade ajustada ao ambiente.[32]

As tarefas do cotidiano necessárias para que o indivíduo cuide de si e de sua própria vida são denominadas atividades de vida diária (AVD). Podem ser classificadas, conforme o grau de complexidade, em básicas (ABVD), instrumentais (AIVD) e avançadas (AAVD).

Os métodos habituais de se realizar uma avaliação funcional estruturada consistem na observação direta (testes de desempenho) e por questionários, que podem ser autoaplicados ou concebidos para entrevistas face a face, sistematizados por meio de uma série de escalas que aferem os principais componentes da dimensão. Tais escalas compõem o que se tem denominado "instrumentos de avaliação funcional".[21]

Existem várias escalas para medida da capacidade funcional. Entre as mais conhecidas, citam-se as de Lawton and Brody (1969), Barthel (Mahoney e Barthel, 1965) e de Katz (1963) que foi validada para o Brasil por Lino e cols. (2008). Trata-se de escalas muito utilizadas em estudos de várias naturezas para avaliar a capacidade funcional nas ABVD e nas AIVD de idosos saudáveis e/ou com declínio cognitivo.[33]

A literatura estabelece como recomendação para avaliação das AVD em idosos com declínio cognitivo outros instrumentos empregados em vários estudos internacionais e nacionais, sendo eles: o Questionário de Atividades Funcionais de Pfeffer, a Functional Independence Measure (FIM), o Informant Questionnaire on Cognitive Decline in the Elderly (IQCODE), a Disability Assessment for Dementia (DAD), a Bristol Activities of Daily Living Scale (BADLS), a Bayer Activities of Daily Living Scale (B-ADL), o Activities of Daily Living Questionnaire (ADL-Q) e a Direct Assessment of Functional Status-Revised (DAFS-R).[34]

Logo, a avaliação funcional busca a identificação do nível da capacidade funcional do idoso no desempenho de suas AVD. A identificação é dada pela quantidade de ajuda instrumental de que o idoso necessita para realizá-las. As ABVD avaliam funções de sobrevivência, tais como se alimentar, banhar-se, higiene pessoal, vestir-se, usar o sanitário e transferir-se de um local a outro.

As AIVD são mais complexas e incluem a capacidade de preparar uma refeição, realizar trabalhos domésticos, cuidados com finanças e correspondência, administração da própria medicação, entre outros.

Estudos epidemiológicos nacionais sobre prevalência de incapacidade para o desempenho das AVD realizados em várias regiões mostram que a progressão da idade e o *status* cognitivo estiveram significativamente associados à maior prevalência de incapacidade funcional, iniciando pelas AAVD que correspondem a funções físicas e sociais de caráter individual realizadas no ambiente social mais abrangente, seguida pelas AIVD e, finalmente, as ABVD.[33,35,36] Esses dados são relevantes porque incorporam critérios para a adequada orientação do paciente e de seus cuidadores e para avaliar o efeito de intervenções dos profissionais nas esferas farmacológicas e não farmacológicas.

Considerações Finais

O Brasil apresenta um perfil demográfico mais envelhecido, caracterizado por uma transição epidemiológica, em que as doenças cronicodegenerativas ocupam lugar de destaque. O incremento das doenças crônicas implicará a necessidade de adequações das políticas sociais, particularmente aquelas voltadas para atender as crescentes demandas nas áreas da saúde, previdência e assistência social.[37]

Na área da saúde, essa rápida transição demográfica e epidemiológica traz grandes desafios, pois é responsável pelo surgimento de novas demandas de saúde, especialmente a "epidemia de doenças crônicas e de incapacidades funcionais", resultando em maior e mais prolongado uso de serviços de saúde.[5]

A Política Nacional de Saúde da Pessoa Idosa (PNSPI) preconiza que a avaliação funcional seja realizada perpendicularmente em pessoas com 60 anos ou mais para determinar os comprometimentos da funcionalidade e sua necessidade de auxílio, bem como que sejam planejadas estratégias de intervenção para promoção da qualidade de vida dos idosos de forma a prevenir os agravos e promover à saúde.

Geralmente, a mobilidade é o componente central da avaliação funcional dos fisioterapeutas. Porém, Perracini[2] alerta quanto ao entendimento das várias dimensões do envelhecimento e dos modelos de funcionalidade que permitem ao fisioterapeuta atuar para além da técnica e dos procedimentos terapêuticos, sem que perca a especificidade da sua atuação profissional.

Cabe pontuar que as alterações derivadas da baixa mobilidade manifestam-se a partir de sinais percebidos pelos idosos, por exemplo, dificuldades para levantar-se de assentos e de camas, para suspender sacolas, para atravessar a rua com segurança e para subir e descer dos ônibus. O desempenho de atividades de vida diária oferece informações diretas e indiretas que interagem com as crenças que a pessoa tem sobre suas próprias capacidades. As informações diretas são representadas por pistas proprioceptivas e tácteis oferecidas pelas interações entre os idosos e o ambiente físico, e também por reforçamento e punição oferecida pelos outros, com relação aos comportamentos motores.[7]

É necessário dizer que o profissional deve estar preparado não só para aplicar os instrumentos-padrão básicos, mas também para observar as relações do idoso com o ambiente físico e social, incluindo o cuidador. O reconhecimento da dinâmica de funcionamento familiar permite a detecção de disfunções e possibilita a intervenção precoce na busca do reequilíbrio dessa estrutura de relações e na melhoria da qualidade assistencial prestada ao idoso. O profissional deve envolver os membros da família no cuidado da pessoa idosa e deve considerar que as doenças e as incapacidades desenvolvem alguma forma estresse, interferindo na dinâmica familiar. De acordo com Neri,[33] os cuidadores (formais/informais) devem ser alvo de instrução, acompanhamento e retroinformação sobre o seu desempenho, e de suas razões para o excesso de ajuda ou para a negligência na conquista da "independência" do idoso. Esse conjunto de medidas tem aplicação na prática assistencial em vários campos, entre eles a Fisioterapia, na medida em que oferece pistas para a intervenção precoce e para a reabilitação da capacidade funcional no envelhecimento.

Referências Bibliográficas

1. Goate AM, Haynes AR, Owen MJ. Predisposing locus for Alzheimer's disease on chromosome 21. Lancet 1989.
2. Perracini MR, Fló CM, Guerra RO. Funcionalidade e Envelhecimento. In: Perracini e Fló (orgs). Funcionalidade e Envelhecimento. Rio de Janeiro: Guanabara-Koogan, 2009.
3. Veras R. Envelhecimento populacional contemporâneo: demandas, desafios e inovações. Revista de Saúde Pública, 2009.
4. Neri AL. Bem-estar subjetivo, personalidade e saúde na velhice. In Freitas E V et al. Tratado de Geriatra e Gerontologia. 3 ed. Rio de Janeiro: Editora Guanabara-Koogan, 2011.
5. Parahyba MI, Veras R. Diferenciais sociodemográficos no declínio funcional em mobilidade física entre os idosos no Brasil. Ciência e Saúde Coletiva, 2008.
6. Moraes EM. Atenção à saúde do Idoso: aspectos conceituais./Edgar Nunes de Moraes. Brasília: Organização Pan-Americana da Saúde, 2012.
7. Sposito G, Diogo MJD, Cintra FA, Neri AL, Guariento ME, Souza ML. Rev Bras Fisioter. 2010.
8. Bez JPO, Neri AL. Velocidade da marcha, força de preensão e saúde percebida em idosos: dados da rede FIBRA Campinas/SP. Cienc Saude Colet [periódico na internet] 2013. Disponível em: <http://www.cienciaesaudecoletiva.com.br>.
9. Tsimbos C. An assessment of socio-economic inequalities in health among elderly in Greece, Italy and Spain. Int J Public Health 2010.
10. Pappa E, Kontodimopolus N, Papadopoulos AA, Niakas D. Assessing the socio-economic and demographic impact on health-related quality of life: evidence from Grecee. Int J Public Health, 2009.
11. Tribess S, Virtuoso-Júnior JS, Petroski EL. Fatores associados à inatividade física em mulheres idosas em comunidades de baixa renda. Rev. Salud Pública, 2009.
12. Santos JLF, Lebrão ML, Duarte YAO, Lima FD. Functional performance of the elderly in instrumental activities of daily living: an analysis in the municipality of São Paulo, Brazil. Cad Saúde Pública, 2008.
13. Liu J, Chi I, Chen G, Song X, Zheng X. Prevalence and correlates of functional disability in Chinese older adults. Geriatr Gerontol Int, 2009.
14. Park BH, Jung M, Lee TJ. Associations of income and wealth with health status in the Corean elderly. J Prev Med Public Health, 2009.
15. Agabiti N, Pirani M, Schifano P, et al. Income level and chronic ambulatory care sensitive conditions in adults: a multicity population-based study in Italy. BMC Public Health, 2009.
16. Kasper JD, Ensminger ME, Green KM, Forthergill KE, Juon HS, Robertson J, Thorpe RJ. Effects of poverty and family stress over three decades on the functional status of older African American. Women Journal of Gerontology: Social Sciences 2008.
17. Luz TCB, Loyola Filho AI, Lima-Costa MF. Estudo de base populacional da subutilização de medicamentos por motivos financeiros entre idosos na região metropolitana de Belo Horizonte, Minas Gerais, Brasil. Cad. de Saúde Pública, 2009.
18. Alexandre TS, Duarte YAO, Santos JLF, Lebrão ML. Relação entre força de preensão manual e dificuldades no desempenho de atividades básicas de vida diária em idosos do município de São Paulo. Saúde Coletiva, 2008.
19. Fiedler AB, Peres KG. Capacidade funcional e fatores associados em idosos do sul do Brasil: um estudo de base populacional. Cad de Saúde Pública, 2008.
20. Kim JS, Wilson JM, Lee SR. Dietary implications on mechanisms of sarcopenia: roles of protein, amino acids and antioxidants. J of Nutr Biochemistry, 2010.
21. Akin B, Ege E, Koçoglu D, Arslan SY, Bilgili N. Reproductive history, socioeconomic status and disability in the woman aged 65 years or older in Turkey. Arch Gerontol Geriatr, 2010.
22. Neri AL, Yassuda MS, Araújo LF, Eulálio MC, Cabral BE, Siqueira MEC, Santos GA, Moura JGA. Metodologia e perfil sociodemográfico, cognitivo e de fragilidade de idosos comunitários de sete cidades brasileiras: estudo FIBRA. Cad. Saúde Pública. Rio de Janeiro, 2013.

23. Cruz-Jentoft AJ, Baeyens JP, Bauer JM, Boirie Y, Cederholm T, Landi F, Martin FC, Michel JP, Rolland Y, Schneider SM, Topinkova E, VandewoudeM, Zamboni M. Sarcoopenia: European consensus on definition and diagnosis: Report of the European Working Group on Sarcopenia in Older People. Age and agein, 2010.
24. Rodrigues MAP, Facchini L, Thumé E, Maia F. Gender and incidence of functional disability in the elderly: a systematic review. Cad. Saúde Pública, 2009.
25. Fried LP, Tangen CM, Walston J, Newman AB, Hirsch C, Gottdiener J, et al. Frailty in older adults: evidence for a phenotype. J Gerontol A Biol Sci Med Sci, 2001.
26. Rolland Y, Vellas B. Sarcopenia. Rev Med Interne 2009.
27. Frontera WR, Zayas AR, Rodriguez N. Aging of human muscle: understanding sarcopenia at the single muscle cell level. Phys Med Rehabil Clin N Am, 2012.
28. Ryall JG, Schertzer JD, Lynch GS. Cellular and molecular mechanisms underlying age-related skeletal muscle wasting and weakness. Biogerontology, 2008.
29. Bauer JM, Sieber CC. Sarcopenia and frailty: a clinician's controversial point of view experimental. Gerontology, 2008.
30. Doherty TJ. Physiology of aging – invited review: aging and sarcopenia. J Appl Physiol, 2003.
31. Chien MY, Huang TI, Wu YT. Prevalence of Sarcopenia Estimated Using a Bioelectrical Impedance Analysis Prediction Equation in Community-Dwelling Elderly People in Taiwan. JAGS 2008.
32. Fried LP, Walston W. Approach to the frail elderly patient. In: Kelley's Textbook of Internal Medicine. 4 ed. Lippicontt Willians & Wilkins, 2000.
33. Farias N, Buchalla CM. A classificação internacional de funcionalidade, incapacidade e saúde da Organização Mundial de Saúde: conceitos, usos e perspectivas. Rev. Bras. Epidemiol, 2005.
34. Neri AL. Dependência e autonomia. In: Guariento, ME, Neri, AL, organizadores. Assistência Ambulatorial ao Idoso. Campinas: Ed. Alínea, 2010.
35. Chaves MLF, Márcia LF, Chaves CC. Godinho CSP, Mansur L, Carthery-Goulart MT, Yassuda MS, Beato R. Doença de Alzheimer Avaliação cognitiva, comportamental e funcional. Dement Neuropsychol, 2011.
36. Pereira GN, Bastos GAN, Del Duca GF, Bós AJG. Indicadores demográficos e socioeconômicos associados à incapacidade funcional em idosos. Cad. Saúde Pública. Rio de Janeiro, 2012.
37. Virtuoso Júnior JS, Guerra RS. Incapacidade funcional em mulheres idosas de baixa renda. Ciência & Saúde Coletiva, 2011.
38. Mendes, EV. As redes de atenção à saúde. 2 ed. Brasília: Organização Pan-Americana de Saúde, 2011.

Desenvolvimento Neuropsicomotor

8

Eugênia Lucélia de Seixas Rodrigues Pires

Introdução

O estudo do desenvolvimento infantil tem sido alvo crescente no âmbito científico, principalmente durante as últimas décadas. Esse desenvolvimento é visto e examinado sob um conjunto variado de perspectivas, sendo elas motora, biomecânica, neurofisiológica, cognitiva e emocional, resultando em uma nova forma de olhar a criança e, consequentemente, avaliá-la e tratá-la.

Quando o assunto é desenvolvimento, três aspectos são importantes: padrões universais, diferenças individuais e influências do ambiente.[1] Assim, a aquisição de novas habilidades está diretamente relacionada não apenas à faixa etária da criança, mas também às interações vividas com os outros seres humanos do seu meio social.

Nesse contexto global de ver o desenvolvimento infantil, identificamos um desenvolvimento neuropsicomotor, em que sua fundamentação se dá por meio de conceitos psicomotores. A psicomotricidade visa essa inter-relação de mente e corpo no processo de desenvolvimento cognitivo por meio do desenvolvimento motor, permitindo que a criança explore o meio ambiente que a cerca e aprenda.

A motricidade, afetividade e a mente trabalham em conjunto para que o desenvolvimento motor dos seres humanos tenha respostas adequadas para as situações vividas.[2]

Neste capítulo, interessa particularmente o desenvolvimento no primeiro ano de vida, visto que este se constitui no período de maior número de modificações psicomotoras do bebê.[3]

Vínculo Mãe-Filho

Ao se pensar em desenvolvimento infantil, principalmente em uma visão psicomotora, é difícil não pensar nessa interação que existe entre a criança e aquela que a gerou e lhe deu a luz, sua mãe.

A construção do vínculo mãe-filho estabelece-se desde a gestação, em que se percebe um estreitamento desse vínculo durante as semanas gestacionais.

As investigações conduzidas nesse sentido têm enfatizado tanto as contribuições maternas como as contribuições do próprio bebê para a qualidade da interação.[4,5]

Um estudo realizado por Piccinini[6] aponta que a maior parte das gestantes referiu que a interação com o feto acontecia por meio delas mesmas, especialmente por meio de conversas (59%), uma menor percentagem pelo toque na barriga (28%). Porém, a interação mãe-feto foi também percebida pelas gestantes por meio dos movimentos fetais (46%).

O movimento fetal se inicia nos estágios precoces do desenvolvimento embrionário, porém as mães se tornam conscientes desses movimentos por volta da 16ª e 18ª semanas de gestação. Esses movimentos aumentam gradativamente até as 30ª e 32ª semanas de gestação, período após o qual o ambiente uterino restringe a movimentação.[7] Esse fator acaba por intensificar essa relação feto-mãe.

Por meio desse contato afetivo gestacional, a mãe conseguirá vivenciar a gravidez de maneira saudável e ter maior integração com a organização e maturação da identidade da criança.[8]

Esse vínculo formado durante a gestação se intensifica com o nascimento do filho. Ainda mais forte se torna quando há a amamentação, pois surge uma segurança emocional, transmitida pelo contato íntimo entre mãe e filho, sendo responsável por um patrimônio neurológico mais saudável, favorecendo melhor desenvolvimento nos primeiros 6 meses de vida.[9]

A vivência de uma relação calorosa, íntima e contínua com a mãe ou mãe substituta permanente, ou seja, uma pessoa que desempenha, regular e constantemente, o papel de mãe, mostra-se essencial à formação da personalidade e da saúde mental do bebê.[10] O afeto é essencial na infância, tornando-se mais importante ao nascimento do que em fases posteriores; a atitude da mãe orienta o bebê, conferindo qualidade de vida à sua experiência.[11]

A Psicomotricidade e o Desenvolvimento Infantil: Comportamental, Motor e Cognitivo

A psicomotricidade é relacionar-se, por meio da ação, com um meio de tomada de consciência que une o ser corpo, ser mente, o ser espírito, o ser natureza e o ser sociedade.

No ser humano, não há atitudes ou movimentos sem o corpo e nem movimento que se aplique sem um certo domínio mental. Desse modo, não se pode falar em movimento que exclua por completo elementos mentais, nem pensamento isento de qualquer elemento corporal.[12]

A mente humana não pode ser independente do corpo e do cérebro, sendo, consequentemente, impossível separar o mental do motor, o que pressupõe compreender o desenvolvimento pessoal e social de um indivíduo como o resultado de uma múltipla integração e interação entre o corpo e o cérebro e os diversos ecossistemas que constituem o contexto sócio-histórico onde ele se insere e integra.[13]

A psicomotricidade envolve cinco princípios distintos, mas indissociáveis durante o desenvolvimento infantil:[14]

- Esquema Corporal: tomada de consciência do corpo, a formação do "eu", da personalidade da criança, por meio do qual ela toma consciência do próprio corpo e das possibilidades de expressar-se por meio desse corpo;
- Lateralidade: os membros não reagem da mesma forma. Há um predomínio de um membro em relação ao outro no que diz respeito à força, agilidade e destreza;
- Estruturação Espacial: tomada da consciência, por parte da criança, do próprio corpo em um meio ambiente, da situação das coisas entre si, da possibilidade de se organizar perante o mundo que o cerca e organizar as coisas entre si;
- Estruturação Temporal: capacidade da criança situar-se em função da sucessão dos acontecimentos (antes, durante e após), da duração dos acontecimentos (longo, curto),

da sequência (dias da semana, meses, ano) e caráter irreversível do tempo (ontem, hoje, amanhã);

- Grafismo: desenvolvimento progressivo do desenho e do grafismo.

O desenvolvimento psicomotor progride lentamente, de acordo com a experiência e oportunidade que a criança tem em explorar o ambiente no qual está inserida, portanto a falta de habilidade motora pode ser, muitas vezes, resultado da falta de vivência corporal.[15]

Desenvolvimento Comportamental

Comportamento é um termo conveniente para todas as reações da criança, sejam elas reflexas, voluntárias, espontâneas ou aprendidas. Conforme o corpo da criança cresce seu comportamento cresce também, ou seja, estão interligados, ocorrendo por meio dos processos do desenvolvimento.

Por meio de tendências médias do desenvolvimento comportamental verifica-se que as sequências do desenvolvimento, isto é, a ordem em que aparecem os padrões comportamentais e a idade cronológica em que cada padrão aparece são significativamente uniformes.[16]

Gesell & Amatruda estabeleceram cinco campos comportamentais, cada qual representando um aspecto diferente do crescimento (Quadro 8.1).[16]

A soma desses comportamentos físicos, mentais e emocionais desenvolve características particulares chamadas *personalidade*, que caracterizam o indivíduo.[17] A maioria dos psicólogos concorda que a personalidade surge de predisposições biológicas e de interações sociais com outras pessoas em vários contextos (família, escola, comunidade, colegas, mídia).

No primeiro ano de vida, o ator motor é de fundamental importância para a criança e seu desenvolvimento, pois é o único recurso de que ela dispõe para efetuar uma interação com o mundo que a cerca e é por meio dele que todos os outros aspectos (cognitivos, afetivos etc.) se manifestam, efetivando-se de fato em um só tipo de comportamento, o motor.

É pelo movimento também que a criança descobre seu corpo, explora e sente todas as suas partes e inicia a formação do seu primeiro autoconceito, diferenciando-se dos objetos que a cercam.[18]

Desenvolvimento Motor

Durante os primeiros anos de vida, os progressos em relação ao desenvolvimento costumam obedecer a uma sequência ordenada, fato que permite uma certa previsão de acordo com a idade, a respeito das capacidades e do desempenho que se podem esperar, podendo existir uma

Quadro 8.1 Cinco campos do comportamento de acordo com Gesell & Amatruda[16]

Comportamento Adaptativo	Campo mais importante, relacionado à organização dos estímulos, percepção de relações, decomposição dos todos nas partes que os compõem e reintegração dessas partes de maneira significativa.
Comportamento Motor Grosseiro	Integrado pelas reações posturais, o equilíbrio da cabeça, sentar, ficar de pé, engatinhar e andar.
Comportamento Motor Delicado	Consiste no uso das mãos e dedos na aproximação preensora do objeto e nos gestos de pegá-lo e manipulá-lo.
Comportamento de Linguagem	Assume padrões característicos que fornecem indícios da organização do sistema nervoso central da criança. Engloba todas as formas visíveis e audíveis de comunicação, por meio de expressões faciais, gestos, movimentos posturais, vocalizações, expressões ou frases.
Comportamento Pessoal-Social	Compreende as reações pessoais da criança à cultura social em que vive, ou seja, dependentes do ambiente.

considerável variação individual dentro de um mesmo grupo etário; mesmo assim, existem características particulares que permitem uma avaliação do nível e da qualidade do desempenho.[19]

A época na qual o lactente é capaz de executar os diversos atos motores depende até certo ponto das oportunidades para ensaiá-los, variando de acordo com o ambiente e com o modo pelo qual a criança foi criada.[20]

À medida que a criança cresce, sua mente, sua personalidade e sua afetividade se desenvolvem de maneira contínua e incessante, sendo, portanto, muito difícil delimitar seu desenvolvimento em etapas rígidas.[3]

As aquisições da habilidade motora durante o primeiro ano de vida apresentam uma perspectiva sequencial de maturação pelo reconhecimento de uma perspectiva global na qual a maturação, ambiente, comportamento, biomecânica, cinesiologia, percepção, aprendizagem e alcance de metas são considerados importantes.[21]

Ao nascimento, o padrão motor do bebê é muito imaturo, apresentando uma postura assimétrica com predomínio do tônus flexor dos membros e intensa hipotonia da musculatura paravertebral. Seus movimentos são geralmente reflexos e alguns destes, como o de sucção, preensão palmar, plantar e da marcha, serão substituídos por atividades voluntárias. A presença, a intensidade e a simetria dos reflexos podem ser usadas para avaliar a integridade do sistema nervoso e para detectar anormalidades do desenvolvimento caso elas persistam.[22]

O Quadro 8.2 permite a visualização dos principais reflexos primitivos do bebê.

Quadro 8.2 Principais reflexos primitivos do bebê

Reflexo	Semanas de Gestação em que o Reflexo Aparece	Integrado após o Nascimento	Estímulo	Resposta
Tonicocervical assimétrico (RTCA)	20	4-5 meses	Virar a cabeça lateralmente	O braço voltado para a face estende e abduz, o braço voltado para o occipital se flexiona e abduz
Busca	28	3 meses	Tocar a região perioral da criança	Vira a cabeça e os lábios na direção do estímulo
Sucção	28-34	5 meses	Tocar os lábios e a parte interna da boca	Sucção
Preensão Palmar	28	4-7 meses	Pressão sobre a região palmar	Flexão dos dedos
Preensão Plantar	28	9 meses	Apoiado sobre os pés ou pressão sobre a região plantar, logo acima da cabeça dos metatarsos	Flexão dos artelhos
Retirada em flexão	28	1-2 meses	Estímulo nocivo na região plantar	Retirada pela flexão do membro inferior
Galant	28	3 meses	Em prono, estimular a região paravertebral	Curvatura lateral do tronco para o lado estimulado
Moro	28	3-5 meses	Cabeça pendente para trás	Abdução e extensão dos braços, afastamento dos dedos, podem ser seguidas de flexão e adução do braço

Continua

Continuação

Reflexo	Semanas de Gestação em que o Reflexo Aparece	Integrado após o Nascimento	Estímulo	Resposta
Apoio Positivo	35	1-2 meses	Calcanhar em contato com uma superfície rígida	As pernas se estendem para sustentar peso
Marcha automática/ reflexo do passo	37	3-4 meses	Mantido em pé com os pés apoiados	Movimentos de passo com elevação rítmica dos pés
Tônico-cervical simétrico (RTCS)	4-6 meses	8-12 meses	Flexão ou extensão da cabeça	Com a cabeça em flexão, os braços flexionam e os quadris estendem; com a cabeça em extensão, os braços se estendem e os quadris flexionam

Fonte: Peiper, 1963 e Touwen, 1963 *apud* Effgen, 2007.[7]

O desenvolvimento motor dá-se no sentido craniocaudal e proximodistal, por meio de aquisições mais simples para as mais complexas. Essas aquisições não acontecem aos saltos, são alcançadas depois de muitas tentativas e erros e motivadas pela necessidade de exploração e interação da criança com o meio.[23]

É de suma importância durante a avaliação do bebê não questionar somente o período de suas aquisições, mas é preciso avaliar a qualidade desses movimentos.

O Quadro 8.3 caracteriza os principais marcos do desenvolvimento motor.

Inseridos no comportamento motor, verificam-se os aspectos psicomotores sendo associados. A partir dos 3 meses, a tatilidade se desloca para a atenção direcionada aos membros, à

Quadro 8.3 Marcos do desenvolvimento motor

Idade	Características Motoras
Recém-nascido (RN)	A postura do neonato é predominantemente flexora nos quatro membros, levando à retração escapular (que impossibilita a criança a trazer as mãos à linha média, abrindo-as esporadicamente) e retroversão pélvica. Orientam melhor a visão quando em supino, o RN pode fixar e seguir brevemente objetos de grande contraste. Presença de uma gama grande de reflexos primitivos destinados à sobrevivência inicial e que têm importante papel na aprendizagem motora.
1º mês	Durante o 1º mês, a atitude do lactente é determinada pela gravidade, não se adaptando frente às alterações da posição no espaço e não há reações de equilíbrio ao exame na horizontal e na vertical. Está mais alerto que o RN, sua habilidade visual está aumentando, havendo, com isso, maior mobilidade da coluna cervical. Mantém a retração escapular acentuada e flexão de quadril com a retroversão pélvica, realizando movimentos aleatórios na posição supina, mas em prono essa atividade é mais limitada em virtude da flexão de quadril.
2º mês	Nesta fase, o bebê está modificando a qualidade de seus movimentos, tornando-se muito mais funcional em comparação ao mês anterior. Ainda há o predomínio do tônus flexor, porém menos acentuado, mantendo-o, portanto, mais simétrico. Apresenta um aumento da extensão cervical e torácica superior, diminuindo a retração escapular e apresentando aumento da extensão de quadril. Há uma diminuição da intensidade dos reflexos primitivos, porém ainda presentes

Continua

Continuação

Idade	Características Motoras
3º mês	Quando colocado em supino, traz as mãos à linha média, estando estas mais abertas, conseguindo segurar um objeto, porém de forma ainda descoordenada. Apresenta melhora no tônus cervical, quando colocado em prono, conseguindo apoiar o antebraço associando rotação com extensão cervical. Há alguns reflexos primitivos como o RTCA, RTL e RTCS sem significado patológico
4º, 5º e 6º meses	No 2º trimestre, ocorre grande progresso no combate às forças da gravidade, com um aumento da extensão de tronco, tornando o lactente mais estável principalmente nas posições de prono e supino. Essa extensão é acentuada pela reação de Landau, pela forte atividade dos extensores de tronco e o aumento contínuo da extensão de quadril. Quando puxado para sentar, apresenta controle cervical, porém quando sentado ainda não apresenta estabilidade de tronco. Aos 6 meses começa a sentar-se sozinho, porém se mantém por curto período de tempo, estando geralmente com as mãos apoiadas na frente, sustentando o tronco
7º, 8º e 9º meses	A partir dos 7 meses, o bebê já apresenta um bom repertório de posições e movimentos. Já se senta com mais firmeza, rola, fica na posição de gato, posição de urso e prepara-se pra ficar em pé. Apresenta bom controle de tronco e cabeça, e os movimentos são mais coordenados. Passa de prono para a posição de gato, porém ainda não de forma estável e, nesta posição, ocorre um balanceio que provê estimulação vestibular, proprioceptiva e cinestésica. Já a posição de urso favorece o alongamento da musculatura posterior da coxa, favorecendo o ganho da anteversão pélvica
10º, 11º e 12º meses	Apresenta a reação de proteção posterior, o que torna o sentar mais estável. Quando acordado, as posições de prono e supino são transitórias. Com 10 meses, é capaz de levantar-se sem ajuda, erguendo-se escalando objetos, anda apoiando na mobília, com membros inferiores em abdução. A posição sentada é uma posição funcional, estando a criança nela apenas para comer ou manipular objetos. Aos 12 meses apresenta marcha independente, com base de apoio aumentada e muita instabilidade, o que se aperfeiçoa com o passar dos meses

RTCA: reflexo tônico cervical assimétrico; RTL: reflexo tônico labiríntico; RTCS: reflexo tônico cervical simétrico.
Fonte: Baseado em Flehmigh, 2005[24] e Bly, 1994.[21]

interação com objetos e ao próprio corpo (pegar os pés, segurar a mão etc.). O bebê estabelece relações entre seus movimentos e suas sensações, experimentando a diferença das sensações originadas de algo que pertence ao mundo exterior daquelas que pertencem ao seu próprio corpo, o que ajuda a estabelecer seus limites corporais.[25]

Aos 7 meses, já começa a aprender sobre espaço, distância e alturas, explora mais o ambiente e as pessoas, o próprio corpo e os brinquedos.[21] Dificilmente mantém a posição de supino já que ela é limitante para a exploração de brinquedos pequenos e leves e para a exploração do corpo com as mãos. A criança rola sobre si mesma, ou senta-se.[21,26,27]

Com 10 a 12 meses, as principais atividades motoras no bebê são engatinhar e escalar, desenvolvendo coordenação entre tronco e extremidades, melhorando seu controle motor e consciência corporal. O bebê também gosta de escalar degraus utilizando movimentos recíprocos, tendo mais consciência preceptiva para descer do que para subir degraus.[21]

Desenvolvimento Cognitivo

O desenvolvimento cognitivo refere-se ao desenvolvimento de funções mentais apropriadas para a idade, especialmente para a percepção, compreensão e conhecimento, possibilitando a realização de tarefas intelectuais.[28]

Piaget, psicólogo suíço, estudioso do desenvolvimento cognitivo, destacou a importância do envolvimento ativo da criança com o ambiente, e não apenas a maturação neuronal, como crítica para o desenvolvimento do bebê. Ele acreditava que o pensamento se desenvolvia em estágios de complexidade crescente. Suas observações sobre o que ele denominava de período sensório-motor do desenvolvimento do bebê foram importantes para fundamentar algumas intervenções pediátricas.[29]

O estágio sensório-motor, que se estende até 2 anos de idade, favorece o desenvolvimento cognitivo e é facilitado pela aquisição da marcha e melhora da preensão, pois aumenta a autonomia da criança para manipulação de objetos e exploração de espaços.[30]

Nessa fase, o pensamento ainda precisa do auxílio dos gestos para se exteriorizar, ou seja, a criança pensa algo, mas ainda não tem repertório verbal suficiente para se expressar pela fala, então gesticula seu pensamento enquanto fala, dando início à inteligência simbólica.[25]

Estudos realizados por Wallon relacionam o cognitivo com o afetivo. Paralelo ao desenvolvimento cognitivo está o desenvolvimento afetivo. Segundo Wallon, o movimento é a base do pensamento, é a primeira forma de integração com o exterior.[31]

Por meio do desenvolvimento motor, a criança demonstra e desenvolve seus interesses, sentimentos, desejos, tendências, valores e emoções em geral.

Os estímulos oferecidos ao bebê serão importantes, principalmente se assumem funcionalidade, passível de controlar o comportamento. Portanto, nesta idade, é preciso que a mãe atue como facilitadora. Brincar com o bebê é uma necessidade de desenvolvimento motor e, consequentemente, cognitivo.[32]

Quando a criança percebe os estímulos, mediante seus sentidos, ativa suas sensações e seus sentimento e passa a agir sobre o mundo e sobre os objetos por meio dos movimentos do seu corpo; desse modo, estará experienciando, ampliando e desenvolvendo suas funções intelectuais.[33]

Conclusão

Durante o primeiro ano de vida são muitas as aquisições da criança, o que permite uma independência cada vez maior para explorar o mundo que a rodeia, fator fundamental para seu desenvolvimento motor, sensorial e cognitivo, havendo um estreito paralelismo entre o desenvolvimento das funções motoras, do movimento e da ação e o desenvolvimento das funções psíquicas.

A meta do desenvolvimento psicomotor é o controle do próprio corpo até este ser capaz de explorar todas as possibilidades de ação e expressão.[34]

Referências Bibliográficas

1. Souza EAP, Mello BBA. In: Neurologia do desenvolvimento da criança. Rio de Janeiro: Revinter, 313-328, 2006.
2. Coste JC. A psicomotricidade. 4 ed. Rio de Janeiro: Guanabara Koogan, 1992.
3. Formiga CKMR, Pedrazzani ES, Tudella E. Intervenção precoce com bebês de risco. São Paulo: Atheneu, 51-104, 2010.
4. Brazelton TB. O desenvolvimento do apego: uma família em formação. Porto Alegre: Artes Médicas: 1988.
5. Klaus MH, Kennel JH, Klaus P. Vínculo: construindo as bases para um apego seguro e para a independência. Porto Alegre: Artes Médicas, 2000.
6. Piccinini CA, Gomes AG, Moreira LE, Lopes RS. Expectativas e sentimentos da gestante em relação ao seu bebê. Psicologia: teoria e pesquisa 20(3):223-232, 2004.
7. Effgen SK. Fisioterapia pediátrica: atendendo às necessidades das crianças, Rio de Janeiro: Koogan, 36-92, 2007.
8. Fonseca BCR. A construção do vínculo afetivo mãe-filho na gestação. Revista Científica Eletrônica de Psicologia, 2010. Disponível em: <http://www.revista.inf.br/psicologia14/pages/artigos/ART10-ANOVIII-EDIC14-MAIO2010.pdf>.

9. Martins Filho J. Como e porque amamentar. São Paulo: Sarvier, 1987.
10. Bowlby J. Cuidados maternos e saúde mental. São Paulo: Martins Fontes, 1988.
11. Thomaz ACP, Lima MRT, Tavares CHF, Oliveira CG. Relações afetivas entre mães e recém-nascidos a termo e pré-termo. Estudos de Psicologia 10(1):139-146, 2005.
12. Gomes VM. Prática psciomotora na pré-escola. São Paulo: Ática,1987.
13. Fonseca V. Psicomotricidade: uma visão pessoal. Construção Psicopedagógica 18(17):42-52, 2010.
14. De Meur A, Staes L. Psicomotricidade: educação e reeducação. São Paulo: Manole, 1989.
15. Oliveira GC. Avaliação psicomotora à luz da psicopedagogia. Rio de Janeiro: Vozes, 2009.
16. Gesell A, Amatruda YC. Psicologia do desenvolvimento do lactente e da criança pequena: bases neuropsicológicas e comportamentais. São Paulo: Atheneu, 2002.
17. Berns RM. O desenvolvimento da criança. São Paulo: Edições Loyola, 2002.
18. Rappaport C, Fiori WR, Herzberg E. Psicologia do desenvolvimento: teoria do desenvolvimento, conceitos fundamentais. São Paulo: EPU/Edusp, 1982.
19. Burns YR. Desenvolvimento da motricidade desde o nascimento até 2 anos de idade. In: Fisioterapia e crescimento na infância. São Paulo: Santos, 31-48, 1999.
20. Shepherd RB. Fisioterapia em pediatria. 3 ed. São Paulo: Santos, 1996.
21. Bly L. Motor skills acquisition in the first year: an illustrated guide to normal development. Arizona. Tehrapy Skill Builders, 1994.
22. Carvalho ES, Carvalho WB. Terapêutica e prática. 2 ed. São Paulo: Atheneu, 2000.
23. Amorin RHC. Avaliação neurológica do lactente e acompanhamento do recém-nascido de risco. In: Manual de neurologia infantil: clínica-cirurgia-exames complementares. Rio de Janeiro: Guanabara koogan,11-20, 2006.
24. Flehmig I. Texto e atlas do desenvolvimento normal e seus desvios no lactente: diagnóstico e tratamento precoce do nascimento até 18° mês. São Paulo: Atheneu, 2005.
25. Galvão I, Wallon H. Uma concepção dialética do desenvolvimento. 17 ed. Petrópolis: Vozes, 2008.
26. Bobath B, Bobath K. Desenvolvimento motor nos diferentes tipos de paralisia cerebral. São Paulo: Manole, 1989.
27. Coelho MS. Avaliação neurológica infantil nas ações primárias de saúde. São Paulo: Atheneu, 1999.
28. Bowe FG. Birth to Five: early childhood special education. New York, Delmar Publishers, 1995.
29. Case R. Potential contributions of neo-Piagetian theory to the art and science of instruction. In: Pozo, learning and instruction: European research in an international context. Nova York: Pergamon Press:1-25, 1992.
30. Engelmann LMC, Rosas SC. O desenvolvimento do campo sonoro. Temas sobre desenvolvimento 17(99):146-52, 2010.
31. La Taille Y e col. Piaget, Vygotsky, Wallon: teorias psicogenéticas em discussão, São Paulo: Summus, 1992.
32. Lamb ME. Effects of non parental child care on child development: na update. Child Health and Human Development 41:330-42, 1996.
33. Oliveira GC. Psicomotricidade: educação e reeducação num enfoque psicopedagógico. 10 ed. Petrópolis: Vozes, 2005.
34. Cool C. Desenvolvimento psicológico e educação: psicologia evolutiva. Porto Alegre: Artmed, 1995.

SEÇÃO II

Prática Clínica Fisioterapêutica nos Transtornos Neurológicos e Psiquiátricos

Editoras de Seção: Renata Morales Banjai
Sheila de Melo Borges

Intervenção Fisioterapêutica nos Transtornos Neurológicos da Infância

9

Maria Clara Mattos Paixão
Katia Maria Gonçalves Allegretti

"... eu ia a outra fisioterapia, mas lá não tinha brinquedo.
Toda fisioterapia tem que ter brinquedo."
(Julinha, 5 anos)

Introdução

Os transtornos neurológicos da infância devem ser entendidos como toda e qualquer alteração que confira disfunções ao Sistema Nervoso (SN) interferindo direta ou indiretamente, no processo de desenvolvimento, quer seja de origem congênita ou adquirida. O desenvolvimento humano deve ser visto vinculado às noções de aprendizagem. Desenvolver, tanto no sentido orgânico como no cognitivo, representa estabelecer uma relação de aprendizagem, troca e comunicação intensa entre o organismo e o meio ambiente onde se encontra inserido e para o qual se direciona.[1] O desenvolvimento não é um processo contínuo e homogêneo, mas deriva de diferentes fases, englobando o crescimento neuronal, mielinização e maturação, em condições típicas ou adversas, tendo como fator indispensável a plasticidade, o que reforça a tese de que a intervenção deve ter início o mais cedo possível.[1,2] Assim, crianças com disfunções neurológicas podem apresentar alterações restritas ao desenvolvimento motor, ou que envolvam outras áreas como: cognição, interação social, percepção e comunicação, com possibilidades evolutivas dependentes de múltiplos fatores.

Este capítulo tem como objetivo discutir alguns fatores necessários ao profissional que visa promover a aprendizagem motora na infância quando a criança sofre alterações de ordem neurológica.

Fisioterapia Neuropediátrica

As intervenções da fisioterapia neuropediátrica podem incluir tratamentos mais convencionais, como o Tratamento Neuroevolutivo, alongamentos musculares, fortalecimentos, treino orientado à tarefa, além de abordagens complementares como a Terapia de Integração Sensorial, a Hipoterapia e a Hidroterapia. As intervenções tradicionais, voltadas para as crianças com deficiência, têm sido foco de pesquisas na fisioterapia neuropediátrica, porém estudos que ofereçam orientação para tomada de decisões ainda se apresentam limitados, o que faz com que profissionais desta área relatem necessidade de maiores estudos, baseados em evidência, para apoiá-los na intervenção da prática clínica.[3,4]

A fisioterapia neuropediátrica é oferecida com o objetivo de introduzir, ensinar, construir ou melhorar o desempenho da motricidade grossa, aumentar a força muscular, o equilíbrio e a mobilidade, favorecendo a funcionalidade e a adaptação da criança em sua casa, escola e ambiente social.[5]

Situações que comprometam funções do SN poderão intervir na aprendizagem do movimento a partir de alterações identificáveis em:

- Tônus Muscular;
- Sensibilidade;
- Força Muscular;
- Alinhamento Biomecânico;
- Reações Posturais;
- Reflexos Anormais;
- Coordenação Motora;
- Equilíbrio.

Para que se alcance melhores resultados, é necessário o entendimento da criança que será avaliada, contemplando todos os aspectos de sua história.

Classificação Internacional de Funcionalidade, Incapacidade e Saúde para Crianças e Jovens: CIF-CJ

Com o objetivo de atender às necessidades de uma classificação centrada em crianças e jovens, nos setores social, de saúde e de educação, uma vez que as condições de saúde e incapacidade desta população diferem em natureza, intensidade e impacto daquelas observadas nos adultos, a partir do modelo da Classificação Internacional de Funcionalidade, Incapacidade e Saúde (CIF) – (OMS, 2001), foi desenvolvida a Classificação Internacional de Funcionalidade Incapacidade e Saúde para Crianças e Jovens (CIF-CJ) – (OMS, 2007). Esta classificação abrange a população desde o nascimento até os dezoito anos de idade, oferecendo um modelo conceitual e uma linguagem e terminologia comuns favorecendo o registro de problemas manifestados na infância precoce, infância propriamente dita e adolescência. Apresenta, portanto, um nível de sensibilidade às mudanças decorrentes do crescimento e do desenvolvimento.

A CIF-CJ define componentes de saúde e relacionados à saúde e bem-estar. Por tratar de uma população em fase de crescimento e desenvolvimento, aborda funções mentais de atenção, memória, percepção e linguagem, bem como atividades que envolvam brincadeiras, aprendizagem, vida familiar e educação em diferentes domínios. Merece destaque a ênfase dada às seguintes situações:

- Criança no contexto da família;
- Atraso no desenvolvimento;
- Participação; e
- Ambientes.

Trabalha com um sistema de classificação disposta em duas partes. A parte I engloba funcionalidade e incapacidade, abrangendo funções e estruturas do corpo, atividade e participação. Durante a infância e adolescência, as limitações e as restrições podem também tomar a forma de atrasos ou lacunas com relação a esses componentes. A parte II trata dos fatores contextuais, envolvendo fatores ambientais e fatores pessoais. Os fatores ambientais constituem o ambiente físico, social e atitudinal em que as pessoas vivem e conduzem sua vida. Os fatores pessoais contemplam: histórico particular da vida e do estilo de vida de um indivíduo e suas características que não são parte de uma condição de saúde ou de estados de saúde, mas podem ter impacto sobre o resultado de várias intervenções. Apesar de ser um componente dos fatores contextuais, não são classificados na CIF devido a variações sociais e culturais a eles associadas (Quadro 9.1).[6]

Quadro 9.1 Uma visão geral da CIF

<table>
<tr><th colspan="2">Parte 1:
Funcionalidade e Incapacidade</th><th colspan="2">Parte 2:
Fatores Contextuais</th><th></th></tr>
<tr><td>Componentes</td><td>Funções e Estruturas do Corpo</td><td>Atividade e Participação</td><td>Fatores Ambientais</td><td>Fatores Pessoais</td></tr>
<tr><td>Domínios</td><td>Funções do Corpo
Estruturas do Corpo</td><td>Áreas da Vida
(tarefas, ações)</td><td>Influências externas sobre a funcionalidade e a incapacidade</td><td>Influências internas sobre funcionalidade/ incapacidade</td></tr>
<tr><td>Construtos</td><td>Mudança nas funções do corpo (fisiológicas)
Mudanças nas estruturas corporais (anatômicas)</td><td>Capacidade:
• Execução de tarefas em um ambiente padrão
Desempenho:
• Execução de tarefas no ambiente habitual</td><td>Impacto facilitador ou limitador das características do mundo físico, social e de atitude</td><td>Impacto nos atributos de uma pessoa</td></tr>
<tr><td rowspan="2">Aspecto Positivo</td><td>Integridade funcional e estrutural</td><td>Atividade
Participação</td><td rowspan="2">Facilitadores</td><td rowspan="2">Não aplicável</td></tr>
<tr><td colspan="2">Funcionalidade</td></tr>
<tr><td rowspan="2">Aspecto Negativo</td><td>Deficiência</td><td>Limitação da atividade
Restrição de participação</td><td rowspan="2">Barreiras/Obstáculos</td><td rowspan="2">Não Aplicável</td></tr>
<tr><td colspan="2">Incapacidade</td></tr>
</table>

Fonte: Adaptação de CIF-CJ, 2011.

De modo simplificado, podemos dizer que os modelos CIF e CIF-CJ contemplam classificação dos componentes de saúde, funcionalidade e incapacidade, que se concentram em três perspectivas: corporal, individual e social. Estas três perspectivas ressaltam a importância da interação e da influência de fatores internos e externos na condição da saúde de cada indivíduo.[6,7]

Objetivos terapêuticos

Para a seleção de objetivos terapêuticos e estratégias a serem adotadas, a avaliação deve ser capaz de identificar na criança, aspectos relacionados não apenas aos componentes neurofuncionais, mas tendo como início a possibilidade de interação social, condições cognitivas, integração sensorial e receptividade ao ambiente e ao terapeuta. O terapeuta deve levar em consideração as respostas do paciente apresentadas na avaliação ambulatorial, mantendo atenção ao desempenho e participação da criança em outros ambientes e, se necessário, estendendo a avaliação aos diferentes ambientes frequentados por esta.

Há necessidade de ampliar a abrangência de conhecimentos do profissional, no que diz respeito à habilidade de comunicação e relacionamento da criança em seu desenvolvimento típico e, da mesma forma, das possibilidades e necessidades quando o processo de desenvolvimento sofre desvio. Bebês exibem uma variedade de expressões afetivas discretas, apropriadas à natureza dos eventos e do seu contexto. Eles também apreciam o significado emocional das expressões afetivas de seus cuidadores. Assim, ao sorrir para a mãe, o bebê tem como resposta o sorriso dela e, em geral, alguma outra sinalização que o fará associar o sorriso como uma experiência positiva. De fato, parece que o principal determinante do desenvolvimento das crianças está relacionado com o funcionamento deste sistema de comunicação.[8,9] Porém, se a mãe se apresenta vulnerável pelo reconhecimento da disfunção em seu filho, e este, por sua vez, apresenta dificuldades em comunicar suas sensações, parece haver a ocorrência de uma evolução negativa, associada com períodos prolongados de falha na interação e afeto.[2,9] O profissional também se insere neste escopo e deve manter-se atento à necessidade de interação e comunicação constante com seu paciente. A adoção das práticas de antecipar verbalmente, reforçar visualmente através da expressão facial, modular o timbre e ritmo da fala com a criança constitui um aliado indispensável para um bom resultado à intervenção proposta. Contar com o consentimento da criança, visual ou verbalmente, antes de iniciar o movimento ou contato físico, a retirada de uma peça de roupa ou a colocação de algum recurso complementar como uma órtese, é um caminho percorrido por poucos profissionais, porém indispensável para a criança. Quanto maior sua limitação, mais detalhada deverá ser a interação, respeitando o tempo da criança para processar o que está sendo a ela oferecido.

Considerar a natureza da disfunção, resultados de exames de imagem do SN, presença de comorbidades ou faixa etária que a criança apresenta no momento da avaliação, de maneira isolada ou atribuindo pesos diferentes a cada fator, não é o mais recomendável.[1] Todos estes fatores devem ser considerados em conjunto, sem que se tornem barreiras ao início e/ou continuidade do tratamento. Procurar avaliar com precisão e identificar o potencial associado às dificuldades permitirá ao profissional uma reflexão clínica que favoreça a seleção de objetivos terapêuticos e escolha de condutas mais efetivas.

A família tem importante papel nesse processo e, para obter sua colaboração mais eficaz, deverá receber informações que a auxiliem a entender as necessidades específicas de cada etapa do processo, ressaltando as atividades que a criança já é capaz de realizar, ou aquelas para a qual é capaz de demonstrar interesse, mas ainda apresenta dificuldades em executar. Esse procedimento traz a família para o contexto terapêutico e para a realidade da criança, proporcionando maior cumplicidade a todo o processo, em parte reduzindo a ansiedade inerente a todos os familiares, bem como facilitando o entendimento das etapas e novos procedimentos e/ou recursos a serem adotados. Alcançado esse objetivo, forma-se realmente uma equipe, o que faz com que as orientações para familiares, professores e demais profissionais deixem de existir como tal e passem a ser construídas em conjunto, com pensamentos centrados na criança favorecendo a capacidade de perceber toda e qualquer conquista efetuada, ou mesmo eventuais alterações ou desvios nos objetivos propostos. Estudos direcionados na abordagem da terapia associada com a participação da família referem melhor desempenho com relação às respostas apresentadas pelas crianças, além do relato dos pais quanto à identificação de objetivos, ocorrência de compensações funcionais utilizadas pelas crianças e adaptações ao ambiente e as tarefas.[4,10]

É importante para o planejamento terapêutico lidar com objetivos funcionais a curto, médio e longo prazos, para que sirvam como um guia que possa abranger da melhor forma as duas partes da CIF-CJ, englobando funcionalidade e incapacidade e fatores contextuais.

Para tanto, se faz necessário questionar:

- Quais as funções e estruturas do corpo apresentam integridade funcional e estrutural (aspectos positivos) e quais apresentam deficiência (aspectos negativos).
- Como a criança reage aos estímulos oferecidos e como interage com as pessoas e ambiente que a rodeia, analisando atividade e participação.
- Quais os relatos de histórico gestacional, parto e condições que envolvem a criança em seu domicílio, em relação estrutura familiar e social, para a consideração dos fatores contextuais.

A aplicação da CIF-CJ, somada aos demais instrumentos de avaliação utilizados na prática da fisioterapia neuropediátrica, pode contribuir para ampliar os fatores facilitadores e identificar aqueles que interferem como barreiras ao melhor desempenho da criança. Sua utilização cresce de forma ainda insuficiente na prática clínica, porém vem sendo proposta como mais um instrumento que auxilie a pratica baseada em evidência.[7]

O acesso a instrumentos padronizados de avaliação torna-se um forte aliado à realização de estudos na fisioterapia neuropediátrica. A existência de escalas de avaliação e classificação capazes de servir como instrumento de medida quantitativa para identificação da criança padronizam informações a respeito de cada caso. Algumas já se encontram disponíveis para aplicação com versão traduzida e adaptada à população brasileira, sendo as mais utilizadas:

- Inventário de Avaliação Pediátrica (PEDI);[11]
- Medida da Função Motora Grossa (GMFM);[12]
- Escala de Classificação da Medida da Função Motora Grossa (GMFCS);[13]
- Escala de Equilíbrio Pediátrica (EEP).[14]

Escalas consideradas como ferramentas de medição para avaliar a qualidade do movimento ainda se encontram em processo de pesquisa, algumas já com aplicabilidade, porém ainda sem versão traduzida para o português.

O uso de escalas padronizadas permite que a equipe tenha melhor comunicação em relação à evolução do tratamento fisioterapêutico no paciente, uniformiza condutas e serve para medir o desempenho do paciente com relação à abordagem de tratamento selecionada. É importante para o terapeuta ter o conhecimento dessas escalas e aplicá-las de acordo com a necessidade de cada paciente e população a ser estudada.[15]

Abordagem para o Tratamento Fisioterapêutico

Diferentes teorias fundamentam o controle e o aprendizado motor, sendo a teoria mais aceita a dos sistemas dinâmicos, na qual, para que o aprendizado motor ocorra, é indispensável que haja interação entre o indivíduo, a tarefa e o ambiente. Essa abordagem recebe a influência de Bernstein (1896-1966), cientista russo que considerou o corpo como um sistema mecânico com massa submetido a forças externas (força de gravidade) e internas, incluindo inércia e as forças dependentes do movimento. Relatou o corpo com inúmeros graus de liberdade envolvidos com os músculos e articulações.[16] De acordo com essa abordagem, fica evidenciado que o movimento não é resultante de apenas uma contração muscular adequada, ou da integridade neuromuscular de forma isolada, mas sim, depende da relação dos fatores que contemplam o indivíduo, o ambiente que o cerca e a tarefa a ser realizada.

Este modelo de controle motor, com ênfase na abordagem dos sistemas dinâmicos, exerce grande influência no treino orientado à tarefa aplicada em pacientes neuropediátricos.

Aprendizagem Motora

A aprendizagem motora procura estudar processos e mecanismos envolvidos na aquisição de habilidades motoras e fatores que a influenciam, ou seja, como a pessoa torna-se eficiente na execução de movimentos para alcançar uma desejada meta, com a prática e a experiência adquirida. Está, portanto, relacionada aos estudos da abordagem dos sistemas dinâmicos. O entendimento sobre o aprendizado motor guiará o terapeuta na aplicabilidade eficaz à prática na criança com disfunção neurológica. A definição de aprendizado motor proposta é relacionada a mudanças internas permanentes, associada à prática ou à experiência para o indivíduo realizar uma ação hábil.[17] Deve-se enfatizar que, para ocorrer o aprendizado de uma determinada tarefa, é necessário que haja participação ativa da criança durante o treinamento. A habilidade requer a solução individual para o problema de como organizar eficientemente o movimento para produzir o resultado de uma ação de modo consistente e com menor gasto energético.[18]

- O processo de aprendizagem ocorre mediante três estágios. O primeiro é relacionado à identificação do estímulo (fase cognitiva), que envolve a atenção seletiva e a integração dos estímulos do ambiente e da tarefa. Nesta fase, a criança não consegue corrigir os erros e o desempenho é inconsistente. O segundo estágio refere à seleção de resposta (fase associativa), que envolve a escolha de resposta motora adequada e observação da melhora do desempenho. O estágio final (fase automática) é a capacidade da programação de resposta de uma ação sem a necessidade de processamento de informação para a realização de habilidade: O indivíduo é capaz de detectar e corrigir os erros de uma ação.[18-20]
- Atenção e memória são outros dois elementos importantes no processamento da informação. A função da memória é a capacidade do indivíduo utilizar experiências anteriores na tarefa e no ambiente atuais. A criança que está em desenvolvimento encontra-se repleta de novas informações relacionadas ao ambiente e ao aprendizado de diferentes tarefas. Para que ocorra o aprendizado, existe a necessidade de retenção das informações fornecidas. Este pode decorrer das informações sensoriais favorecendo a ocorrência do movimento. Assim, a criança será capaz de resgatar as informações aprendidas anteriormente para determinada tarefa, tornando-se hábil para a atividade motora. A atenção requer o envolvimento das atividades cognitivas, perceptivas e motoras associadas ao desempenho de habilidades. A criança deve ser direcionada a observar e prestar atenção ao ambiente aonde irá se movimentar, ser capaz de detectar aspectos importantes na habilidade a ser desempenhada e a forma como irá executá-la.[21-23]
- Para a aquisição da aprendizagem motora, o terapeuta deve treinar a criança com repetição da atividade associada à variabilidade do ambiente, de modo a promover mudanças permanentes no comportamento motor. A aquisição da aprendizagem motora é dependente da tarefa.[23] Se o terapeuta traça como objetivo melhorar o equilíbrio na postura vertical, este deve ser treinado na própria tarefa e com variabilidade do ambiente. Nos estágios iniciais, a criança deve ser treinada com a atenção voltada para a atividade, ou seja, em pé, com ênfase na fase cognitiva e o terapeuta pode relatar durante a terapia o desempenho da atividade realizada. No estágio intermediário, o terapeuta deve diversificar as demandas atencionais e a criança deve identificar os erros e acertos da tarefa. No estágio final, fase automática, a atenção não deverá estar amplamente voltada para a tarefa, a fim de garantir que a habilidade tenha sido adquirida.[18] Pode ser inserida nessa fase a realização de dupla-tarefa. A execução, por exemplo, da passagem de sentado para em pé pode ser realizada associada a uma atividade cognitiva (Quadro 9.2).

Quadro 9.2 Estágios para o treino da habilidade

Estágio inicial	Ênfase na fase cognitiva
Estágio intermediário	Identificação erros e acertos
Estágio final	Automatização

Prática clínica

- A tarefa do bebê e da criança é o brincar. Para o bebê, o brincar pode ser levar a mão à boca, pegar os pés, realizar o alcance e preensão de um objeto. Com esse pensamento, o fisioterapeuta organiza as tarefas para o aprendizado motor nas diferentes faixas etárias e competências. O momento da prática para o aprendizado motor deve ser estruturado, contemplando motivação para a ação, atenção à tarefa e segurança (Figura 9.1).

Figura 9.1 Modelo de estruturação para a prática ao aprendizado motor.

Favorecendo a aquisição do controle cefálico

- O controle cefálico favorecerá o desenvolvimento da visão e vice-versa, permitindo à criança vivenciar e buscar os estímulos no ambiente. É necessário identificar o fator, ou fatores, que estão interferindo nesta aquisição, desde a presença de reflexos patológicos, alterações do tônus muscular, fraqueza e/ou encurtamentos musculares, entre outras causas. Uma vez identificados os aspectos negativos, esses deverão ser, na medida do possível, neutralizados para que se possa oferecer estímulos às reações óptica e labiríntica (endireitamento) e fortalecimento dos músculos flexores e extensores cervicais nos diferentes planos (sagital, frontal e transverso) (Figura 9.2).[8] Esse controle deve ser oferecido desde posturas mais baixas (supino, prono), como também na postura sentada e no ortostatismo. Os pacientes com maiores disfunções podem não desenvolver o controle de cabeça, ou manter um controle de tal forma instável que interferirá no alinhamento e controle do tronco. Nesses casos, pode-se mostrar necessário o recurso de adaptações através de tecnologia assistiva para o posicionamento da cabeça na linha média. Um bom posicionamento de cabeça favorece maior simetria corporal e permite o trabalho em diferentes posturas incluindo a oferta da postura vertical, o estimulo do desenvolvimento visual e o favorecimento de sua interação com o ambiente.

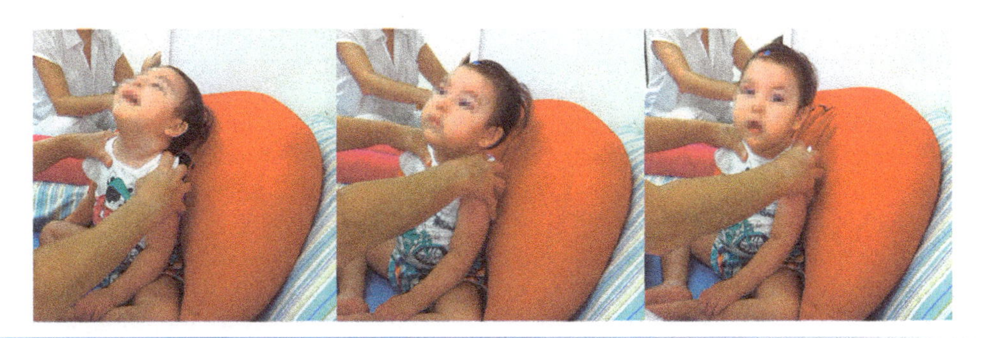

Figura 9.2 Treino de controle cefálico.
Fonte: acervo pessoal das autoras.

Integrando cabeça e corpo

Na ausência de controle cefálico, a resposta integrada entre cabeça e corpo não ocorre, gerando dificuldades na execução de tarefas relativamente simples no processo de aprendizado como rolar lateralmente. Cabe ao terapeuta a seleção de estratégias que favoreçam a ação dos músculos que estabilizam a cabeça e construção de uma via de unidade entre esta e o corpo. O manuseio deve oferecer à criança segurança suficiente para não gerar estresse decorrente da ausência de domínio sobre seu próprio corpo.[8] A construção desta unidade cabeça-corpo, ou postura de enrolamento-endireitamento, estará completa quando se observar estabilidade e equilíbrio entre os músculos extensores e flexores, permitindo alinhamento entre a cabeça e a pelve.[24] O treino deve progredir com redução do suporte oferecido pelo terapeuta e sempre associado à intenção de alcance manual, *feedback* visual ou auditivo vinculado a um brinquedo ou brincadeira. Nesse último caso, se for possível contar com a participação materna ou do cuidador, completa-se o círculo desejado para a função e trabalho em equipe.[25]

Dissociando cabeça e corpo

Uma vez obtida a unidade cabeça-corpo, atinge-se o estágio de preparo do corpo para a dissociação que deve acontecer entre cintura escapular e pélvica, para que o rolar possa ser instituído. Há, nessa tarefa, a presença de reações de endireitamento, aprendidas no transcorrer do desenvolvimento. A ausência desse componente corporal dificultará a aquisição das transferências e respostas de equilíbrio. Esse treino deve ser iniciado em decúbito e seguir progressão para as demais posturas, culminando com a postura vertical, quando o trabalho corporal conta com menor base de suporte e necessita de melhores condições de estabilidade.[8]

Treino de estabilidade na postura sentada

Deve ser oferecido em diferentes superfícies de apoio, diversificando de acordo com a estabilidade do paciente. O terapeuta deve oferecer à criança o deslocamento nos diferentes planos de movimento (sagital, frontal e transverso), respeitar o limite de estabilidade e progredir de acordo com a evolução (Figura 9.3). Deve estar atento ao principal déficit da criança para manter a estabilidade na postura sentada em determinada função. Um exemplo a ser considerado diz respeito à criança com paralisia cerebral diparética espástica, que apresenta dificuldade para realizar alcance de objetos no chão, estando sentada em uma cadeira ou banco, mantendo apoio dos pés no chão. Nesse caso, o terapeuta deve avaliar todos os aspectos que podem interferir na realização da ação. Essa análise deve ter, como princípio, os elementos necessários à tarefa solicitada, ou seja: se existe mobilidade necessária à tarefa na articulação coxofemoral, se há dificuldade no controle excêntrico dos músculos extensores do tronco, se os pés conseguem permanecer com bom contado no solo durante a flexão do tronco, se há espasticidade e/ou encurtamento dos músculos adutores ou isquiotibiais. A partir da identificação de barreiras à tarefa proposta, trabalhar de maneira progressiva preparando a criança para a realização da atividade. Sempre que necessário, modificar o ambiente para otimizar a função da criança, contribuindo para o alcance do objetivo, tornando a tarefa motivadora.[23] O terapeuta pode modificar a distância do objeto colocando-o em altura mais favorável para o alcance e, à medida que a tarefa passe a ser desempenhada com maior eficiência, nova altura para o objeto deverá ser proposta, aproximando mais do nível do chão, o que exigirá maior amplitude de flexão de tronco com maior eficiência na atividade.

Com a aquisição progressiva do controle da postura sentada, o deslocamento intencional da criança em direção a um alvo (atividade proativa), pode ser transferido para deslocamento não intencional a partir de uma atividade sobre a qual não possui conhecimento prévio (atividade reativa). A superfície estável poderá ser substituída por uma instável (rolo, feijão, bola, disco de propriocepção), e fornecer novamente o deslocamento nos diferentes planos de movimento, variando as atividades em proativas ou reativas. Uma nova proposta evolutiva inclui o trabalho em atividades preditivas, onde a criança tem conhecimento de apenas uma parte da atividade. Nesse caso, com a criança sentada em um banco e apoio dos pés no chão, o terapeuta joga uma bola em várias direções e a criança terá que fazer ajustes de acordo com a velocidade e direcionamento da bola. Por fim, na medida em que ocorre uma progressão na estabilidade do sentar pode-se trabalhar tarefas proativas e reativas, assim como dupla tarefa, ou seja, oferecer uma tarefa cognitiva com atividade de alcance de objetos em diferentes planos de movimento.[19]

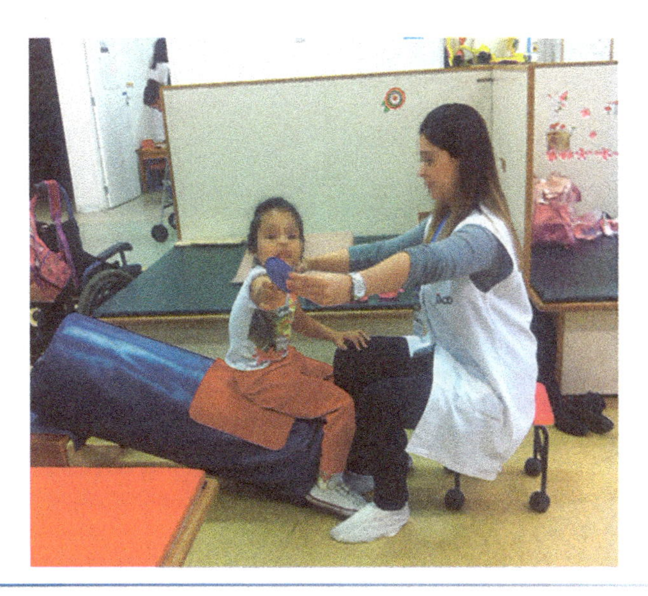

Figura 9.3 Alcance no plano frontal.
Fonte: acervo pessoal das autoras.

O posicionamento da superfície de apoio na qual a criança estiver sentada pode melhorar a ativação muscular de tronco. Quando há tendência a postura flexora de tronco devido à fraqueza dos músculos extensores, o terapeuta poderá inclinar o assento, aumentando a altura da região posterior deste, o que favorece o sentar com anteversão pélvica, incentivando a extensão (Figura 9.4). Entretanto, se a criança necessita melhorar a força muscular de flexores de tronco e apresenta uma anteversão pélvica, o terapeuta pode colocar a criança sentada no lado mais baixo do rolo ou aumentar a altura do banco na região anterior, favorecendo a retroversão pélvica e a

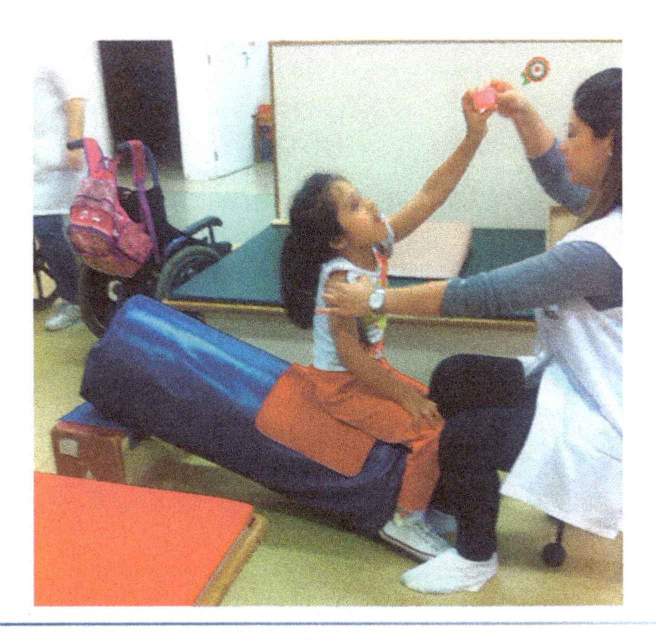

Figura 9.4 Paciente sentado em rolo inclinado com elevação posterior.
Fonte: acervo pessoal das autoras.

maior ação dos músculos abdominais. Dessa forma, o terapeuta modifica o ambiente para favorecer a ação efetiva do paciente durante a atividade proposta.

Treino de estabilidade na postura vertical

Na postura em pé, a criança que apresenta equilíbrio favorável pode ser trabalhada em diferentes bases de apoio e superfícies, enfatizando o treino proativo, reativo e preditivo de acordo com a necessidade de cada criança, acrescido do treino das estratégias de tornozelo, quadril e passo. A avaliação do equilíbrio irá determinar qual a principal dificuldade do paciente nas estratégias de equilíbrio durante suas atividades funcionais na postura em pé e, assim, o terapeuta consegue traçar melhor os objetivos para o treino na postura ortostática.

O terapeuta deve estar atento ao posicionamento da base de apoio do paciente na postura vertical, o que irá gerar melhor recrutamento da musculatura de membros inferiores (MMII). Para isso, torna-se importante verificar a qualidade de tônus, amplitude articular (se reduzida ou ampliada) e força muscular. Determinada a instabilidade, esta deverá ser abordada antes de iniciar o treino na postura em pé, através de alongamentos ou maior propriocepção, conferindo melhor alinhamento aos pés, tornozelos, joelhos e quadris.[21]

O uso das órteses tornozelo-pé durante esta atividade irá impedir a estratégia de tornozelo sobrecarregando a estratégia de quadril.[21] Se a ênfase do treino de equilíbrio é a estratégia de tornozelo, o paciente deve ser trabalhado sem o uso de órteses, para melhor resposta de tornozelo. Quando o paciente apresenta grande instabilidade de tornozelo acompanhada de valgismo ou varismo dos pés, o treino deverá ser iniciado com a órtese para melhor posicionamento de tornozelo e maior ativação da estratégia de quadril e, assim, melhorar a resposta proximal durante a ativação muscular.

As estratégias de equilíbrio podem ser trabalhadas dentro de atividades proativas, quando o paciente desloca o centro de massa para alcance de objeto, oferecida no sentido anteroposterior e laterolateral. A amplitude de deslocamento da criança será direcionada pelo terapeuta de acordo com seu objetivo, incentivando a estratégia de tornozelo ou de quadril. O equilíbrio reativo envolve a ação inesperada do indivíduo que pode ocorrer frente à desestabilização do paciente através de uma força externa do corpo ou da superfície de apoio. Nessa atividade, ele deverá realizar ajustes necessários para a manutenção da postura em pé.[26-28]

As atividades preditivas envolvem ajustes antecipatórios e adaptativos. O indivíduo consegue prever apenas uma parte da ação, como quando o terapeuta joga uma bola em várias direções para o paciente que se encontra na postura vertical. Este consegue prever apenas parte da atividade, pois existe parte que não é previsível, como a velocidade e trajetória da bola, o que requer ajustes antecipatórios e adaptativos durante a atividade.

A oferta de variabilidade sensorial durante o treino de equilíbrio contribuirá para que ocorra melhor integração sensorial. A criança pode ser treinada em pé com os olhos fechados para proporcionar maior utilização das informações vestibulares e proprioceptivas. O treino em superfícies instáveis como espumas, colchonetes e cama elástica promoverá maior ativação da informação visual e vestibular.[29-31] Dessa forma, o terapeuta proporcionará a vivência do paciente em diferentes demandas sensoriais, de acordo com o ambiente e tarefa (Figuras 9.5 e 9.6).

Treino de mobilidade

Treino de sentado para em pé

A transferência de sentado para em pé pode ser dividida em quatro fases:

- Posicionamento inicial dos pés para trás: requer ação de flexores de joelho para o fechamento do ângulo tibiotársico;

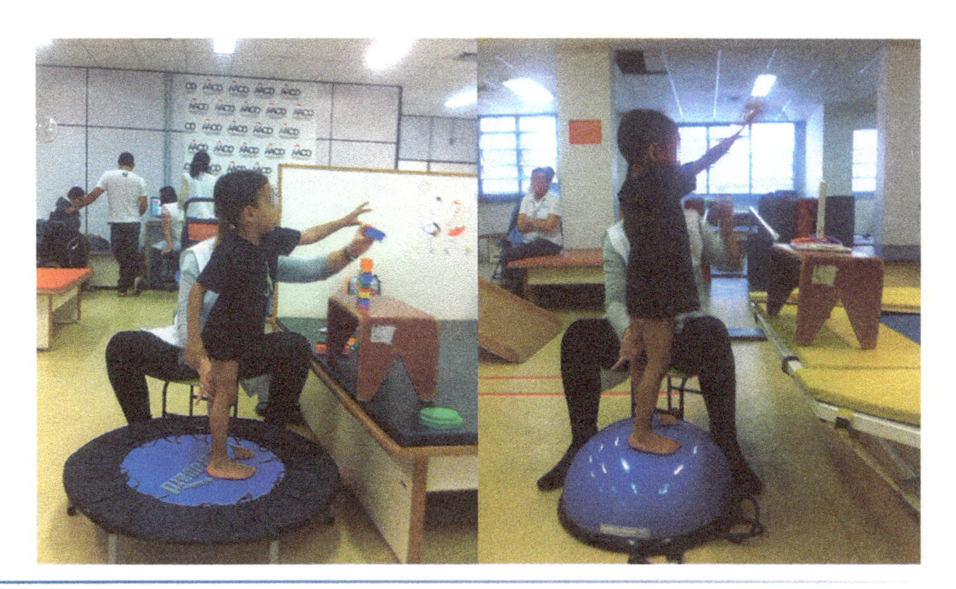

Figura 9.5 Treino de equilíbrio estático proativo realizado na cama elástica e na meia bola.
Fonte: acervo pessoal das autoras.

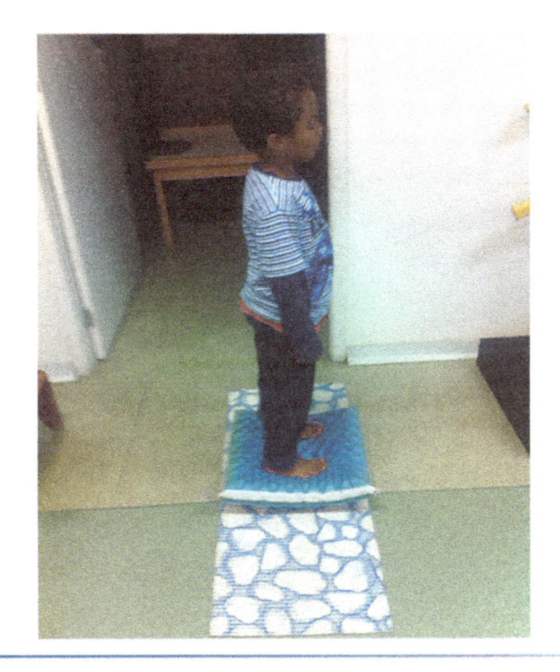

Figura 9.6 Treino de equilíbrio estático sobre superfície de espuma com olhos fechados.
Fonte: acervo pessoal das autoras.

- Flexão de tronco inferior com extensão de tronco: favorece a anteriorização do centro de massa e promove melhor alavanca nos MMII. Ocorre a ação de flexores de quadril de forma concêntrica e extensores de forma excêntrica;
- Extensão dos membros inferiores (quadris, joelhos e tornozelos): ocorre ação de glúteo máximo e quadríceps;

- Estabilização do centro de massa na nova base de apoio: requer ajustes posturais, pois ocorrerá mudança de uma base mais ampla formada pela pelve e coxa e atingirá uma base menor formada pelos pés.[32]

Antes de iniciar o treino da tarefa, o trabalho poderá ser realizado de forma segmentada, após identificar na criança quais os fatores envolvidos para a realização da atividade e as principais dificuldades que esta demonstra. O treino isolado favorecerá controle e força muscular para que o paciente possa treinar toda a tarefa.

O terapeuta deve estar atento ao ambiente que envolve a tarefa como:

- Cadeira: altura, presença ou ausência de encosto e apoio de braços, tamanho da base do assento, bem como o tipo deste em macio ou rígido.
- Banco: altura, profundidade, estabilidade e necessidade de adaptação, como um antiderrapante.
- Assento instável, como bola ou rolo.

O ambiente deverá ser modificado de forma progressiva partindo do que oferece maior estabilidade para o de menor estabilidade, de acordo com as aquisições do paciente.[33]

Treino de marcha

Esta é a aquisição mais esperada pelos familiares. Para promover a aquisição da marcha para a criança, os aspectos físico, cognitivo e perceptivo, além da capacidade de adaptar-se às condições relacionadas ao ambiente, tornam-se elementos fundamentais.

A marcha na criança apresenta particularidades com relação à biomecânica, enquanto em processo de maturação, o que ocorre por volta dos sete anos de idade, alcançando então padrões próximos do desempenho observado no adulto.[21] Dessa forma, o profissional deverá considerar esses dados ao proceder à análise das fases de apoio e balanço. Deverá, também, avaliar a funcionalidade da marcha da criança (terapêutica, domiciliar ou comunitária) e o desempenho nos diferentes ambientes, assim como a necessidade do uso de recursos auxiliares como muletas, andadores e/ou órteses (Figura 9.7).

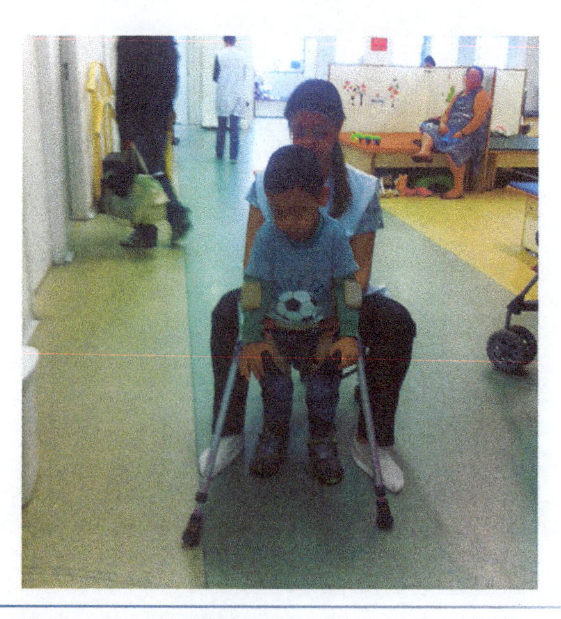

Figura 9.7 Treino de marcha com muletas canadenses.
Fonte: acervo pessoal das autoras.

Deve-se enfatizar o ganho da estabilidade na fase de duplo apoio em crianças com atraso do desenvolvimento motor, que estão iniciando marcha, sem apresentar alteração do alinhamento dos MMII. Recursos como o direcionamento manual na pelve, ou apoio dos MMSS em bastões colocados lateralmente ao corpo, o uso de faixa em torno do tronco favorecendo a aquisição de equilíbrio adequado ou ainda algum outro recurso que confira estabilidade e segurança para que a criança possa ser treinada para o alcance da marcha independente, deverão ser utilizados.

Crianças com maior disfunção biomecânica podem se beneficiar com o treino da marcha segmentada, antes de iniciar o treino completo da função. A prática segmentada, em que se trabalham fases isoladas da marcha (apoio e balanço), beneficia o controle motor e a flexibilidade dos tecidos moles. O treinamento completo da marcha deve ser realizado com o objetivo de alcançar a aprendizagem motora.[23]

O treino da marcha pode ser realizado em solo, na esteira ergométrica, com ou sem suporte parcial de peso (Figura 9.8), em diferentes ambientes de acordo com a necessidade de cada criança. O inicio do treino deve ocorrer em superfícies planas em ambientes internos, sem estímulos sonoros e com pouca/nenhuma circulação de pessoas. Esses fatores interferem na atenção da criança durante a atividade, o que é indispensável ao início da aprendizagem. Na medida em que a criança evolui, pode-se realizar o treino em ambientes externos, com rampas (Figura 9.9), escadas, andar em um corredor estreito, mudar a direção, parar e retornar a deambulação, com estímulos auditivos e maior número de circulação de pessoas no ambiente, bem como diferentes condições de luminosidade. A criança, nesse momento, deve ser capaz de adaptar o movimento de acordo com a mudança de ambiente.[34]

Durante o treino, o terapeuta pode utilizar direcionamentos manuais, comando verbal e pistas visuais, como marcações no chão, a fim de guiar o comprimento de passo, base de apoio e até mesmo o apoio das muletas.

Figura 9.8 Treino de marcha em esteira ergométrica.
Fonte: acervo pessoal das autoras.

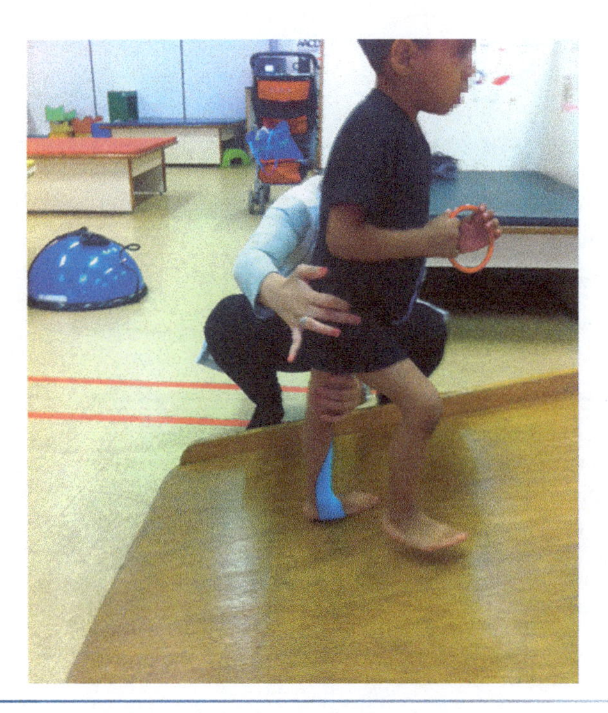

Figura 9.9 Treino de marcha em rampa.
Fonte: acervo pessoal das autoras.

Conclusão

Atender às necessidades de uma criança com disfunção neurológica requer o entendimento dos diferentes aspectos que contemplam o desenvolvimento motor, cognitivo e social para que possam ser associados aos recursos e modalidades terapêuticas que melhor se adequem à situação apresentada, bem como contar com pesquisas científicas e instrumentos de análise padronizados, conferindo direcionamento mais preciso às escolhas efetuadas.

Referências Bibliográficas

1. Muskat M. Desenvolvimento e neuroplasticidade. In: Mello CB, Miranda MC, Muskat M. Neuropsicologia do Desenvolvimento: Conceitos e Abordagens. São Paulo: Memnon, 2005. 26-32.
2. Brazelton TB. Momentos Decisivos do Desenvolvimento Infantil. São Paulo: Martins Fontes, 1994. 293-303.
3. Martin L, Baker R, Harvey A. A Systematic Review of Common Physiotherapy Interventions in School-Aged Children with Cerebral Palsy. Physical & Occupational Therapy in Pediatrics 30(4): 294-312,2010.
4. Levac D, Missiuna C, Wishart L, DeMatteo C, Wright V. Documenting the Contente of Physical Therapy for Children with Acquired Brain Injury: Development and Validation of the Motor Learning Strategy Rating Instrument. PHYS THER. 91: 689-699,2011.
5. [OMS] Organização Mundial de Saúde. CIF-CJ: Classificação Internacional de Funcionalidade, Incapacidade e Saúde: versão para Crianças e Jovens/Centro Colaborador da OMS para a Família de Classificações Internacionais em Português. São Paulo: Editora da Universidade de São Paulo, 2011. 312 p.
6. Atkinson Hl, Nixon-Cave K. A Tool for Clinical Reasoning and Reflection Using the International Classification of Functioning, Disability and Health (ICF) Framework and Patient Management Model. Physical Therapy 91(3): 416-430, 2011.
7. Tronick EZ. Emotions and emotional communication in infants. American Psychologist, 44 (2): 112-119, 1989.
8. Paixão MCM, Sagiani E. Síndromes. In: Lanza FC, Gazzotti MR, Palazzin A. Fisioterapia em Pediatria e Neonatologia: da UTI ao ambulatório. São Paulo: Roca, 2012. 243-262.

9. Baker T, Haines S, Yost J, DiClaudio S, Braun C, Holt S. The role of family-centered therapy when used with physical or occupational therapy in children with congenital or acquired disorders. Physical Therapy Reviews 17(1):29-36,2012.
10. Mancini MC. Inventário de Avaliação Pediátrica de Incapacidade (PEDI) Manual da Versão Brasileira Adaptada. Belo Horizonte: UFMG, 2005. 193p.
11. Russell DJ, et al. Medida de Função Motora Grossa: [GMFM-66&GMFM-88]: Manual do usuário; trad. Cyrillo LT, Galvão MCS. São Paulo: Memnon, 2011. 209p.
12. Pfeifer LI, Silva DBR, Funayama CAR, Santos JL. Classification of Cerebral Palsy: Association between gender, age, motor type, topography and Gross Motor Function. Arq Neuropsiquiatr. 67(4):1057-1061, 2009.
13. Ries LGK, Michaelsen SM, Soares PSA, Monteiro VC, Allegretti KMG. Adaptação cultural e análise da confiabilidade da versão brasileira da Escala de Equilíbrio Pediátrica (EEP). Rev Bras Fisioter.16(3):205-15, 2012.
14. Valvano J. Sistema Neuromuscular: Programa de Tratamento. IN: Effgen, SK. Fisioterapia Pediátrica: Atendendo às necessidades das crianças. Rio de Janeiro: Guanabara- Koogan, 2007. 209-239.
15. American Physical Therapy Association. Guide to Physical Therapist Practice. Physical Therapy, 2.ed, 81, p. 1-768, 2001
16. Bernstein N. The co-ordination and regulation of movements. New York: Pergamon, 1967.
17. Schimidt RA. Motor control and learning: a behavioural emphasis. Champaing. IL: Human Kinetcs, 2.ed, 1998.
18. Magill RA. Aprendizagem Motora: Conceitos e Aplicações. 5 ed. São Paulo: Editora Edgard Blücher Ltda, 2008. 37-56; 166-182.
19. Carr JH, Shepherd RB. Ciência do Movimento: Fundamentos para a fisioterapia neurológica. Barueri: Editora Manole, 2003. 220p.
20. Tani Go, Freudenheim AM, Meira Júnior CM, Corrêa U. Aprendizagem motora: tendências, perspectivas e aplicações. Rev. paul. educ. fís. 18: 55-72, ago. 2004.
21. Shumway-Cook A, Woollacott M. Controle Motor: Teoria e Aplicações Práticas. 3ed. São Paulo: Manole, 2010. 1-23; 25-37; 233-254; 321-349
22. Carr JH, Shepherd RB. The changing face of neurological rehabilitation. Rev Bras. Fisioterapia. 2006, 10, 147-56.
23. Shepherd RB. Fisioterapia em pediatria. 3.ed. São Paulo: Santos; 1995. 43-88.
24. Salem Y, Godwi ME. Effects of task-oriented training on mobility function in children with cerebral palsy. NeuroRehabilitation. 24: 307-313, 2009.
25. Majnemer A, Shevell M, Law M, Poulin C, Rosenbaum P. Level of motivation in mastering challenging tasks in children with cerebral palsy. Dev Med Child Neurol. 52(12):1120-6, 2010.
26. Shumway-CooK A, Hutchinson S, Kartin D, et al. Effect of balance training on recovery of stability in children with cerebral palsy. Dev. Medicine e Child Neurology.: 45, 591-602, 2003.
27. Woollacott MH, Shumway-CooK A, Hutchinson S, Ciol M, Price R, Kartin D. Effect of balance training on muscle activity used in recovery of stability in children with cerebral palsy: a pilot study. Dev. Medicine e Child Neurology. 47, 455-461, 2005.
28. Woollacott MH, Shumway-CooK A. Postural dysfunction during standing and walking children with cerebral palsy: what are the underlying problems and what new therapies might improve balance? Neural Plasticity. 12(2-3):211-19, 2005.
29. Allegretti KMG, Kanashiro MS, Borges HC, Monteiro VC. Os efeitos do treino do equilíbrio em crianças com Paralisia Cerebral diparéticas espásticas. Revista de Neurociências. v. 15, p. 108-113, 2007.
30. Horak FB, Henry SM, Shumway-Cook A. Postural perturbations: new insights for treatment of balance disorders. Phys Ther. 77(5):517-33, 1977.
31. Ledebt A, Becher J, Kapper J, Rozendaalr RM, Bakker R, Leenders IC, Savelsbergh GJ. Balance training with visual feedback in children with hemiplegic cerebral palsy: effect on stance and gait. Motor Control. 9(4):459-68, 2005
32. Janssen WG, Bussmann HB, Stam HJ. Determinants of the sit-to-stand movement: a review. Phys Ther. 82(9):866-79, 2002
33. Allegretti KMG, Oliveira CQ, Borges HC. Treino Orientado à Tarefa. In: Condutas Práticas em Fisioterapia Neurológica. São Paulo: Manole, 2012. 528-543.
34. Santos JKN, Tellini GG, Borges HC, et al. Fisioterapia Neurofuncional. In: Jardim JR, Nascimento AO. Reabilitação: Guias de medicina Ambulatorial e Hospitalar da UNIFESP-EPM. Barueri: Editora Manole, 2010. 671-714.

Intervenção Fisioterapêutica nos Transtornos Neurológicos do Adulto

10

Sandra Regina Alouche
Flávia Priscila Paiva Vianna de Andrade
Renata Morales Banjai

Um Breve Histórico

A intervenção fisioterapêutica direcionada a indivíduos que desenvolveram transtornos ou afecções neurológicas sofreu modificações ao longo do tempo. Os primeiros relatos de intervenção datam da primeira metade do século XX e os indivíduos que procuravam a assistência fisioterapêutica apresentavam disfunções neuromusculares em consequência de poliomielite. O enfoque da abordagem fisioterapêutica era sobre disfunção primária decorrente da afecção, nesta condição clínica, a paresia muscular. A proposta terapêutica elaborada na época era chamada de reeducação muscular e consistia em exercícios de contração muscular de forma seletiva, com ênfase no movimento articular isolado.[1] Indivíduos com graus variados de paresia, porém causada por afecções de centros superiores como acidente vascular encefálico (AVE) e encefalopatia não progressiva (paralisia cerebral [PC]), também eram submetidos a este tipo de procedimento de intervenção, associado à imobilização e procedimentos cirúrgicos para prevenir e tratar complicações musculoesqueléticas. No entanto, não havia preocupação com as repercussões dessas disfunções sobre as atividades do cotidiano dos pacientes sob intervenção.[1]

A partir dos anos 1950 e 1960 novas abordagens foram desenvolvidas com base em teorias neurofisiológicas, como a teoria de reflexos em que estímulos sensoriais desencadeiam respostas motoras e, com isso, circuitos medulares locais são recrutados durante a estimulação sensório-motora. Essas abordagens de intervenção constituíram um momento importante de evolução da prática de intervenção fisioterapêutica, as chamadas terapias facilitatórias ou de neurofacilitação que buscam desenvolver padrões motores. Essas abordagens, utilizadas ainda hoje, podem promover respostas motoras mesmo em quadros neurológicos originados em afecções de centros superiores. São empregadas com o objetivo de promover a facilitação neuromuscular (modulação tônica e geração de contração muscular), previamente ao desenvolvimento de habilidades motoras.[2] Essa proposta é mais abrangente que o modelo de reeducação muscular, intervindo sobre as disfunções motoras de origem central. Entretanto, o enfoque novamente recaía sobre a desordem de forma mais ampla que a proposta anterior, mas ainda sem direcionar a intervenção às necessidades de desenvolvimento da funcionalidade. Ainda não havia abordagem sobre aspectos fundamentais para a evolução do quadro, tais como a biomecânica, teorias de comportamento e aprendizado.[1]

Em um momento seguinte, na evolução da intervenção na área de desordens neurológicas, surge a proposta de terapia baseada na resolução de problemas, com o enfoque na pessoa e suas necessidades e não necessariamente na afecção. Dessa maneira, a terapêutica deixa de ser direcionada à disfunção, mas sobre a condição de saúde do indivíduo com a afecção. A partir de então, o treinamento específico de tarefas funcionais (fundamentado nas teorias do controle motor) passa a ser a base da terapêutica, baseado no modelo da Classificação Internacional de Funcionalidade, Incapacidade e Saúde (CIF), no qual a capacidade de execução de determinadas tarefas em diversos contextos, englobando os componentes da estrutura e função, atividade e participação social é o que define a funcionalidade.[3,4]

O treinamento específico de tarefas funcionais segue os princípios de aprendizado motor e pode ser desenvolvido no treinamento de parte da tarefa ou em sua totalidade. A mobilidade funcional composta pela capacidade em executar trocas posturais e manter a estabilidade postural em diversos contextos e tarefas é estimulada em crescente complexidade envolvendo a capacidade cognitiva como as funções executivas e a diversidade de processos de planejamento.[5] Assim, a abordagem fisioterapêutica incorpora a função cognitiva ao desenvolvimento de tarefas funcionais cotidianas (aspectos cognitivos e de aprendizado motor foram descritos no capítulo 4).

Neste contexto terapêutico, o fisioterapeuta seleciona atividades relevantes ao paciente e faz a prática repetitiva da tarefa, fornecendo diversas formas de referências extrínsecas e intrínsecas (*feedback*) para o desenvolvimento de habilidades motoras.[6] Esse tipo de treinamento da funcionalidade envolve motivação para realização da atividade, planejamento para a execução, funções neuromusculares (como força muscular e tônus postural para a manutenção da estabilidade e produção do movimento), sensibilidade para proporcionar a adequação do controle sensório-motor. Sendo assim, essa abordagem segue o conceito de que diversos sistemas interagem no sistema nervoso central (SNC) para a organização da tarefa em um contexto funcional que respeita as características do ambiente.[5]

A seleção da tarefa funcional depende do potencial de movimento que o paciente pode produzir, da severidade do comprometimento sensório-motor e da possível capacidade de recuperação do paciente. Pacientes com disfunções motoras severas (paresia grave), que são incapazes de produzir movimento, são limitados para a participação de atividades mais complexas com maior exigência.[6,7] Portanto, a seleção das atividades deve ser realista e adequada às condições dos pacientes, mas devem ser sempre desafiadoras explorando o potencial individual.[8]

A prática baseada em evidência surge na área de fisioterapia neurofuncional para o desenvolvimento terapêutico de novas abordagens[9] e marca o momento atual na evolução histórica da área. A prática baseada em evidência é constituída pela experiência clínica do profissional, as preferências do paciente e a melhor evidência científica disponível, utilizadas para determinar uma abordagem de tratamento.[9] Portanto, a prática clínica deixou de ter uma intervenção com base em fisiologia e neuropatologia e passou a ter um alicerce científico, com o conhecimento dos efeitos da intervenção.

Tome-se como exemplo um procedimento de intervenção comum na prática clínica: o alongamento persistente muscular. Esse procedimento é adotado para a obtenção da inibição autogênica, segundo descrição clássica dos livros de cinesioterapia[10] ou para a regulação da tensão (referida como reflexo de estiramento inverso)[11] em neurofisiologia. É um procedimento, com base fisiológica, indicado a pacientes que têm espasticidade com tendência ao desenvolvimento de contraturas musculares. No entanto, será que esse procedimento tem evidência clínica positiva no controle da anormalidade tônica? De acordo com uma revisão sistemática sobre a efetividade do alongamento no tratamento e prevenção de contraturas em pessoas com condições neurológicas, a resposta é "não".[12] Segundo esse estudo, os principais achados indicam pouco ou nenhum efeito do alongamento muscular sobre a espasticidade e limitação de amplitude de movimento.[12] Esses achados indicam que o alongamento muscular, apesar de seu efeito conhecido e favorável na regulação da tensão muscular, não deve ser adotado como procedimento principal no controle da espasticidade. Procedimentos combinados devem ser empregados para o manejo dessa condição. Assim, é necessário que o fisioterapeuta clínico mantenha-se atualizado cientificamente para que, em associação com sua experiência e preferências dos pacientes, elabore um programa de intervenção eficaz.

Avaliação e Diagnóstico Fisioterapêutico Neurofuncional

A avaliação e diagnóstico fisioterapêutico têm como principais objetivos fornecer informações sobre a característica das disfunções neurológica e funcional. Permitem que intervenções específicas para tais condições sejam selecionadas e implementadas e, quando possível, possibilitam o estabelecimento do prognóstico funcional. Parece óbvio que esse processo deva ser centrado no indivíduo, ou seja, apesar da necessidade de protocolos de avaliação bem definidos e baseados em ferramentas com propriedades clinimétricas válidas, a identificação inicial dos problemas individuais do paciente é importante. Essa individualidade permitirá o processo de resolução de problemas com o foco na redução da limitação e restrição da atividade e participação, respectivamente. Desse modo, a avaliação deixa de ser apenas a coleta de dados para se tornar um processo analítico dos problemas individuais dos pacientes.[13]

As afecções neurológicas, independentemente da etiologia, produzem disfunções variados em relação à gravidade e sua expressão clínica. Essa diversidade de disfunções, somada a fatores intrínsecos e extrínsecos dos indivíduos acometidos gera uma repercussão funcional não obrigatoriamente acoplada à gravidade das manifestações. Tal fato dificulta o estabelecimento dos instrumentos de medida adequados para a análise abrangente da condição após a afecção e fez a avaliação fisioterapêutica evoluir, assim como os procedimentos de intervenção, constituindo um novo panorama para o planejamento do tratamento fisioterapêutico. Nesse sentido, foram desenvolvidos aparatos tecnológicos que avaliam de forma quantitativa e detalhada as condições funcionais dos pacientes. No entanto, a utilização desses instrumentos em um ambiente clínico é normalmente inviável em razão do alto custo e necessidade de treinamento específico para sua aplicação adequada, o que mantém a importância das medidas clínicas na prática terapêutica.[12,13]

O desenvolvimento de instrumentos de medida diversificados tenta minimizar as dificuldades na avaliação da ampla gama da expressão clínica e funcional após a lesão. Uma grande dificuldade no processo de avaliação é compreender a evolução favorável ou desfavorável nos aspectos de capacidade e desempenho funcionais. Há instrumentos que enfatizam apenas as disfunções primárias e outros que analisam a capacidade de executar determinada tarefa em um ambiente controlado e nas atividades do cotidiano. No entanto, aspectos pessoais e fatores extrínsecos, como a tarefa e o ambiente, não são analisados com frequência. Do mesmo modo, escalas que identifiquem a percepção do indivíduo sobre seu quadro e sua recuperação[14] são pouco utilizadas.

A elaboração da CIF vem ao encontro das necessidades de uma análise mais abrangente não apenas do indivíduo, mas também das condições pessoais, ambientais e contextuais em que o mesmo está inserido. A CIF tem o objetivo ainda de padronizar a linguagem e descrever as condições da saúde do indivíduo. A CIF contém domínios da saúde e relacionados à saúde subdivididos em duas listas básicas: estrutura e função corporal e atividade e participação.[15] Sendo assim, a adoção dos conceitos da CIF para a seleção do instrumento de medida adequado para a análise das repercussões dos diversos danos neurológicos viabiliza a identificação apurada das limitações da capacidade e restrições do desempenho, bem como do perfil pré-mórbido do indivíduo acometido e o entorno que envolve as condições de vida e o processo de recuperação, podendo favorecer a intervenção.

Seguindo o modelo da CIF, a avaliação neurofuncional deve abranger possíveis transtornos da estrutura e função corporal de acordo com os diversos sistemas que compõem o SNC. No sistema motor, deve-se avaliar amplitude de movimento, força e tônus muscular, além da destreza; sistema sensorial em suas diferentes submodalidades exteroceptiva e proprioceptiva, assim como visual e vestibular; e, por último, os sistemas perceptual e cognitivo. Nestes, deve-se avaliar a percepção visual, corporal e espacial, além de aspectos básicos da cognição, como memória, atenção, capacidade de resolução de problemas e função executiva.[16] Estas últimas condições não são comumente abordadas pelo fisioterapeuta cuja ênfase, tanto da avaliação como da intervenção, recai sobre disfunções motoras. No entanto, para que haja uma adequada produção de movimento e manutenção do controle postural, os sistemas sensorial, perceptual e cognitivo devem ser levados em consideração. Estes fatores em associação constituem os componentes para o desenvolvimento da funcionalidade. A revisão completa de medidas de avaliação nos transtornos neurológicos não é o objetivo deste capítulo; são citados, porém, na Quadro 10.1, alguns instrumentos de medida relativos aos diferentes domínios a serem considerados sobre a funcionalidade.

Princípios da Intervenção Fisioterapêutica nas Disfunções Neurológicas

Muitos dos princípios das intervenções nas disfunções neurológicas são provenientes de estudos com pacientes após AVE, visto a alta prevalência mundial dessa afecção. O primeiro aspecto a ser considerado ao se falar em intervenção é a importante diferença conceitual entre os mecanismos de recuperação e compensação.[42] Em outros termos, quando uma intervenção é restauradora ou adaptativa, respectivamente.[43] Levin e colaboradores[42] propuseram uma definição desses mecanismos considerando três diferentes níveis da CIF: neuronal; relativo à estrutura e função corporal; e relativo à atividade (Quadro 10.2). Por esse quadro, é possível sugerir que a reaquisição de uma habilidade motora após um dano neurológico dependerá da reaquisição de padrões motores elementares perdidos (recuperação) ou, caso não seja possível, na adaptação de elementos remanescentes (compensação) ou integração de elementos motores alternativos (substituição).[42]

Quadro 10.1 Exemplos de medidas quantitativas para avaliação da funcionalidade nos transtornos neurológicos

Categoria	Teste	Características
Força Muscular	Teste de Força Muscular	A escala proposta pelo Medical Research Council (MRC)[17] usa uma graduação numeral de 0-5, sendo que o valor 3 corresponde a realizar o movimento contra a gravidade. Kendall & McCreary[18] usam porcentagens e Daniels & Worthingham[19] usam uma diferenciação entre normal, boa, razoável, pobre, traço e zero.
	Dinamometria	A dinamometria de preensão manual é um teste rápido, fácil e acessível, de alta confiabilidade. A média de três avaliações consecutivas é normalmente utilizada[20]
Tônus Muscular	Escala de Ashworth Modificada	A escala avalia a quantidade de resistência ou tônus em músculos espásticos percebida pelo examinador durante a amplitude de movimento passivo. A versão original consistia em uma escala de 0-4, mas o grau 1+ foi adicionado na versão modificada para tornar a escala mais sensível [21,22]
Função Sensório-motora	Escala de Avaliação Motora de Fugl-Meyer	Sistema de pontuação numérica acumulativa que avalia seis aspectos do indivíduo: 1) amplitude de movimento; 2) dor; 3) sensibilidade; 4) função motora da extremidade superior e inferior e equilíbrio; 5) coordenação; e 6) velocidade, totalizando 226 pontos. Uma escala ordinal de três pontos é aplicada em cada item: 0 – não pode ser realizado; 1 – realizado parcialmente; e 2 – realizado completamente, com características específicas para cada item dentro desses critérios. [23,24]

Continua

Continuação

Categoria	Teste	Características
Capacidade Funcional de Membro Superior	Action Research Arm Test (ARAT)	Avaliação baseada na observação do desempenho e destreza do membro superior. Inclui 19 itens subdivididos em 4 grupos de preensão e movimentos grosseiros. Todos os itens são pontuados de 0-3, em que 0 representa nenhum movimento e 3, desempenho normal da tarefa [25]
	Jebsen-Taylor	Utiliza movimentos realizados em atividades de vida diária para a mensuração da funcionalidade individual. O teste é dividido em 7 etapas que inclui escrita, virar cartões, pegar objetos pequenos comuns, simular a alimentação, empilhar peças de damas, levantar objetos grandes e leves e objetos grandes e pesados [26]
	Caixa e Blocos (Box and Block Test)	Avalia a destreza manual. O teste é composto por uma caixa de madeira retangular (53,7 cm de comprimento) dividida em dois compartimentos quadrados de igual dimensão por meio de uma divisória e 150 cubos de madeira de 2,5 cm. O paciente é instruído para mover tantos blocos quanto possível, um de cada vez, de um compartimento para o outro durante 60 segundos, sendo o escore final correspondente ao número de blocos transportados [27]
	Teste dos 9 Pinos	Medida quantitiva de destreza manual, cronometrada. O paciente deve pegar 9 pinos em um contêiner, um por vez, e colocá-los em buracos vazios o mais rápido possível. Preenchidos os 9 buracos, é requerido que o paciente retire cada um dos pinos de volta para o contêiner. O tempo total para completar a tarefa é registrado[28]
	Purdue Pegboard Test	Verificar a capacidade de execução de alcance, preensão e manipulação dos objetos. O paciente deve encaixar os pinos o mais rápido possível nos locais indicados, durante um período de 30 segundos[29]
Controle Postural	Escala de Equilíbrio de Berg	Medida quantitativa de avaliação do equilíbrio. Consiste em 14 itens que requerem manutenção de posturas ou completar tarefas variando o nível de dificuldade. Os itens são pontuados de 0-4 baseados na habilidade em manter por um tempo ou distância requerida pelo teste, sendo 0 a inabilidade em completar o item e 4 a habilidade completa em realizar a tarefa de forma independente[30]
	Best-Test e Mini Best-Test	Diferencia a avaliação de 6 sistemas envolvidos no controle postural: biomecânico; limites de estabilidade; respostas posturais; ajustes posturais antecipatórios; orientação sensorial e equilíbrio dinâmicos durante a marcha e efeitos cognitivos [31,32]
Mobilidade/ Marcha	Timed Up and Go	O teste de levantar e andar cronometrado requer que o paciente levante-se de uma cadeira, ande uma distância de 3 m, vire-se e ande de volta para a cadeira, sentando-se apoiando o tronco na cadeira. A atividade é cronometrada[33]
Independência nas Atividades de Vida Diária	Índice de Barthel	Índice de independência para quantificar a habilidade dos pacientes em realizar 10 atividades de vida diária comuns. É administrada pela observação direta, gerando um escore total de 100 pontos. Quanto maior o escore, maior a independência funcional do paciente [34]
	Medida de Independência Funcional	Avalia a necessidade de cuidado do indivíduo. Composta de 18 itens avaliando 6 áreas de função (autocuidado, controle de esfíncter, mobilidade, locomoção, comunicação e comportamento social. Esses itens são divididos em 2 domínios básicos: físico (13 itens) e cognitivo (5 itens). A administração requer treinamento e certificação[35]

Continua

Continuação

Categoria	Teste	Características
AVE	Stroke Impact Scale (Escala de Impacto do AVE)	Instrumento para avaliar as repercussões do AVE em todo contexto de vida do indivíduo. É uma medida de autorrelato composta por 8 domínios subdivididos em 64 itens[36]
Doença de Parkinson	Escala Unificada da Doença de Parkinson (UPDRS)	A escala é dividida em 4 componentes: parte I - Cognição, comportamento e humor; parte II, Atividades de vida diária; parte III, Exame motor; parte IV, Complicações. É um instrumento de avaliação que deve ser acompanhada de medidas adicionais de elementos específicos [37]
Ataxia	Escala para avaliação e graduação da Ataxia (SARA)	Composta por 8 itens, com escore total de 40 pontos, seus itens estão relacionados com marcha (0-8 pontos); postura (0-6 pontos); sentar (0-4 pontos); distúrbios da fala (0-6 pontos); e testes de coordenação: dedilhamento (0-4 pontos), *index-nariz* (0-4 pontos) e calcanhar-joelho (0-4 pontos). Quanto maior a pontuação do indivíduo, mais severo o comprometimento da ataxia [38,39]
Lesão Medular	Normas internacionais para classificação neurológica de Lesão Medular (Impairment Scale Ásia)	Classifica o nível neurológico da lesão medular (nível motor, por miótomos e sensorial, por dermátomos), estabelecendo ainda se a lesão é completa ou incompleta. Classifica em 5 classes, de ASIA A (lesão completa) a ASIA E (lesão medular, sem comprometimentos neurológicos detectáveis) [40]

Fonte: Baseado em Sathian et al., 2011.[41]

Quadro 10.2 Definições de recuperação e compensação de acordo com os níveis da CIF

Nível	Recuperação	Compensação
Condição de Saúde (neuronal)	Recuperação do tecido neural inicialmente perdido após a lesão. Reativação de áreas previamente inativadas pelo evento. Não é esperado ocorrer nas áreas primárias de lesão.	Tecido neural adquire função que não tinha antes da lesão. Ocorre a ativação de áreas que normalmente não estão ativas em indivíduos sadios.
Estrutura e função corporal	Recuperação da habilidade em realizar um movimento da mesma forma que antes da lesão.	Realizar um movimento antigo de uma nova maneira. Padrões de movimentos alternativos são usados para completar a tarefa.
Atividade	Realiza a tarefa usando efetores utilizados por indivíduos sadios.	Realiza a tarefa usando efetores ou formas alternativas.

Fonte: Levin e cols., 2009.[42]

A partir dessa conceituação, deve-se considerar que as intervenções restaurativas são voltadas para a modificação dos mecanismos neurais subjacentes ao comportamento enquanto as intervenções adaptativas fornecem uma estratégia alternativa para realizar a mesma tarefa. Possíveis estratégias de intervenção devem enfatizar a recuperação funcional se existirem elementos promissores na avaliação. Caso nenhuma melhora seja constatada após algum tempo nesta intervenção, estratégias adaptativas devem ser consideradas.[42]

Pomeroy e colaboradores[43] propõem diferentes princípios pelos quais algumas abordagens específicas de tratamento podem ser classificadas. Três classificações são propostas: a pré-ativação; as técnicas aumentadas; e as práticas específicas. Os autores colocam como pré-ativação (ou *priming*) as técnicas que aumentam a excitabilidade do sistema afetado promovendo reorganização como resposta à prática subsequente da atividade física. Nessa modalidade seriam incluídas técnicas como a prática mental (ou imagética), movimentos passivos ou estimulação tátil, terapia com espelho ou observação da ação. A prática mental ou imagética refere-se ao processo cognitivo pelo qual o paciente imagina o movimento ou a execução de uma tarefa sem que haja qualquer movimento corporal e, desse modo, enfoca os aspectos cinestésicos envolvidos no movimento. Envolve a ativação consciente de regiões cerebrais necessárias para a preparação e execução do movimento acompanhada pela inibição voluntária do movimento real.[43] Essa técnica tem sido usada na reabilitação funcional dos membros superiores, principalmente após o AVE e negligência, mas também para dor, pós-operatório de cirurgia musculoesquelética, amputação. Apesar de haver revisões sistemáticas demonstrando efeitos positivos da técnica sobre vários desfechos em indivíduos com transtornos neurológicos, não há ainda consenso sobre a melhor forma de aplicação e quais elementos determinam sua efetividade.[44]

A terapia com espelho também tem sido utilizada como uma forma de estimular o movimento do membro superior parético em indivíduos pós AVE. Um espelho é colocado na linha média do paciente para refletir os movimentos do lado não-parético como se movimentos do lado mais afetado estivessem sendo realizados. Trata-se de uma tentativa de "enganar" o sistema nervoso por meio de informações visuais. Uma metanálise demonstrou sua eficácia na melhora da função motora ao menos como intervenção adicional.[45] A observação da ação resulta em facilitação motora. O sistema de neurônios espelho parece ter influência direta sobre este fenômeno A ativação deste sistema é facilitada essencialmente quando a ação envolve interação com instrumentos, ou seja, quando a mão interage com um objeto. Assim, a execução do movimento, a prática mental e a observação da ação são todas dependentes do mesmo mecanismo básico sugerindo que o uso como forma de intervenção da prática mental e observação da ação podem ser estratégias promissoras para a intervenção em transtornos neurológicos, incluindo pacientes com desordens cognitivas. Os estudos, no entanto, ainda são muito iniciais para ser possível afirmar quais pacientes se beneficiariam destas abordagens.[44]

O uso de pistas visuais e auditivas pode ser outro exemplo de intervenção por pré-ativação. Os benefícios do uso de pistas externas sejam visuais (com faixas ou projeção de ponto luminoso no chão), auditivas (por metrônomos ou música ritmada), verbais ou combinadas é descrito na melhora de parâmetros da marcha (comprimento do passo e passada, velocidade, cadência e UPDRS) em pacientes com Doença de Parkinson e AVE. Adultos com Síndrome de Down acoplam sua oscilação postural às pistas visuais. É provável que o uso destas pistas externas funcione como marcadores externos atencionais que reduzem o grau de automaticidade da locomoção e controle postural ou como uma compensação para déficits de integração sensorial.[46,47]

As técnicas aumentadas (ou "*augmenting*") seriam aquelas aplicadas na prática para aumentar os efeitos da ativação voluntária de músculos paréticos. Como exemplo destas técnicas é possível citar a terapia de contensão induzida (TCI) que restringe o uso do membro superior menos acometido e induz o uso forçado do membro superior mais afetado, durante a realização de diversas tarefas funcionais. Há evidências que a TCI está associada à melhora da incapacidade e função motora, mas ainda com resultados limitados relativos à independência funcional.[48]

Outros exemplos são: a robótica por meio de instrumentos eletromecânicos, tanto no auxílio da marcha quanto dos movimentos de membros superiores em diversas populações como, em indivíduos com AVE, lesão medular, paralisia cerebral; o *biofeedback eletromiográfico*, que é o *feedback* do processo fisiológico e que pode ser fornecido por tecnologia para informar ao paciente sobre o seu desempenho de forma acurada.[49] A estimulação elétrica neuromuscular, que refere-se ao uso de correntes elétricas para recrutamento de músculos paralisados e que tem sido aplicada com sucesso no controle instabilidade do ombro de pacientes com hemiplegia e limitações e disfunções funcionais;[50] e a prática bilateral de membros superiores, são outros exemplos deste tipo de intervenção com evidências sobre a melhora da função motora em indivíduos com transtornos neurológicos.[51]

Por fim, as técnicas que envolvem a prática específica da tarefa, na qual a prática repetida de movimentos específicos ou da tarefa pode produzir melhora da função. Como exemplo, voltado para a recuperação de marcha, o uso do suporte parcial de peso corporal para treinamento da marcha em esteira merece atenção. Esta abordagem realiza o retreinamento precoce da marcha em pacientes que sofreram AVE, bem como, em outras condições clínicas específicas como: Esclerose Múltipla, Parkinson e pacientes com lesão medular e pode antecipar a aquisição da habilidade em realizar a marcha.[6,52] Neste contexto de prática específica da tarefa, a introdução do paradigma da dupla tarefa tem sido cada vez mais explorada com forma de intervenção em transtornos neurológicos. A interferência cognitiva-motora ocorre quando o desempenho simultâneo entre uma tarefa cognitiva e uma tarefa motora leva à deterioração do desempenho de uma ou de ambas as tarefas quando comparado ao desempenho das tarefas de forma isolada. A presença deste decréscimo do desempenho sugere uma capacidade de processamento limitada. A competição entre as diferentes demandas das duas tarefas excede a capacidade cerebral de processamento e a priorização do desempenho de uma delas ocorre. A Quadro 10.3 mostra a classificação proposta por Plummer e colaboradores[53] para os padrões de interferência baseados nas mudanças de desempenho nas condições de dupla-tarefa em relação ao desempenho na tarefa isolada. O uso do paradigma da dupla-tarefa pode ser efetivo para a melhora da mobilidade envolvida no mundo real e pode variar em função da tarefa e de fatores pessoais. Em função das diferentes demandas decorrentes deste paradigma, a melhora no desempenho de duplas-tarefas em indivíduos com transtornos neurológicos demonstra potencial para melhora da marcha, equilíbrio e cognição.[54]

A abordagem fisioterapêutica em pessoas com afecções neurológicas progrediu ao ponto de discutirmos qual o volume ideal de prática e em que intensidade o treinamento deve ser realizado. Estudos com exames de neuroimagem, por meio de ressonância magnética de crânio, apontam modificações no padrão de ativação cortical entre outras mudanças plásticas dependentes do tempo de treinamento e de sua complexidade.[7,8,58] Estes eventos neuroplásticos estão associados com a prática e aprendizado[8] e de acordo com Bowden e colaboradores,[7] dois fatores influenciam este processo: intensidade da prática e progressão do treinamento. Estes últimos fatores são alvos de diversas pesquisas dos últimos tempos.

A realidade virtual é outra forma de atuação terapêutica que simula atividades funcionais em diversos transtornos neurológicos, incluindo pacientes com AVE.[55-57] De acordo com Amnov e colaboradores,[57] a realidade virtual possibilita aos pacientes com AVE, tanto na fase aguda quanto na fase crônica, uma interação com um ambiente enriquecido, com oportunidade de treinamento que utiliza o *feedback* multissensorial para facilitar a aprendizagem de habilidades e a neuroplasticidade por meio da prática repetida. A realidade virtual quando associada ao tratamento convencional de fisioterapia e terapia ocupacional é promissora para estimular a função motora,[57] bem como melhorar o desempenho das atividades cognitivas e motoras com benefícios na dimensão participação da CIF.[57] (mais informações sobre terapias com realidade virtual estão descritas no capítulo 16).

O termo intensidade não é claramente compreendido na prática fisioterapêutica. Pode ser entendido como a quantidade de trabalho por unidade de tempo,[7] diz respeito a taxa de trabalho

Quadro 10.3 Classificação de padrões de interferência cognitiva-motora

		Desempenho Cognitivo		
		Nenhuma mudança	Melhora	Piora
Desempenho Motor	Nenhuma mudança	Nenhuma interferência cognitivo-motora	Facilitação cognitiva	Interferência cognitiva relacionada ao movimento
	Melhora	Facilitação motora	Facilitação mútua	Prioridade motora
	Piora	Interferência motora relacionada à tarefa cognitiva		Interferência mútua

Fonte: Plummer e cols., 2013.[53]

ou energia gasta durante o treinamento. Com relação à locomoção, a intensidade alta é considerada em atividades de marcha com maior velocidade. Quanto mais veloz for a prática, maior será o número de repetições dos passos.[7] Em revisão sobre os efeitos de intervenções sobre as desordens de marcha, os autores apontam que a quantidade de repetições do treinamento são os fatores determinantes para a recuperação funcional da marcha.[59] A quantidade de prática é o que proporciona a recuperação e não a modalidade específica de intervenção.[52] Quanto à progressão, as pesquisas básicas indicam que os maiores efeitos neuroplásticos ocorrem com a prática de movimentos novos do que movimentos já conhecidos.[60] Em modelo animal, atividades que aumentaram a dificuldade na execução da tarefa, caracterizando a progressão do treinamento resultaram em reorganização da representação motora no córtex motor.[58]

Esses achados auxiliam o desenvolvimento de diretrizes da intervenção fisioterapêutica consistentes que proporcionam recuperação de capacidades funcionais. Pesquisadores, por meio de estudos clínicos, buscam as mais adequadas abordagens de intervenção, sendo essencial estabelecer de forma precisa a intensidade, o volume e a progressão da prática.

É possível, a partir da breve descrição acima, constatar que a maior parte das intervenções em reabilitação nos transtornos neurológicos foca nos processos de recuperação por meio de princípios do aprendizado motor. O aprendizado motor envolve os processos de percepção, cognição e ação a partir da interação do indivíduo com a tarefa e o ambiente. Processos cognitivos como a atenção, memória e função executiva são necessários nesse processo e frequentemente são afetados pelos transtornos neurológicos. A disfunção cognitiva influencia, assim, o processo intervencional bem como a predição dos resultados desse processo. Em uma metanálise desenvolvida por Mullik e colaboradores[60] foi demonstrada a associação entre a cognição e a melhora do desempenho motor em indivíduos pós-AVE e que os déficits na função executiva interferem negativamente na recuperação de forma mais acentuada do que os déficits na atenção ou memória. A função executiva está associada à resolução de problemas, planejamento e organização e, portanto, dela depende à adaptação do movimento às condições da tarefa e do ambiente. Os autores sugerem que terapias que usam a resolução de problemas, pistas externas e correção do erro com base nos resultados das tentativas anteriores devam ser enfatizadas nesta população.[60]

Esse maior impacto da função executiva sobre o desempenho motor pode ter relação com a cronicidade da doença visto que outros estudos com pacientes em fase aguda e subaguda pós-AVE demonstraram maior impacto da atenção e memória sobre este desempenho.

A escolha pela melhor intervenção fisioterapêutica após um transtorno neurológico deve ser baseada nas características individuais, sejam elas perceptuais, cognitivas e motoras para que a melhora específica desejada seja alcançada. Pacientes com disfunção cognitiva podem ter afetada sua capacidade de compreender e lembrar instruções, planejar e resolver problemas. Estratégias individualizadas de tratamento podem melhorar a efetividade do tratamento.

Referências Bibliográficas

1. Carr J, Shepherd R. Ciência do movimento – Fundamentos para a fisioterapia na reabilitação. 2ª ed. São Paulo: Ed. Manole; 2003. p.1:31.
2. Dobkin BH. Strategies for stroke rehabilitation. Lancet Neurol. 2004; 3(9):528-36.
3. Farias N, Buchalla CM. The international classification of functioning, disability and health: concepts, uses and perspectives. Rev Bras de Epidemiol. 2005;8 (2):187:93.
4. Cieza A, Brockow T, Ewert T, Amman E, Kollerits B, Chatterji S, et al. Linking health-status measurements to the international clasification of functioning, disability and health. J Rehabil Med. 2002;34 (5): 205-10.
5. O' Sullivan SB, Schmitz TJ. Fisioterapia – Avaliação e Tratamento. 5ª ed. São Paulo: Ed. Manole; 2010. p. 1506.
6. O' Sullivan SB, Schmitz TJ. Improving Functional Outcomes in Physical Rehabilitation. Philadelphia: F.A. Davis Company. 2010. p. 336.

7. Dobkin BH, Dorsch A. New evidence for therapies in stroke rehabilitation. Curr Atheroscler Rep. 2013; 15 (6):331.
8. Bowden MG, Woodbury ML, Duncan PW. Promotingneuroplasticity and recovery after stroke: future directions for rehabiliattion clinical trials. Curr Opin Neurol. 2013; 26(1):37-42.
9. Marques AP, Peccin MS. Pesquisa em fisioterapia: a prática baseada em evidências e modelos de estudos. Fisioterapia e Pesquisa. 2005;11 (1):43-8.
10. Kisner C, Colby LA. Exercícios terapêuticos – Fundamentos e técnicas. 6ª ed. São Paulo: Ed. Manole; 2015. p. 232:238.
11. Kandel E, Schwartz J, Jessell T, Siegelbaum S, Hudspeth AJ. Princípios de Neurociências. Porto Alegre. Ed. AMGH. 2014.
12. Katalinic OM, Harvey LA, Herebert RD. Effectiveness of stretch for the treatment and prevento f contractures in people with neurological conditions: a systematic review. Phys Ther. 2011; 91 (1): 11-24.
13. Wade DT. Diagnosis in rehabilitation: woolly thinking and resource inequity. Clinical Rehabilitation 2002; 16: 347–349.
14. Ustun TB, Chatterji S, Bickenbach J, Kostanjsek N, Schneider M. The International Classification of Functioning, Disability and Health: a new tool for understanding disability and health. Disabil Rehabil. 2003;25 (11-12):565-71.
15. Sykes C. The International Classification of Functioning, Disability and Health: relevance and apllicability to physiotherapy. Advvances in physiotherapy. 2008; 10 (3):110-8.
16. Raine S, Meadows L, Lynch-Ellerington M. Bobath Concept – Theory and clinical practice in neurological rehabilitation. Oxforf: Wiley-Blackwell; 2009.p.216.
17. Medical Research Council. Aids to examination of the peripheral nervous system. Memorandum no. 45. London: Her Majesty's Stationary Office; 1976.
18. Kendall F, McCreary E. Muscle testing and function, 3rd edn. Baltimore, MD: Williams & Wilkins; 1983.
19. Daniels L, Worthingham C. Muscle testing: technique of manual examination, 5th edn. Philadelphia: WB Saunders Co.; 1986.
20. Mathiowetz V, Kashman N, Volland G, Weber K, Dowe M, Rogers S. Grip and pinch strength: normative data for adults. Arch Phys Med Rehabil. 1985;66 (2):69-74.
21. Ashworth B. Preliminary trial of carisoprodal in multiple sclerosis. Practitioner 1964; 192:540-542.
22. Bohannon RW, Smith MB. Inter rater reliability of a modified Ashworth Scale of muscle spasticity. Phys Therapy. 1987; 67:206-207.
23. Fugl-Meyer AR, Jaasko L, Leyman I, Olsson S, Steglind S. The post-stroke hemiplegic patient. 1. a method for evaluation of physical performance. Scand J Rehabil Med. 1975;7(1):13-31.
24. Michaelsen SM, Rocha AS, Knabben RJ, Rodrigues LP, Fernandes CGC. Tradução, adaptação e confiabilidade interexaminadores do manual de administração da escala de Fugl-Meyer. Rev Bras Fisioter. 2011;15(1):80-8.
25. Lyle RC. A performance test for assessment of upper limb function in physical rehabilitation treatment and research. Int J Rehabil Res. 1981;4:483-492.
26. Sears ED, Chung KC. Validity and Responsiveness of the Jebsen-Taylor Hand Function Test. J Hand Surg Am. 2010; 35(1): 30–37.
27. Mathiowetz V, Volland G, Kashman N, Weber K. Adult norms for the Box and Block Test of manual dexterity. Am J Occup Ther. 1985; 39(6):386-91.
28. Mathiowetz VW. Adult Norms for the Nine Hole Peg Test of Finger Dexterity. The Occupational Therapy Journal of Research. 5[1], 25-38Lafayette I. Purdue pegboard test - model 32020 user instructions. 2002:1-42.
29. Lafayette I. Purdue pegboard test - model 32020 user instructions. 2002:1-42.
30. Berg KO, Wood-Dauphinee S, Williams JL, Maki B. Measuring balance in the elderly: preliminary development of an instrument. Physiotherapy Canada 1989;41:304-311.
31. Horak FB, Wrisley DM, Frank J. The balance Evaluation Systems Test (BESTest) to differentiate balance déficits. Phys Ther. 2009; 85(5): 484-98.
32. Maia AC, Rodrigues-de-Paula F, Magalhães LC, Teixeira RL. Cross-cultural adaptation and analysis of the psychometric properties of the Balance Evaluation Systems Test and MiniBESTest in the elderly and individuals with Parkinson's disease: application of the Rasch model. Braz J Phys Ther. 2013;17(3):195-217.
33. Podsiadlo D, Richardson S. The timed "Up and Go" test. Arch Phys Med Rehabil 1989;67:387-398.
34. Wade DT, Collin C. The Barthel ADL Index: a standard measure of physical disability? Int Disabil Stud 1988;10:64-67.
35. Dodds TA, Martin DP, Stolov WC, Deyo R. A validation of the Functional Independence Measurement and its performance among rehabilitation inpatients. Arch Phys Med Rehabil 1993;74:531-536.
36. Duncan PW, Wallace D, Lai SM, Johnson D, Embretson S, Laster LJ. The stroke impact scale version 2.0. Evaluation of reliability, validity, and sensitivity to change. Stroke. 1999;30 (10):2131-40.

37. Goetz CG, Fahn S, Martinez-Martin P. et al. Movement Disorder Society-Sponsored Revision of the Unified Parkinson's Disease Rating Scale (MDS-UPDRS): Process, Format, and Clinimetric Testing Plan. Movement Disorders Vol. 22, No. 1, 2007, pp. 41–47, 2006.
38. Yabe I, Matsushima M, Soma H, Basri R, Sasaki H. Usefulness of the Scale for Assessment and Rating of Ataxia (SARA). Journal of the neurological sciences. 2008;266(1-2):164-6.
39. Braga-Neto P, Godeiro-Junior C, Dutra LA, Pedroso JL, Barsottini OG. Arq Neuropsiquiatr. Translation and validation into Brazilian version of the Scale of the Assessment and Rating of Ataxia (SARA). 2010; 68(2):228-30.
40. American Spinal Injury Association. Reference manual for the International Standards for Neurological Classification of Spinal Cord Injury. Chicago, IL: American Spinal Injury Association; 2003.
41. Sathian K. uxbaum LJ, Cohen LG, Krakauer JW, Lang CE, Corbetta M, Fitzpatrick SM. Neurological Principles and Rehabilitation of Action Disorders:Common Clinical Deficits. Neurorehabil Neural Repair. 2011; 25 (50) 21-32.
42. Levin et al/Recovery and Compensation Following Stroke. Neurorehabil Neural Repair. 2009;23(4):313-9.
43. Pomeroy V, Aglioti SM, Mark VW et al. Neurological Principles and Rehabilitation of Action Disorders: Rehabilitation Interventions. Neurorehabil Neural Repair. 2011 June; 25(5 0): 33S–43S.Theo Mulder. Motor imagery and action observation: cognitive tools for rehabilitation. J Neural Transm 2007;114: 1265–1278.
44. Harris JE, Hebert A. Utilization of motor imagery in upper limb rehabilitation: a systematic scoping review. Clin Rehabil. 2015; 29 (11):1092-107.
45. Thieme H, Mehrholz J, Pohl M, Behrens J, Dohle C. Mirror therapy for improving motor function after stroke. Stroke. 2013; 44 (1):e1-2.
46. Azulay JP, Mesure S, Blin O. Influence of visual cues on gait in Parkinson's disease: contribution to attention or sensory dependence? J Neurol Sci. 2006 Oct 25;248(1-2):192-5.
47. Gomes MM, Moraes R, Barela JA. Coupling between visual information and body sway in adults with Down syndrome. Res Dev Disabil. 2016 Aug 29;58:9-19.
48. Corbetta D, Sirtori V, Castellini G, Moja L, Gatti R. Constraint-induced movement therapy for upper extremities in people with stroke. Cochrane Database Syst Rev. 2015; (10):CD004433.
49. Stanton R, Ada L, Dean CM, Preston E. Biofeedback improves activities of the lower limb after stroke: a systematic review. J Physiother. 2011;57(3):145-55.
50. Gu P, Ran JJ. Electrical Stimulation for Hemiplegic Shoulder Function: A Systematic Review and Meta-Analysis of 15 Randomized Controlled Trials. Arch Phys Med Rehabil. 2016; 97(9):1588-94.
51. Stewart KC, Cauraugh JH, Summers JJ. Bilateral movement training and stroke rehabilitation: A systematic review and meta-analysis. J Neurol Sci. 2006 May 15;244(1-2):89-95.
52. Dickstein R. Rehabilitation of gait speed after stroke: a critical review of intervention approaches. Neurohabil Repair. 2008:22 (6):649-60.
53. Plummer P, Eskes G, Wallace S et al. on behalf of the American Congress of Rehabilitation Medicine Stroke Networking Group Cognition Task ForceCognitive-Motor Interference during Functional Mobility after Stroke: State of the Science and Implications for Future Research. Arch Phys Med Rehabil. 2013; 94(12).
54. Fritz NE, Cheek FM, Nichols-Larsen DS. Motor-Cognitive Dual-Task Training in Neurologic Disorders: A Systematic Review. J Neurol Phys Ther. 2015; 39(3): 142–153.
55. Wang ZR, Wang P, Xing L, Mei LP, Zhao J, Zhang T. Leap Motion-based virtual reality training for improving motor functional recovery of upper limbs and neural reorganization in subacute stroke patients. Neural Regen Res.2017;12(11):1823-31
56. Schuster-Amft C, Eng K, Suica Z, et al. Effect of a four-week virtual reality-based training versus conventional therapy on upper limb motor function after stroke: A multicenter parallel group randomized trial. PLoS One. 2018;13(10):e0204455.
57. Aminov A, Rogers JM, Middleton S, Caeyenberghs K, Wilson PH. What do randomized controlled trials say about virtual rehabilitation in stroke? A systematic literature review and meta-analysis of upper-limb and cognitive outcomes. J Neuroeng Rehanbil. 2018;15(1):29.
58. Nudo RJ, Plautz EJ, Frost SB. Role of adaptative plasticity in recovery of function after damage to motor córtex. Muscle Nerve. 2001;24 (8):1000-19.
59. Kleim JA, Jones TA, Schallert T. Motor enrichment and the induction of plasticity before or after brain injury. Neurochem Res. 2003;28 (11):1757-69.
60. Mullick AA, Subramanian SK, Levin MF. Emerging evidence of the association between cognitive deficits and arm motor recovery after stroke: A meta-analysis. Restorative Neurology and Neuroscience (2015): 389-403.

Intervenção Fisioterapêutica nos Transtornos Psiquiátricos do Adulto

11

Giovana Sposito
Cristiana Carvalho Siqueira

Introdução

De acordo com a Organização Mundial da Saúde (OMS),[1] estima-se que os transtornos mentais representam 12% das doenças globais causando sofrimento, incapacidades e implicações financeiras. O Brasil representa a maior prevalência de transtornos mentais na população adulta entre os países da América Latina.[2]

A Classificação Internacional de Doenças e Problemas Relacionados com a Saúde (CID-10) caracteriza os transtornos mentais e comportamentais como uma série de distúrbios com manifestação psicológica combinada com algum transtorno funcional consequente à disfunção biológica, social, psicológica, genética, física ou química. O tratamento dos transtornos psiquiátricos tem como base a medicação e a psicoterapia, principalmente a terapia cognitivo-comportamental. Vários profissionais da saúde podem, de modo interdisciplinar, tratar estes pacientes para a melhora física e mental.[2]

A fisioterapia em psiquiatria tem sido um campo profissional em desenvolvimento nos países do norte da Europa.[3] Em 2011, criou-se a International Organization of Physical Therapy in Mental Health (IOPTMH), que é um subgrupo no World Confederation for Physical Therapy (WCPT), com o objetivo de encorajar a pesquisa baseada em evidência e a efetividade da prática da fisioterapia em saúde mental.[5]

Em 2018, a OMS lançou a 11ª edição da Classificação Estatística Internacional de Doenças e Problemas Relacionados com a Saúde (CID-11), com apresentação oficial deste documento em 2019.

Há evidências de que a Fisioterapia, com suas medidas e intervenções terapêuticas específicas, demonstra uma enorme contribuição para o bem-estar e a saúde mental da população com transtornos psiquiátricos.[6-8]

Exercícios físicos, consciência corporal e relaxamento são questões importantes no tratamento e no processo de reabilitação desses transtornos.[9] Estudos da última década têm avaliado a efetividade do exercício físico e a abordagem da consciência pelo movimento.[10,11] Experiências corporais dão entendimento e orientação sobre cada um e isso contribui para o aumento da autoconsciência.[11] A abordagem direcionada para o corpo é importante na área da Psiquiatria, pois dores e queixas somáticas são comuns nos transtornos mentais. Embora não haja consenso sobre a melhor técnica a ser utilizada, observa-se a aplicação de vários recursos fisioterapêuticos para melhora global desses pacientes.

A atuação da fisioterapia na saúde mental está em constante crescimento, portanto uma condição *sine qua non* é desenvolver alta qualidade de pesquisa científica, prática clínica e educação nessa área.[5]

Neste capítulo, será abordada a ação de procedimentos fisioterapêuticos em alguns dos principais transtornos psiquiátricos.

Transtorno de depressão maior

A depressão maior (DM), também conhecida como depressão unipolar ou transtorno depressivo maior (TDM), é um dos problemas de saúde que acarretam muitos malefícios na saúde física e na vida social do paciente, levando-os ao isolamento, reduzindo sua capacidade física e profissional e aumentando o risco de morte nesses pacientes.

Segundo a OMS, os transtornos depressivos são a quarta causa global de incapacidade e deve se tornar a segunda, até o ano de 2020.[12] Desse modo, o TDM é considerado um problema de saúde pública em virtude de sua prevalência e impacto psicossocial.[13]

A prevalência de DM ao longo da vida varia de 15,1 a 16,8%[14] e as mulheres apresentam risco cerca de duas vezes maior do que os homens.[15] Em estudo transversal brasileiro, observou-se que a vulnerabilidade feminina ao transtorno é maior no período pós-parto, encontrando recorrência de 16% de sintomas depressivos.[16]

É provável que diversos sistemas hormonais e neuronais estejam envolvidos no TDM. Nesse contexto, inúmeras hipóteses procuram englobar as possíveis alterações fisiopatológicas da doença, sendo as mais aceitas: hipótese noradrenérgica; hipótese serotoninérgica; hipótese dopaminérgica; aspectos imunológicos; e alterações endócrinas (principalmente envolvendo o eixo hipotálamo-hipófise-adrenal).[17] Assim, além da influência neurobiológica, estão envolvidos outros fatores estão na etiologia desta psicopatologia, como genéticos, ambientais e sociais.

Atualmente, a maioria dos tratamentos para depressão, envolvem a psicoterapia e medicação específicos, porém, embora existam muitos medicamentos disponíveis, o resultado da terapêutica geralmente está longe de ser o ideal. Independentemente da escolha inicial do antidepressivo, cerca de 30 a 50% dos pacientes com depressão não respondem ao tratamento de 1ª linha.[18] Além disso, o tratamento em longo prazo, frequentemente necessário, apresenta diversos efeitos colaterais.[19,20]

Fisioterapia e TDM

Diante do exposto, fica clara a necessidade de novas alternativas terapêuticas em relação às já explicadas.

Nesse sentido, a fisioterapia torna-se uma ferramenta de grande valor, visto que tem técnicas de avaliação e meios de prevenção e tratamento que auxiliariam na melhora da sintomatologia da depressão.

Com base na premissa de que o corpo reage ao estresse físico e psicológico, os pacientes com TDM têm sua flexibilidade afetada, capacidade de relaxamento diminuída, tensão muscular aumentada, postura e consciência corporal alteradas. Além disso, são observados retardo psicomotor, fadiga, diminuição de energia e sintomas dolorosos tais como dor de cabeça e dor nas costas.[21]

A recorrência dos episódios depressivos agravam o desalinhamento postural que, por sua vez, produz maior tensão sobre as estruturas de suporte, afetando negativamente a eficiência muscular, predispondo pacientes a dor e afecções musculoesqueléticas.[22] Um estudo avaliando a relação entre cifose, ansiedade e depressão em estudantes concluiu que há relação positiva entre aumento do ângulo da curvatura da cifose e sintomas depressivos.[23] Outro estudo, comparando pacientes com depressão e grupo-controle saudável, corrobora esse resultado, comprovando que os primeiros apresentavam inclinação anterior da cabeça e o aumento da cifose torácica. Ainda, os pacientes com mais recorrências apresentaram alterações posturais mais graves quando comparados às dos pacientes com episódio único depressivo. Houve uma diminuição do ângulo do tornozelo que significa tendência a tornozelo valgo; diminuição da lordose, ou seja, mais "retificado"; postura cifótica, abdução escapular e o ombro mais protruso.[22]

As alterações posturais frequentes atuam como forma predisponente de incapacidade e provocam alterações na qualidade de vida.[24] Contudo, alguns procedimentos fisioterapêuticos fisioterapêuticas podem melhorar, manter ou restaurar o bem estar físico e emocional desses indivíduos. Nesse sentido, a cinesioterapia pode ser usada de acordo com as necessidades específicas do paciente por meio de mobilizações globais, alongamentos musculares, exercícios de mobilidade articular, exercícios respiratórios, reeducação postural, treinos de equilíbrio, técnicas de consciência e expressão corporal. Knapen publicou dois estudos avaliando a efetividade de procedimentos fisioterapêuticos em pacientes com transtornos psiquiátricos, entre quais, 199 pacientes internados, com sintomas graves de depressão, ansiedade e transtornos de personalidade foram avaliados. Os participantes dessa pesquisa foram divididos em dois grupos e um grupo utilizou um protocolo personalizado e individual com exercícios aeróbios e treino de força com intensidade moderada, realizados três vezes por semana. O outro grupo utilizou um segundo protocolo constituído de terapia psicomotora com diferentes formas de exercícios físicos de baixa a moderada intensidade, duas vezes por semana e técnicas de relaxamento, uma vez na semana. Após 16 semanas de intervenção, os resultados apontaram que em ambos os grupos houve melhora significativa de força muscular, desempenho cardiovascular, relação entre imagem corporal e autoestima e, principalmente, nos sintomas de depressão e ansiedade.[25]

Importante ressaltar que o fortalecimento muscular das estruturas acometidas é indicado, porém deve ser realizado após período álgico, o que pode ser obtido por meio do uso de termoterapia e eletroterapia.

Cabe ao fisioterapeuta, enquanto integrante da equipe multiprofissional, compreender e interferir positivamente na conduta de tratamento, no sentido de melhorar e de tornar mais prazerosa a relação do indivíduo com seu ambiente.

Exercício físico e TDM

Uma outra alternativa terapêutica relevante, não farmacológica, é o exercício físico. Estudos realizados sugerem que a prática sistemática de exercícios físicos está associada à prevenção e melhora dos sintomas da depressão na população em geral.[26,27]

Durante a realização de exercício físico, há a liberação de alguns biomarcadores como β-endorfina e dopamina, propiciando um efeito tranquilizante e analgésico no praticante regular. Ainda, há proliferação de vasos sanguíneos no hipocampo, córtex e cerebelo, que prediz melhor fornecimento de nutrientes e energia necessária para ativar cascatas de neuroplasticidade.[28,29] Como dito anteriormente, a prática regular de exercício físico está relacionada com o aumento da atividade das vias serotoninérgicas e noradrenérgicas. Além disso, há um incremento do BDNF (fator derivado do cérebro) envolvido em processos de regeneração neuronal, e o seu aumento parece estar associado a um efeito antidepressivo.[30]

Também é observada uma redução de espécies reativas de oxigênio (ERO) ou radicais livres, uma vez que o treinamento físico tende a modular os sistemas antioxidantes intracelulares, aumentando sua capacidade de remover ERO. Esse efeito pode resultar na diminuição da incidência de doenças que envolvem alterações em parâmetros de estresse oxidativo, como a depressão.[31]

Outro achado consistente no TDM, observado em 30 a 50% dos pacientes,[32] é a hiperatividade do eixo HPA (hipotálamo-pituitária-adrenal), resultando em aumento do cortisol. Evidências sugeriram que a prática regular de exercício físico poderia reduzir ou reverter essa disfunção, aumentando o bem-estar físico e psicológico (Figura 11.1).[33]

De acordo com Trivedi,[34] o exercício como monoterapia para a depressão pode reduzir os sintomas depressivos além de poder ser, em longo prazo, tão ou mais eficiente na prevenção da recaída de depressão do que os medicamentos antidepressivos.[35] Pacientes em episódios depressivos, submetidos à terapia por exercício, conseguem alívio sintomático significativo comparável ao estabelecido pelo antidepressivo sertralina e esses benefícios são mantidos a longo prazo.[26]

Com relação aos tipos de exercício, a maioria dos estudos preconiza o aeróbio, sendo observada melhora dos sintomas da depressão e da qualidade de vida dos pacientes.[10] Exercícios de flexibilidade não se mostraram efetivos na redução de sintomas e o treino de força associado à exercício aeróbio apresentou benefícios para o paciente com depressão.[36]

Já a dose (frequência, intensidade e duração) recomendada de exercício ainda é incerta. Para o tratamento de depressão moderada, o National Institute for Health and Clinical Excellence (NICE) recomenda a prescrição de 10 a 14 semanas de exercício supervisionado, 3 dias por semana, devendo cada sessão durar entre 45 e 60 minutos.[37]

A maioria dos estudos existentes sobre a questão sugere parâmetros nesses intervalos propostos pelo NICE. No entanto, não se pode esquecer que a duração não deve ser analisada de forma isolada, devendo sempre considerar-se a intensidade do esforço e as características individuais do paciente. A esse respeito, os achados da revisão supracitada sugerem que não existe uma intensidade ótima para a melhoria dos sintomas depressivos visto que se obtêm benefícios em uma larga escala de intensidades prescritas.

Assim, apesar dos inúmeros estudos já existentes demonstrando os benefícios do exercício físico programado na depressão, o melhor entendimento de seus mecanismos de ação e respostas neurobiológicas é necessário para avaliá-lo e considerá-lo adjuntivo aos tratamentos já utilizados no TDM.

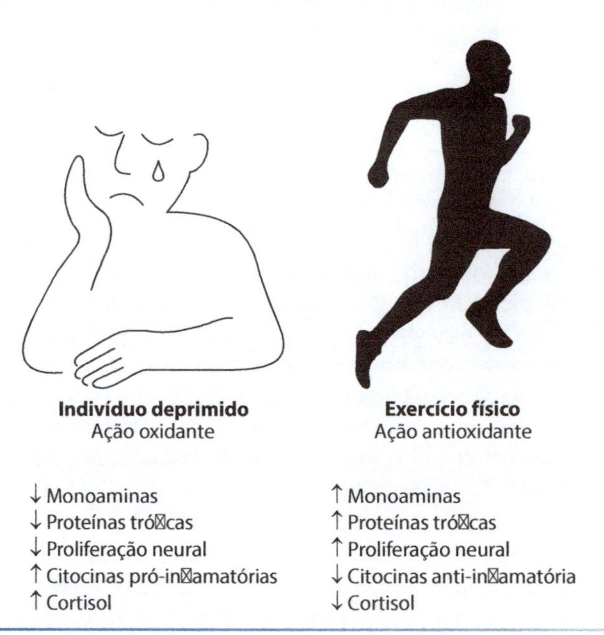

Figura 11.1 Humor do indivíduo com depressão *versus* exercício físico.

O TDM é de alta prevalência e grande incapacidade com resposta parcial ao tratamento em até 30% dos casos. Novas alternativas para a respectiva abordagem terapêutica devem ser estudadas e pesquisadas nos próximos anos. A abordagem fisioterapêutica e o exercício físico podem ajudar no tratamento do TDM, podendo ser uma importante ferramenta no manejo desses pacientes.

Transtorno bipolar

O transtorno bipolar (TAB) tem se tornando umas das doenças psiquiátricas mais comuns. Estudos internacionais têm relatado que a prevalência do espectro bipolar varia de 2,4 a 6,4% na população.[38] O diagnóstico do TAB é realizado por meio do DSM-V (Diagnostic and Statistical Manual of Mental Disorders, APA), que é referência universal para o diagnóstico dos transtornos psiquiátricos.

O TAB é caracterizado por episódios maníacos, hipomaníacos e misto. O diagnóstico TAB tipo I apresenta a forma mais acentuada do transtorno bipolar, enquanto o tipo II apresenta a forma mais branda da doença. A mania é caracterizada por alterações no humor, na cognição, na psicomotricidade e nas funções vegetativas, mas com características opostas àquelas observadas na depressão. O paciente apresenta humor expansivo e/ou irritável ("pavio curto"), aumento de energia e atividade, aceleração psicomotora, aumento da impulsividade, ideia grandiosa, otimismo exagerado, redução da necessidade de sono e aumento da libido.[39,40] A hipomania é a mania atenuada, deve ser observável por outros, não ser acompanhada de sintomas psicóticos e verifica-se disfunção psicossocial. Os estados mistos foram descritos como uma mistura de sintomas depressivos e maníacos, caracterizam-se por grave irritabilidade, com raiva e hostilidade, demonstrações de violência e auto ou heteroagressividade, por vezes, incontroláveis.

Pesquisadores descobriram que pacientes com transtorno bipolar sofrem de problemas médicos crônicos a uma taxa duas a três vezes maior do que a da população geral.[41] Por exemplo, entre 35 e 50% dos pacientes com transtorno bipolar são obesos[42] e a doença cardiovascular é especialmente mais prevalente em bipolares na comparação com a população em geral.[43]

A abordagem medicamentosa é a base do tratamento, mas muitos estudos têm evidenciado também os benefícios do exercício físico em pacientes com TAB (o exercício físico [EF] pode ter efeito ansiolíticos, antidepressivos[44] e neurocognitivos positivos.[45,46] No entanto, não há estudos até o momento que tenham examinado o efeito da atividade física sobre a mania ou hipomania.

A avaliação do EF longitudinal deve elucidar se o exercício reduz a frequência de episódios maníacos ou atenua a duração e a gravidade dos episódios de hipomania,[47] Há um contínuo debate sobre a frequência, intensidade, tipo e duração dos exercícios. Em estudo publicado por Kucyi e colaboradores,[45] pacientes com transtorno bipolar que participaram de uma caminhada em grupo, 5 dias por semana, por 40 minutos, relataram diminuição da depressão e dos sintomas de ansiedade do que aqueles que não realizaram exercício.[45] Além disso, os exercícios ajudam de forma significativa o humor em pacientes com transtorno bipolar.[44] Em uma revisão sobre EF e TAB,[7] o artigo demonstra que é necessário uma medida para avaliar o EF; que o tratamento medicamentoso pode interferir na adesão em razão dos efeitos colaterais, da rigidez muscular, das tonturas; deve-se separar a intervenção por idade; e que embora se saiba que aspectos motivacionais e sintomas psiquiátricos podem interferir na adesão e manutenção do EF, poucos dados estão disponíveis para avaliar essa associação. Existem muitas barreiras a serem superadas, pois, para realizar o EF, é necessário foco na manutenção e na mudança de comportamento.[48] Portanto, o artigo[7] sugere o modelo socioecológico para compreender as barreiras e conhecer vários atributos relevantes que influenciam no comportamento saudável. Esse modelo apresenta três fatores (intrapessoal, interpessoal, ambiente). Tais fatores têm demonstrado uma forte associação com exercício físico.[49] Em um estudo quantitativo[50] com pacientes TAB, o estado de humor foi relatado como uma barreira para realizar EF. Portanto, a intervenção do

EF em TAB é uma realidade, mas é necessário estabelecer programas específicos para poder avaliar a eficácia do EF. Outros procedimentos de intervenção fisioterapêutica podem ser úteis na melhora global deste paciente, mas devem ser investigadas mediantes critérios rígidos a fim de abordar a multidisciplinaridade entres essas duas áreas.

Esquizofrenia

A esquizofrenia é considerada um transtorno mental grave, caracterizada por distorções do pensamento, percepção, emoção, movimento e comportamento. É uma síndrome multidimensional e heterogênea. Seu curso é variável, cerca de 30% dos casos sofrem deterioração considerável e persistente da capacidade de funcionamento profissional, social e afetiva. Suas manifestações variam de acordo com o paciente e com o tempo, embora o efeito acumulativo da doença tende a ser crônico e grave.[51]

As causas da esquizofrenia ainda não são definidas e independem de raça, nível socioeconômico ou cultural. A etiologia mais aceita seria uma complexa combinação de fatores genéticos, psicológicos e ambientais.[51]

Estima-se que a prevalência da esquizofrenia afeta aproximadamente 1% da população mundial, não havendo diferença prevalente entre os sexos. Entretanto, os homens costumam apresentar o pico do início da doença entre 10 e 25 anos, enquanto nas mulheres o início ocorre entre 25 e 35 anos.[51]

O diagnóstico da esquizofrenia é clínico, os sintomas são variados e devem persistir por pelo menos 6 meses, sendo observados sintomas como, delírios, alucinações, que tendem a deixar os pacientes tensos, desconfiados e às vezes hostis e agressivos. Sinais de perturbação motora, como estupor (diminuição nas reações motoras), rigidez e posturas bizarras também são comuns.[51]

Alguns autores caracterizam a esquizofrenia por sintomas chamados positivos (delírios, alucinações, catatonia) e sintomas chamados negativos (embotamento afetivo, alogia, avaliação).[51] Embora as alterações na função cognitiva não sejam critérios de inclusão para diagnóstico, muitos estudos apontam disfunções cognitivas como sintomas típicos da doença.[52]

Evidências científicas demonstram elevada prevalência nas alterações da função cognitiva durante o curso da doença, inclusive no período prodrômico. Os principais déficits encontrados são: a velocidade de processamento; a atenção; o raciocínio; a memória de trabalho; o aprendizado verbal e visual; as funções executivas; e a cognição social.[53]

Tais alterações resultam em dificuldade na habilidade em manter o foco ao longo do tempo, reter informações para uso imediato, resolver problemas novos, associar ideias e compreender regras sociais, causando impacto em diversas áreas, como trabalho, lazer e vida independente.[53] Sendo assim, grande parte das pessoas com esquizofrenia apresentam aspectos negativos nas atividades de vida diária, interferindo diretamente na qualidade de vida.[54]

Além disso, alguns estudos e observações clínicas apontam uma distorção sobre a imagem corporal na fenomenologia da esquizofrenia. Muitos pacientes referem experiência de deterioração corporal, percepções errôneas quanto ao tamanho, força e existência de determinados membros e percepção do próprio corpo visto de fora.[55]

Embora o tratamento com fármacos minimizem os sintomas psicóticos e a agitação dos pacientes com esquizofrenia, alguns medicamentos apresentam reações adversas desconfortáveis, como efeitos extrapiramidais (tremor, rigidez, bradicinesia, acatisia e distonia aguda), além de movimentos involuntários, redução da expressão facial, discinesias e distonias tardias.[56]

Para melhora dos sintomas comportamentais, a abordagem fisioterapêutica dispõe de recursos capazes de auxiliar o indivíduo a adquirir consciência corporal, aprimorar a funcionalidade e promover o relaxamento muscular. Dessa maneira, pode contribuir com reabilitação do paciente na sociedade.

Baseado na psicomotricidade, o tratamento fisioterapêutico Basic Body Awareness Therapy (BBAT), terapia da consciência corporal, comumente utilizada nos serviços de saúde mental da Escandinava, propõe estabelecer um contato maior entre o corpo por meio de estimulações sensório-motoras. A técnica tem raízes na tradição oriental dos movimentos de *tai chi chuan* e consiste no treinamento de diferentes funções corporais como controle postural e relaxamento, coordenação de movimentos associados à respiração e conscientização de movimentos nas relações interpessoais. Os estudos sobre efeitos da aplicação da BBAT em pacientes com esquizofrenia apresentaram resultados benéficos na qualidade de movimento, imagem corporal, interesse sexual, controle emocional e diminuição nos sintomas de ansiedade.[57,58]

Os autores investigaram se a presença do diabetes estaria associada a menor participação em atividades físicas e menor capacidade de realizar exercícios em indivíduos com esquizofrenia. Foram comparados pacientes com esquizofrenia, sendo 10 com diabetes, 10 com pré-diabetes e 86 sem diabetes, por meio do questionário de atividade física de Baecke e o teste de caminhada de 6 minutos (TC6). Os resultados indicaram que a distância alcançada no TC6 e ser fisicamente ativo foram menores em pacientes com diabetes quando comparados a pacientes sem diabetes. Entretanto, não houve diferença entre os pacientes com diabetes e pré-diabéticos. Conclui-se, assim, que ser diabético pode aumentar o risco de limitações funcionais em pacientes com esquizofrenia.[59]

Sabe-se, hoje, que a terapia de exercícios também pode beneficiar mudanças neurobiológicas e psicopatológicas em pacientes com esquizofrenia. Embora, os estudos apontem limitações quanto ao tamanho e à homogeneidade da amostra, tipo e duração do exercício, variáveis de resultados e escala de medição, essa terapia tem demonstrado melhora nos sintomas cognitivos da doença. Existe uma grande variedade de intervenções eficazes de exercícios físicos como esportes coletivos, ioga, técnicas de relaxamento, fortalecimento, entretanto, alguns estudos destacam o exercício aeróbio na melhoria significativa na desorganização e sofrimento emocional e na redução dos sintomas negativos.[60]

Outras diversas técnicas de fisioterapia podem ser aplicadas na reabilitação da doença visando melhorar os sintomas comportamentais na esquizofrenia. Os exercícios de coordenação motora (fina e grossa) e treino de equilíbrio (estático e dinâmico) associado a exercícios respiratórios podem auxiliar na reabilitação de movimentos dificultados e/ou indesejáveis, bem como estimular a consciência e a expressividade corporal. Esses exercícios podem ser elaborados com espelhos para maior absorção do reconhecimento corporal.[57]

Para relaxamento muscular e redução das dificuldades de contato físico comuns em pacientes esquizofrênicos, as técnicas terapêuticas de massagem podem ser usadas em duplas, em grupos e automassagem. A massagem tende a promover corpos livres de bloqueio e estimular o melhor convívio social.[61]

Assim como os exercícios de alongamento e fortalecimento contribuem para a mobilidade e flexibilidade de todo o corpo, podem ser benéficos também para correções posturais e consciência corporal, além de favorecerem as atividades do lar, do trabalho, na comunidade e no lazer dos indivíduos.[62]

Estudos vinculados à abordagem fisioterapêutica e esquizofrenia demonstram que a prática de atividade física mostra-se eficaz como complemento na reabilitação da esquizofrenia.[63]

Em recente revisão[64] sobre atividade física e esquizofrenia, os autores concluíram que a atividade física é uma abordagem terapêutica adjunta original e inovadora no tratamento de pacientes com esquizofrenia, que contribui para redução dos sintomas esquizofrênicos e agem como terapia pró-cognitiva, melhorando a qualidade de vida e o funcionamento a longo prazo nas atividades de vida diária, além disso reduz comorbidades cardiovasculares. No entanto, de acordo com este estudo, ainda são necessárias estratégias para aumentar os fatores motivadores e a adesão à participação em atividades físicas em pessoas com esquizofrenia.[64]

Considerações finais

Os transtornos mentais são psicopatologias multifatoriais e, em alguns casos, de etiopatogenia pouco esclarecidas. Observa-se um aumento da incidência desses transtornos ao longo da última década e, apesar das estratégias utilizadas como tratamento, nomeadamente a farmacoterapia e a psicoterapia, os pacientes sofrem grandes prejuízos sociais, emocionais e econômicos. Assim, a abordagem fisioterapêutica e o exercício físico podem ajudar no tratamento de muitas dessas doenças, como o TDM, o TAB e a esquizofrenia, podendo ser uma importante ferramenta no manejo desses pacientes. Nesse sentido, o fisioterapeuta, como integrante da equipe multidisciplinar, deve buscar conhecimento sobre a Psiquiatria e investir em pesquisas de qualidade sobre novas modalidades de tratamento para essas condições.

Referências Bibliográficas

1. WHO. World Health Organization. Crossnational comparisions of the prevalences and correlates of mental disorders. Bulletin of the World Health Organization. 2000:413-26.
2. OMS. Organização Mundial da Saúde. Classificação dos transtornos mentais e de comportamento da CID-10 – descrições clínicas e características diagnósticas. Porto Alegre: Artes Médicas, 1993.
3. Vancampfort D, Knapen J, Probst M, Scheewe T, Remans S, De Hert M. A systematic review of correlates of physical activity in patients with schizophrenia. Acta psychiatrica Scandinavica. 2012 May;125(5):352-62. PubMed PMID: 22176559.
4. Hedlund L, Gyllensten AL. The experiences of basic body awareness therapy in patients with schizophrenia. Journal of bodywork and movement therapies. 2010 Jul;14(3):245-54. PubMed PMID: 20538222.
5. Probst M. The International Organization of Physical Therapists working in Mental Health (IOPTMH). Mental Health and Physical Activity. 2012;5(1).
6. Hedlund L, Gyllensten AL. The physiotherapists' experience of Basic Body Awareness Therapy in patients with schizophrenia and schizophrenia spectrum disorders. Journal of bodywork and movement therapies. 2013 Apr;17(2):169-76. PubMed PMID: 23561863.
7. Vancampfort D, Correll CU, Probst M, Sienaert P, Wyckaert S, De Herdt A, et al. A review of physical activity correlates in patients with bipolar disorder. Journal of affective disorders. 2013 Mar 5;145(3):285-91. PubMed PMID: 22889526.
8. Probst M, Pieters G, Vanderlinden J. Evaluation of body experience questionnaires in eating disorders in female patients (AN/BN) and nonclinical participants. The International journal of eating disorders. 2008 Nov;41(7):657-65. PubMed PMID: 18446834.
9. Probst M, Knapen J, Poot G, Vancampfort D. Psychomotor therapy and psychiatry: what is in a name? The Open Complementary Medicine Journal. 2010;2:105-13.
10. Schuch FB, Vasconcelos-Moreno MP, Borowsky C, Fleck MP. Exercise and severe depression: preliminary results of an add-on study. Journal of affective disorders. 2011 Oct;133(3):615-8. PubMed PMID: 21616540.
11. Gyllensten AL, Skar L, Miller M, Gard G. Embodied identity – a deeper understanding of body awareness. Physiotherapy Theory and Practice. 2010 Oct;26(7):439-46. PubMed PMID: 20649495.
12. Michelon L, Cordeiro Q,Vallada H. Depressão. Revista Brasileira de Medicina. 2008;65.
13. Fleck M, Lima A, Louzada S, Schestasky G, Henriques A, Borges V, Camey S.. Associação entre sintomas depressivos e funcionamento social em cuidados primários a saúde. Revista de Saúde Pública;. 2002;36(4).
14. Moreno DH, Demétrio FN., Moreno R. Depressão. 2011. In: Clínica Psiquiátrica [Internet]. Barueri; [698-710].
15. Bromet E, Andrade LH, Hwang I, Sampson NA, Alonso J, de Girolamo G, et al. Cross-national epidemiology of DSM-IV major depressive episode. BMC Medicine. 2011;9:90. PubMed PMID: 21791035. Pubmed Central PMCID: 3163615.
16. Faisal-Cury A, Tedesco JJ, Kahhale S, Menezes PR, Zugaib M. Postpartum depression: in relation to life events and patterns of coping. Archives of women's mental health. 2004 Apr;7(2):123-31. PubMed PMID: 15083347.
17. Cheik NCR, Heredia RAG, Ventura ML, Tufik S, Antunes HKM, Mello M T. Efeitos do exercício físico e da atividade física na depressão e ansiedade em indivíduos idosos. Revista Brasileira de Ciência e Movimento. 2003;11(3).

18. Bauer M, Adli M, Bschor T, Pilhatsch M, Pfennig A, Sasse J, et al. Lithium's emerging role in the treatment of refractory major depressive episodes: augmentation of antidepressants. Neuropsychobiology. 2010;62(1):36-42. PubMed PMID: 20453533.
19. Berton O, Nestler EJ. New approaches to antidepressant drug discovery: beyond monoamines. Nature reviews Neuroscience. 2006 Feb;7(2):137-51. PubMed PMID: 16429123.
20. Racagni G, Popoli M. Cellular and molecular mechanisms in the long-term action of antidepressants. Dialogues in clinical neuroscience. 2008;10(4):385-400. PubMed PMID: 19170396. Pubmed Central PMCID: 3181899.
21. Tove D, Anne EL, Alice K, Strand LI. Body Awareness Rating Questionnaire – Development of a self-administered questionnaire for patients with long-lasting musculoskeletal and psychosomatic disorders. Advances in Physiotherapy 2010;12:87-94.
22. Canales JZ, Cordas TA, Fiquer JT, Cavalcante AF, Moreno RA. Posture and body image in individuals with major depressive disorder: a controlled study. Revista brasileira de psiquiatria. 2010 Dec;32(4):375-80. PubMed PMID: 21308258.
23. Moslehi M, Saiiari A, Marashiyan F.. Study of the relationship between Kyphosis, anxiety, depression and aggression of high school boy students.. Procedia Social and Behavioral Sciences 2011;15:1798-801.
24. Brito Jr CA. Alterações posturais. In: Lianza S (ed). Medicina de reabilitação. São Paulo: Guanabara Koogan, 1995.
25. Knapen J, Van de Vliet P, Van Coppenolle H, David A, Peuskens J, Knapen K, et al. The effectiveness of two psychomotor therapy programmes on physical fitness and physical self-concept in nonpsychotic psychiatric patients: a randomized controlled trial. Clinical Rehabilitation. 2003 Sep;17(6):637-47. PubMed PMID: 12971709.
26. Blumenthal JA, Babyak MA, Doraiswamy PM, Watkins L, Hoffman BM, Barbour KA, et al. Exercise and pharmacotherapy in the treatment of major depressive disorder. Psychosomatic medicine. 2007 Sep;69(7):587-96. PubMed PMID: WOS:000249881000001. English.
27. Stanton R, Reaburn P, Rosenbaum S. Comment on the prescription of exercise for major depressive disorder: reply to drs. Rethorst and Trivedi. Journal of Psychiatric Practice. 2013 Jul;19(4):271-2. PubMed PMID: 23852100.
28. van Praag H, Shubert T, Zhao C, Gage FH. Exercise enhances learning and hippocampal neurogenesis in aged mice. The Journal of neuroscience: the Official Journal of the Society for Neuroscience. 2005 Sep 21;25(38):8680-5. PubMed PMID: 16177036. Pubmed Central PMCID: 1360197.
29. Ding YH, Li J, Zhou Y, Rafols JA, Clark JC, Ding Y. Cerebral angiogenesis and expression of angiogenic factors in aging rats after exercise. Current neurovascular research. 2006 Feb;3(1):15-23. PubMed PMID: 16472122.
30. Cotman CW, Berchtold NC. Exercise: a behavioral intervention to enhance brain health and plasticity. Trends in neurosciences. 2002 Jun;25(6):295-301. PubMed PMID: 12086747.
31. Ferreira F, Ferreira R, Duarte JA. Stress oxidativo e dano oxidativo muscular esquelético: influência do exercício agudo inabitual e do treino físico. Rev Port Ciênc Desp. 2007;7(2):257-75.
32. Pariante CM, Lightman SL. The HPA axis in major depression: classical theories and new developments. Trends in neurosciences. 2008 Sep;31(9):464-8. PubMed PMID: 18675469.
33. Rief W, Hermanutz M. Responses to activation and rest in patients with panic disorder and major depression. The British Journal of Clinical Psychology/the British Psychological Society. 1996 Nov;35 (Pt 4):605-16. PubMed PMID: 8955546.
34. Trivedi MH, Greer TL, Grannemann BD, Church TS, Galper DI, Sunderajan P, et al. TREAD: TReatment with Exercise Augmentation for Depression: study rationale and design. Clinical trials. 2006;3(3):291-305. PubMed PMID: 16895046.
35. Babyak M, Blumenthal JA, Herman S, Khatri P, Doraiswamy M, Moore K, et al. Exercise treatment for major depression: maintenance of therapeutic benefit at 10 months. Psychosomatic medicine. 2000 Sep-Oct;62(5):633-8. PubMed PMID: 11020092.
36. Pedersen BK, Saltin B. Evidence for prescribing exercise as therapy in chronic disease. Scandinavian Journal of Medicine & Science in Sports. 2006 Feb;16 Suppl 1:3-63. PubMed PMID: 16451303.
37. Gill A, Womack R, Safranek S. Does exercise alleviate symptoms of depression? J Fam Practice. 2010 Sep;59(9):530-1. PubMed PMID: WOS:000293092900011. English.
38. Judd LL, Akiskal HS. The prevalence and disability of bipolar spectrum disorders in the US population: re-analysis of the ECA database taking into account subthreshold cases. Journal of Affective Disorders. 2003 Jan;73(1-2):123-31. PubMed PMID: 12507745.
39. Akiskal HS, Hantouche EG, Allilaire JF. Bipolar II with and without cyclothymic temperament: "dark" and "sunny" expressions of soft bipolarity. Journal of affective disorders. 2003 Jan;73(1-2):49-57. PubMed PMID: 12507737.

40. Akiskal HS, Bourgeois ML, Angst J, Post R, Moller H, Hirschfeld R. Re-evaluating the prevalence of and diagnostic composition within the broad clinical spectrum of bipolar disorders. Journal of affective disorders. 2000 Sep;59 Suppl 1:S5-S30. PubMed PMID: 11121824.
41. Fagiolini A, Goracci A. The effects of undertreated chronic medical illnesses in patients with severe mental disorders. The Journal of Clinical Psychiatry. 2009;70 Suppl 3:22-9. PubMed PMID: 19570498.
42. Ferri FF. Ferri's Clinical Advisor. Mosby E (ed). Philadelphia, PA2005.
43. Kilbourne AM, Cornelius JR, Han X, Pincus HA, Shad M, Salloum I, et al. Burden of general medical conditions among individuals with bipolar disorder. Bipolar disorders. 2004 Oct;6(5):368-73. PubMed PMID: 15383128.
44. Ng F, Dodd S, Berk M. The effects of physical activity in the acute treatment of bipolar disorder: a pilot study. Journal of Affective Disorders. 2007 Aug;101(1-3):259-62. PubMed PMID: 17182104.
45. Kucyi A, Alsuwaidan MT, Liauw SS, McIntyre RS. Aerobic physical exercise as a possible treatment for neurocognitive dysfunction in bipolar disorder. Postgraduate Medicine. 2010 Nov;122(6):107-16. PubMed PMID: 21084787.
46. Sylvia LG, Ametrano RM, Nierenberg AA. Exercise treatment for bipolar disorder: potential mechanisms of action mediated through increased neurogenesis and decreased allostatic load. Psychotherapy and Psychosomatics. 2010;79(2):87-96. PubMed PMID: 20051706.
47. Wright KA, Everson-Hock ES,Taylor AH. The effects of physical activity on physical and mental health among individuals with bipolar disorder: a systematic review. Mental Health and Physical Activity 2009;2(2):86–94.
48. Nigg CR, Borrelli B,Maddock J, Dishman RK. A theory of physical activity maintenance. Applied Psychology 2008;57(4):544-60.
49. Sallis JF, Cervero RB, Ascher W, Henderson KA, Kraft MK, Kerr J. An ecological approach to creating active living communities. Annual Review of Public Health. 2006;27:297-322. PubMed PMID: 16533119.
50. Wright K, Armstrong T, Taylor A, Dean S. 'It's a double edged sword': a qualitative analysis of the experiences of exercise amongst people with bipolar disorder. Journal of Affective Disorders. 2012 Feb;136(3):634-42. PubMed PMID: 22100131.
51. Sadock BL, Sadock VA. Compêndio de psiquiatria: ciência do comportamento e psiquiatria clínica. Med A (ed): Porto Alegre, 2007.
52. Lieberman JA, Drake RE, Sederer LI, Belger A, Keefe R, Perkins D, et al. Science and recovery in schizophrenia. Psychiatric Services. 2008 May;59(5):487-96. PubMed PMID: 18451003.
53. Nuechterlein KH, Barch DM, Gold JM, Goldberg TE, Green MF, Heaton RK. Identification of separable cognitive factors in schizophrenia. Schizophrenia Research. 2004 Dec 15;72(1):29-39. PubMed PMID: 15531405.
54. Monteiro LC, Louzã, M. R. Alterações cognitivas na esquizofrenia: consequências funcionais e abordagens terapêuticas. Rev Psiq Clin 2008;34(2):179-83.
55. Cash T, Pruzinsky, T. Body image: a handbook of theory, research, and clinical practice. Press G (ed): New York, 2002.
56. Oliveira IR. Antipsicóticos. Koogan G (ed): Rio de Janeiro, 2002.
57. Roxedal G. Body awareness therapy and the body awareness scale, treatment and evalution in psychiatric physiotherapy. Gothenburg 1985.
58. Gyllensten AL, Hansson L, Ekdahl C. Basic outcome of basic body awareness therapy. A randomized controlled study of patients in psychiatric care. Advances in Physiotherapy 2003;5:179-90.
59. Vancampfort D, De Hert M, De Herdt A, Vanden Bosch K, Soundy A, Bernard PP, et al. Associations between physical activity and the built environment in patients with schizophrenia: a multi-centre study. General Hospital Psychiatry. 2013 Aug 13. PubMed PMID: 23954096.
60. Malchow B, Reich-Erkelenz D, Oertel-Knochel V, Keller K, Hasan A, Schmitt A, et al. The effects of physical exercise in schizophrenia and affective disorders. European Archives Of Psychiatry And Clinical Neuroscience. 2013 Sep;263(6):451-67. PubMed PMID: 23873090.
61. Silva SB, Pedrão LI, Miasso AL. O impacto da fisioterapia na reabilitação psicossocial de transtornos mentais. SMAD – Rev Eletrônica Saúde Mental Álcool Drog [Internet]. 2012; 8(1):[34-40 pp.].
62. Rosário JLR, Marques AP, Ylaluf AS. Aspectos clínicos do alongamento: uma revisão de literatura. Rev Bras Fisioter 2004;8(1):1-6.
63. Marzolini S, Jensen B, Melville P. Feasibility and effects of a group-based resistance and aerobic exercise program for individuals with severe schizophrenia: a multidisciplinary approach. Mental Health and Physical Activity. 2009;2(1):29-36.
64. Tréhout M, Dolfus S. Physical activity in patients with schizophrenia: From neurobiology to clinical benefits. Encephale. 2018 dez; 44 (6): 538-547

SEÇÃO III

Outras Áreas de Atuação da Prática Clínica Fisioterapêutica

Editora de Seção: Sheila de Melo Borges

Intervenção Fisioterapêutica na Saúde do Idoso

12

Eliane Mayumi Kato-Narita
Juliana Maria Gazzola

Introdução

A saúde do idoso deve ser descrita separadamente da saúde da criança e do adulto por apresentar características específicas, não apenas quanto às alterações fisiológicas, mas pelas doenças e comorbidades mais características e frequentes nessa faixa etária.

Outra razão é o crescimento expressivo do número de idosos, que no Brasil são consideradas as pessoas com mais de 60 anos. No último censo do Instituto Brasileiro de Geografia e Estatística (IBGE) de 2010, 11% da população brasileira tinham mais de 60 anos (mais de 20 milhões), com expectativa de vida de 74 anos, o dobro da de um século atrás.[1]

O aumento do número de idosos não acarreta apenas em consequências econômicas e sociais diretas, como maior custo previdenciário. Mas, também, o aumento dos custos hospitalares, com medicamentos e maior necessidade de profissionais. Isso porque os idosos têm tido uma maior sobrevida graças ao avanço da medicina, porém com mais comorbidades.

Dentre as comorbidades mais comuns, destacam-se aquelas que trazem consequências funcionais, com perda da independência e necessidade do auxílio de outras pessoas. Muitas são as doenças que podem ser citadas, como o Acidente Vascular Encefálico (AVE), a Doença de Parkinson, as demências, as fraturas, o enfisema pulmonar, a osteoartrite, dentre outras.

Neste capítulo, citaremos duas importantes "Síndromes Geriátricas" mais prevalentes entre os idosos: as Demências e a Instabilidade postural e da marcha. Mas antes de falarmos das Demências, é importante destacar um assunto de crescente foco nas pesquisas mundiais, que é o Comprometimento Cognitivo Leve.

Comprometimento Cognitivo Leve

Pode se definir o Comprometimento Cogntivo Leve (CCL) como uma entidade clínica intermediária entre a normalidade cognitiva compatível com o envelhecimento e a demência.[2] O indivíduo com CCL apresenta déficit cognitivo, mas de intensidade insuficiente para caracterizar um quadro demencial. Este déficit não pode ser considerado normal para a idade e escolaridade, identificado através de testes neuropsicológicos específicos.[3,4]

Existem predominantemente dois tipos de CCL: o amnéstico (déficit principal de memória) e o não-amnéstico. E caso haja mais de um domínio cognitivo comprometido, ainda pode ser classificado como CCL múltiplos domínios. Para o diagnóstico de CCL, atualmente utilizam-se os critérios diagnósticos descritos por Petersen et al. (2001)[3] e pelo *European Consortium on Alzheimer's Disease* (2006).[5]

Epidemiologia

A prevalência real do CCL é desconhecida, dada a dificuldade de conceituação e das controvérsias a respeito dos critérios diagnósticos adotados por cada estudo. Um estudo de 2004 aponta prevalências que variam entre 2,8 a 6,1% da população geral.[6]

Fisiopatologia

Dados de um estudo de segmento realizado com freiras (*Nun Study*) encontraram os mesmos achados neuropatológicos da doença de Alzheimer (DA) nas idosas com diagnóstico de CCL do tipo amnésico, isto é, emaranhados neurofibrilares e doença cerebrovascular, e ausência destes marcadores nas idosas sem o diagnóstico, isso é, cognitivamente normais.[7]

Quanto à concentração destes emaranhados, parece que os idosos com CCL apresentam quantidade intermediária entre a normalidade e a DA, corroborando com outros estudos quanto ao CCL ser uma condição intermediária entre os idosos sem comprometimento e a conversão para a DA, principalmente aqueles CCL amnésticos.[8]

Existem situações ou doenças muito frequentes entre os idosos que podem levar ao déficit de memória, ou apenas à queixa de dificuldade de memorização, e que devem ser diferenciados de um CCL (**Quadro 12.1**).

Quadro 12.1 Diagnóstico diferencial de déficits cognitivos e CCL

Déficit sensorial	Visão e audição prejudicadas
Doenças psiquiátricas	Ansiedade, apatia e depressão
Redução do fluxo sanguíneo cerebral	Hipotensão postural, Insuficiência cardíaca congestiva, arritmia, enfisema pulmonar, apneia obstrutiva do sono
Medicamentos com efeito cognitivo	Antidepressivos tricíclicos (efeito anticolinérgico), anticonvulsivantes, sedativos
Bebida alcoólica	Principalmente em excesso e uso prolongado

Quadro clínico

Nem todos os idosos com CCL apresentam queixa de déficit de memória. Por isso, esse dado deve ser sempre corroborado por um informante, já que de acordo com ambos os critérios diagnósticos, a presença deste item é obrigatória. Além disso, deve haver um prejuízo do desempenho nos testes cognitivos, de 1,5 desvio-padrão abaixo da média em relação a controles sem alteração cognitiva da mesma idade e escolaridade.[3,5]

Esses idosos, mesmo com comprometimento cognitivo, não podem apresentar demência e nem comprometimento funcional. Isto é, apesar de apresentarem queixa de dificuldade de memorização, não podem apresentar prejuízo em atividades cotidianas consequentes à cognição, pois esse critério funcional caracterizaria uma demência.

Alguns indivíduos que recebem o diagnóstico de CCL podem manter-se estáveis ao longo do tempo, poucos melhoram e até revertem o quadro, mas uma importante parcela (de 12 a 15%) pode converter para uma demência do tipo degenerativa, principalmente a DA.[9]

Ainda não se identificou os fatores associados à conversão, mas sabe-se que idosos com idade mais avançada, com a presença do alelo 4 da apolipoproteína E, desempenho inicial pior em testes de memória semântica e atrofia hipocampal parecem ter maiores taxas de conversão.[9]

Sintomas motores e funcionais

Idosos com CCL ainda são independentes, ativos, tanto cognitivamente como funcionalmente. Não foram encontrados dados na literatura quanto à presença de alterações motoras específicas, como as encontradas nas demências, principalmente nas fases mais avançadas.

Os estudos neurorradiológicos mostram que indivíduos com CCL apresentam alterações na ressonância magnética (RM), com atrofia da região temporal medial, mas menos intensos que os pacientes com a DA.[10]

Exames funcionais, como a tomografia por emissão de pósitron (PET), também mostram hipometabolismo dessas regiões, mas também menos intensos que os pacientes com DA. Estas regiões acometidas não levam às manifestações motoras e nem comprometem a capacidade funcional destes indivíduos.[11]

O que pode ocorrer, portanto, e de forma muito frequente, é a existência de déficits motores decorrentes das comorbidades presentes, como um idoso sem CCL pode apresentar, como as sequelas por doença cerebrovascular, doenças osteoarticulares ou pulmonares.

Tratamento fisioterapêutico

Existem poucos estudos de intervenção fisioterapêutica com idosos com CCL, pois esta entidade clínica é relativamente nova e, ainda, muitas descobertas estão sendo feitas sobre sua sintomatologia e progressão clínica.

Os estudos que estão sendo conduzidos, em praticamente todos os grandes centros de pesquisas, são as intervenções com atividade física com idosos sem alteração cognitva e acompanhamento para conversão para CCL, e também com idosos com CCL e conversão para demência. Muitos estudos ainda estão sendo realizados, mas os resultados encontrados são muito animadores.

Há uma redução nas taxas de conversão dentre os idosos praticantes de exercício físico, em ambos os grupos (idosos sem alteração cognitiva e CCL). Além disso, idosos com CCL que praticam exercícios apresentam melhora do desempenho em testes cognitivos, alguns chegam a reverter o déficit cognitivo observado antes da intervenção.[12,13] Um estudo de 2011 mostrou que o exercício físico reduz também a taxa de conversão do CCL para a demência.[14]

As hipóteses para esses benefícios são que os exercícios, como já muito bem documentado, melhoram a circulação sanguínea global, mas também cerebral, melhorando, dessa forma, a irrigação de áreas cerebrais e a ativação neuronal. Além disso, estimulam outros aspectos cognitivos, como a memorização de sequências, a coordenação, ritmo, sequenciamento, planejamento, humor e atenção, que são aspectos que interferem diretamente nos testes cognitivos.[13,15]

E, por fim, o benefício social e emocional do exercício físico, também muito documentado na literatura por proporcionar o encontro de pessoas, a troca de informações, o contato e, consequentemente, a melhora da autoestima, da depressão e da sensação de bem estar, que estão diretamente relacionados ao desempenho nas tarefas cognitivas e na autocrítica com relação à sua memória.[16]

Os exercícios aplicados nesses estudos envolveram principalmente os aeróbicos (caminhada) e os resistidos (musculação), com uma frequência de duas a três vezes por semana, duração máxima de 60 minutos, em um período mínimo de 24 semanas de acompanhamento.

Um estudo publicado em 2011[17] mostrou que mesmo exercícios leves e de baixo impacto, como alongamentos, podem aumentar o volume hipocampal em idosos sem comprometimento cognitivo. O outro grupo observado realizou exercícios de moderada intensidade, três vezes por semana, e obteve aumento maior do volume hipocampal após a intervenção.

O reteste, na maioria dos estudos, foi realizado após o período de intervenção e após algumas semanas do término da intervenção. Um ponto de muito interesse nesses estudos é a observação de que a melhora cognitiva foi mantida mesmo após 12 meses do término da intervenção.[18]

Conclusão

O CCL pode ser considerado um diagnóstico clínico relativamente recente, se considerarmos que a demência foi descrita há mais de um século, e o CCL somente a partir dos anos 1960. Contribuem para este fato a longevidade ter aumentado apenas nas últimas décadas e ao conhecimento errôneo de que déficit de memória era uma característica do envelhecimento fisiológico.

Quando se começou a perceber que havia uma entidade clínica intermediária entre a normalidade cognitva e a demência, ainda levou-se muitos anos para estabelecer critérios diagnósticos que fossem usados por todos os pesquisadores (um consenso). Daí a existência de poucos estudos de intervenção física em CCL, já que os estudos iniciais focaram-se principalmente no estímulo cognitivo como forma de intervenção.

Demência do tipo Doença de Alzheimer

Definição

Inicialmente, é necessário definirmos o que é a demência. Demência é caracterizada por perda de memória e de outras funções cognitivas, em relação a um nível anterior, sem que haja alteração do nível de consciência. Esse prejuízo cognitivo deve ser corroborado por informantes, e deve trazer consequências funcionais, como dificuldades ocupacionais, instrumentais e sociais.[19,20] Este primeiro item diferencia um indivíduo com demência de um idoso com CCL, já que deve haver obrigatoriamente a interferência do prejuízo cognitivo nas atividades funcionais.

Para seu diagnóstico, deve preencher os ítens do *Diagnostic and Statistical Manual of Mental Disorders (*DSM-IV)[19] ou do *National Institute of Neurological and Communicative Disorders and Stroke* (NINCDS) *e Alzheimer's Disease and Related Disorders Association* (ADRDA) revisado[20] e ter algumas disfunções excluídas, como o *Delirium*, o AVE e tumores. Na fase inicial da demência, é muito comum que o idoso apresente perdas cognitivas que interferem principalmente nas atividades mais complexas, como esquecer-se de senhas do banco, de compromissos marcados e de apagar o fogo.

Dentre as causas de demência, a Doença de Alzheimer (DA) é a mais prevalente, representando de 50 a 60% dos casos. Associada à doença cerebrovascular, causa a demência mista, segunda etiologia de demência mais prevalente.[21,22]

É causada pela degeneração neuronal, mais acentuada que no envelhecimento normal, que se inicia nas regiões corticais relacionadas à memória, e posteriormente acomete praticamente todo cérebro, causando inclusive alterações motoras.

Existem outras causas de demência, como citadas no **Quadro 12.2**.

Infelizmente, a demência ainda é incurável e, na sua grande maioria, é progressiva, e o idoso com demência passa a ter prejuízos inclusive nas atividades mais básicas na fase mais avançada da doença, progredindo para a dependência total e perda de todas as funções cognitivas.

Quadro 12.2 Principais causas de demência

Principais causas de demência
Doença de Alzheimer
Doença de Pick
Degeneração lobar frontotemporal: Demência frontotemporal (variante comportamental), Demência semântica, Afasia progressiva primária, logopênica e não fluente
Demência vascular e mista
Demência com corpúsculos de Lewy
Síndromes parkinsonianas com demência: incluem a Doença de Parkinson, Paralisia supranuclear progressiva, Degeneração corticobasal e Atrofia de múltiplos sistemas
Doença de Huntington
Doenças priônicas: Creutzfeldt-Jacob
Infecções: HIV, neurolues, meningites crônicas
Hidrocefalia de pressão compensada
Trauma de crânio
Tumores de SNC
Doenças psiquiátricas: depressão, esquizofrenia
Demência toxicometabólicas: alcoolismo, hipotireodismo, encefalopatia hepática, deficiência de vitamina B12, ação de drogas sobre o SNC (hipnóticos, antipsicóticos, anticolinérgicos, antiepilépticos, antidepressivos, analgésicos e outros)

Adaptado de Kato&Radanovic (2007)[23]

Epidemiologia das demências

Em um estudo realizado na cidade de Catanduva (SP, Brasil), Herrera e cols[21] observaram uma prevalência de demência de 7,1% da população de idosos, e que a prevalência nessa cidade dobra a cada 5 anos a partir dos 65 anos. Em outro estudo, realizado na cidade de São Paulo, foi observada uma prevalência de 6,8% da população.[24]

Em todo o mundo, mas principalmente nos países em desenvolvimento, o número de idosos com demência tem aumentado, por ser a idade o principal fator de risco. No estudo de Catanduva (SP),[21] quase 55% dos idosos com 95 anos ou mais apresentam demência. Porém, em idade superior a 95 anos, por existirem poucos estudos conclusivos, acredita-se que a prevalência não dobre e tenda mais para um platô[25]. Além disso, acomete predominantemente mulheres e pessoas com baixa escolaridade. A faixa etária de início depende do tipo de demência, sendo as demências por degeneração lobar frontotemporal mais frequentes em idades pré-senis, e as de Alzheimer, vascular e com corpúsculo de Pick, após os 60 anos de idade.

Sintomas cognitivos e comportamentais da DA

Dada a grande variabilidade na apresentação clínica entre os tipos de demência, focaremos a partir deste ponto na DA. Os primeiros sintomas geralmente são de déficit de memória, como a repetição de uma mesma pergunta ou história, perder-se (principalmente em locais pouco frequentados), esquecer-se de tomar o remédio, confundir-se com as senhas e os nomes das pessoas, entre outros exemplos. Progressivamente, o idoso passa a ter mais dificuldades e pode até se envolver por situações de risco, ao deixar o fogão aceso, o portão aberto, perder-se e não conseguir retornar para sua casa.

O início da doença nem sempre é facilmente percebido pelos familiares, pois muitos ainda acham que ter déficit de memória é uma característica normal e esperada do envelhecimento. Por isso, o diagnóstico muitas vezes ocorre somente após algum fato muito incomum ou estranho, ou após o falecimento do cônjuge, quando os filhos passam a dar mais atenção ao familiar viúvo(a) e percebem que algo está fora do normal. Na maioria dos casos, os primeiros sinais aparecem anos antes do diagnóstico.

Um dos fatos que pode "chamar a atenção" dos familiares de que algo não está normal são as mudanças nas atitudes dos idosos. Em muitos casos, os idosos com DA apresentam alterações de comportamento, como depressão, tornam-se irritados, agitados, com comportamentos inadequados socialmente ou apáticos. As manifestações variam muito de um idoso para outro, mas ocorrem predominantemente a partir da fase moderada da doença.

Esta classificação em fases (inicial ou leve, intermediária ou moderada, tardia ou avançada) pode ser feita através de algumas escalas, sendo os itens que predominam na pontuação os cognitivos e funcionais. Não há um período (em anos) esperado para cada fase, pois há uma grande variabilidade na progressão da DA entre os idosos, já que depende de fatores como a idade, o tempo de diagnóstico, as comorbidades, a escolaridade, a estimulação cogntiva e funcional antes e após o diagnóstico, os hábitos de vida, isto é, todos os fatores que interferem na reserva cognitiva antes da doença e na degeneração neuronal ao longo da doença.[26]

Sintomas motores e funcionais

Inicialmente, os idosos com DA não apresentam alterações motoras decorrentes da degeneração neuronal. Podem apresentar alterações próprias do envelhecimento, como lentificação, déficit de equilíbrio; ou alterações decorrentes de outras comorbidades, como osteoartrite de joelhos ou um acidente vascular encefálico (AVE) prévio. Funcionalmente, as dificuldades iniciais decorrem da apraxia, disfunção executiva, dificuldade de planejamento, de organização, atenção e memorização, isto é, predominantemente pelos déficits cognitivos.[27-29]

Lentamente, o idoso sofre redução da mobilidade, com restrição da realização das suas atividades funcionais, ocorrência de quedas e perda de massa e força muscular. As apraxias se acentuam, dificultando ainda mais as atividades funcionais, havendo a necessidade de maior supervisão nas tarefas cotidianas, pois os déficits de memória e de função executiva também progridem.[27-29]

Nesta fase, muitos idosos passam a recusar ou não colaborar nas atividades do dia a dia, preferindo sair menos de casa e passar mais tempo em frente à TV ou na cama. Esta menor mobilidade pode ser agravada pela presença de alterações de comportamento, como a depressão e apatia, que se acentuam principalmente nessa fase.

Em outros casos, a manifestação comportamental faz com que o idoso se torne agitado, inquieto, com tendência a perambular e apresentar movimentos repetitivos como abrir e fechar gavetas. Apesar de estar mais ativo, o idoso também não consegue se engajar nas atividades funcionais, por falta de interesse, colaboração ou até por estar agressivo.

Na fase mais avançada, o tônus muscular se acentua globalmente (com predomínio nos músculos flexores), há redução do tempo de reação, da força e da flexibilidade muscular, podendo levar a presença de rigidez, que em alguns casos acabam causando encurtamento muscular e as deformidades articulares. Outra manifestação motora nessa fase é a ausência de movimentação voluntária e a presença de movimentos involuntários, como as mioclonias, tornando-se acamado e totalmente dependente de terceiros.[27-29]

Com a progressão dos sintomas motores, caso não haja o manejo adequado, como veremos adiante, a rigidez muscular pode se acentuar a ponto de causar deformidades articulares e a tendência à adoção da postura em flexão de todas as articulações, caracterizando a "posição fetal".[27]

Além dessa complicação, por estar acamado e com mobilidade reduzida, alguns idosos podem evoluir para a "Síndrome do Imobilismo", caracterizado pela presença de sinais e sintomas decorrentes da imobilidade, como as contraturas articulares, constipação intestinal, perda importante de massa muscular e tecido adiposo, edema em membros inferiores, acúmulo de secreção pulmonar, trombose venosa profunda e úlceras por pressão.[28]

Essas complicações não podem ser consideradas manifestações normais da fase avançada da demência. São muito comuns, mas são evitáveis, principalmente as que são decorrentes da falta de mobilidade, como será abordado adiante.

Tratamento fisioterapêutico

A Fisioterapia deve, preferencialmente, ser iniciada logo após o diagnóstico da demência e mantida ao longo de toda a progressão da doença, já que ocorrerão complicações motoras e respiratórias que poderão ser minimizadas com a intervenção contínua. A Fisioterapia tem objetivos específicos para cada estágio da DA, bem como condutas próprias para cada paciente.

A seguir, citaremos os principais objetivos fisioterapêuticos na DA:[23]

Promoção da mobilidade

Como toda intervenção fisioterapêutica para idosos, um dos principais objetivos é a promoção da capacidade física, através da melhora e/ou manutenção da força muscular e da flexibilidade. Alguns idosos, até mesmo antes do diagnóstico de demência, já apresentam déficit de força muscular e, com a doença, tendem a perder massa, comprimento e força muscular de forma mais acentuada. Na fase inicial da demência, todos os exercícios devem ser realizados de forma ativa, com resistência.

E, conforme a doença progride, pode se dar supervisão, contínuas demonstrações (já que o idoso pode se esquecer do comando) e auxílio para iniciar ou finalizar o movimento. Quanto maior for o estímulo, maior será sua reserva física e maior o tempo de manutenção da mobilidade.

Tratamento das disfunções

Muitas comorbidades frequentes entre os idosos podem levar às disfunções que podem agravar os déficits motores na DA. Caso o idoso tenha dor, principalmente em articulações envolvidas na marcha, ela pode ser limitante para que o idoso continue deambulando, e acelerar a perda da marcha.

Outros exemplos são a presença de um enfisema pulmonar que cause fadiga e restrição das atividades, déficit motor consequente a um AVE, osteoartrite em coluna, entre outros.

Dessa forma, a fisioterapia deve tratar todas as disfunções que possam acelerar a perda da capacidade funcional, utilizando-se de todos os recursos disponíveis, inclusive eletro, termo e fototerapia. A ressalva que deve ser feita quanto a essa conduta é que os idosos com demência podem não conseguir expressar corretamente as sensações, havendo um risco de lesões com o uso desses aparelhos elétricos.

Prevenção de complicações

Nas fases iniciais da DA, quando o idoso ainda deambula, uma das complicações mais frequentes é a ocorrência de quedas. Entre os idosos, o evento quedas já é considerado de relevância, pela sua alta frequência e pelas consequências que acarreta. Na DA, ela se torna ainda mais prevalente, sendo encontrado na literatura valores entre 50 e 60%, quase o dobro da prevalência de estudos populacionais com idosos da comunidade.[31]

Além de ser mais prevalente, a recuperação pós-queda tem pior prognóstico, tanto do aspecto cognitivo (pois muitos pioram, principalmente se houver necessidade de internação ou tiver sofrido um traumatismo cranioencefálico), comportamental e funcional.

As intervenções fisioterapêuticas para prevenção de quedas serão abordadas adiante. Alguns aspectos, porém, devem ser discorridos em especial: a prescrição de dispositivos de auxílio à marcha (DAM) e a adaptação ambiental. A prescrição dos DAM nem sempre é bem-sucedida, porque apesar da prescrição do DAM ideal, das orientações e do treinamento, o idoso pode apresentar dificuldade para se recordar de que tem risco de quedas e de que necessita usar o DAM, e esquecer de usá-lo.

Além disso, pode se esquecer de como usar corretamente e até sofrer uma queda. E, por fim, caso o idoso esteja com alterações de comportamento, como agitação e agressividade, o dispositivo, como uma bengala, pode até se tornar um instrumento para machucar as outras pessoas, mesmo que não intencionalmente.

Quanto à adaptação ambiental, a retirada dos riscos deve ser feita respeitando a manutenção da caracterização da residência do idoso, já que muitas vezes os idosos com demência podem não identificar seu próprio lar, com tendência a sair de casa a fim de procurar pela sua casa. E a descaracterização, em detrimento da adaptação ambiental para prevenção de quedas, pode agravar essa desorientação espacial.

Na fase avançada da DA, como citado anteriormente, inevitavelmente o idoso perde sua capacidade funcional, passando a necessitar do auxílio inclusive para suas atividades básicas, perda da marcha e restrição à cadeira de rodas e ao leito.

Porém, todas as complicações decorrentes dessa perda da independência funcional podem ser prevenidas, principalmente se houver um trabalho conjunto entre os profissionais da equipe multiprofissional e os cuidados intensivos diários da equipe de cuidadores/enfermagem.

Um aspecto muito importante que o fisioterapeuta deve ter como objetivo é orientar a equipe de cuidadores ou da enfermagem sobre o que eles podem fazer diariamente para prevenir estas complicações. Um exemplo é demonstrar manobras de mobilização, alongamento e posicionamento, além de fazê-los sempre que atender ao paciente. Estas condutas auxiliam na prevenção dos encurtamentos musculares e deformidades articulares, porém devem ser mantidas diariamente pelos profissionais responsáveis pelos cuidados diários.

Outra conduta muito importante é demonstrar como o profissional pode fazer as transferências posturais, a fim de evitar a fricção e o aparecimento das úlceras por pressão. Demonstrar e treinar com eles, pois uma transferência bem-feita evita também dor no idoso e até mesmo na equipe de enfermagem.

Orientar também quanto ao posicionamento ideal, como fazê-lo, o uso de posicionadores, mostrar as variações possíveis de posicionamento e reforçar a necessidade das trocas constantes de posição para evitar as deformidades e as úlceras por pressão.

Por fim, como as infecções respiratórias são uma das principais causas de óbito entre os idosos acamados com DA, o fisioterapeuta deve procurar auscultar o idoso sempre que for atendê-lo. Além disso, deve orientar os cuidadores a não alimentar o idoso deitado ou com o pescoço muito flexionado ou estendido, já que há o aumento do risco de uma aspiração pulmonar.

Conclusão

Apesar da Doença de Alzheimer ser incurável e progressiva, a intervenção fisioterapêutica e dos demais membros da equipe gerontológica, como o fonoaudiólogo e o terapeuta ocupacional, são essenciais para manutenção da capacidade física e funcional pelo maior tempo possível. Além disso, possibilitam que as complicações sejam minimizadas e, dessa forma, procura-se dar mais conforto dentro das condições clínicas de cada paciente.

Instabilidade postural, alterações da marcha e quedas entre idosos

Outra manifestação muito frequente entre os idosos é a alteração da estabilidade corporal e da marcha. Sua importância pode ser observada pela alta prevalência de desequilíbrios, principalmente durante as transferências posturais e a ocorrência de quedas.

As consequências das quedas nessa população são mais graves do que em outras faixas etárias. Um idoso, ao sofrer uma queda, pode sofrer lesões que necessitem de intervenção hospitalar, como os traumatismos cranioencefálicos, cortes mais profundos, hemorragias e fraturas. Ou fazem com que o idoso tenha medo de sofrer novas quedas e limite-se funcionalmente. E muitas quedas acabam levando ao óbito.

Porém, as quedas muitas vezes podem ser evitáveis, principalmente se forem decorrentes de causas modificáveis, como a instabilidade postural e de marcha e os riscos ambientais.

Fatores associados à instabilidade postural

Como descrito no Capítulo 2, são muitos os fatores envolvidos no controle postural, como as características intrínsecas do indivíduo, a tarefa que está sendo executada e as condições do meio em que a tarefa está sendo executada.[32]

Exemplificando, para um idoso conseguir atravessar uma rua (tarefa), ele precisa ter boa visão e rotação de pescoço para olhar para os dois lados da rua e enxergar os carros (características visuais do idoso) e conseguir caminhar em velocidade suficiente para alcançar o outro lado da rua antes que um carro (ambiente) apareça. E, caso o chão da rua seja esburacado (ambiente), o idoso tem que identificar esse risco ambiental, desviar do buraco e continuar.

Por esse simples exemplo é possível verificar a complexidade da habilidade de manutenção da estabilidade postural no envelhecimento, já que os idosos sofrem muitas alterações próprias do envelhecimento nos sistemas responsáveis pelo equilíbrio, conforme descrito no **Quadro 12.3**.[33]

Quadro 12.3 Alterações fisiológicas dos sistemas envolvidos no equilíbrio

Sistema	Alterações
Visual	Déficit visual, com pior acuidade visual, menor sensibilidade ao contraste e profundidade, menor percepção de movimento.
Somatossensorial	Redução da sensibilidade cutâneo-protetora dos pés e da propriocepção. Consequência: tendência a dedos em garra, desalinhamento posterior e maior oscilação corporal.
Vestibular	Redução de células ciliares, degeneração das otocônias, aumento das vertigens, deslocamento posterior da linha de gravidade e ataxia vestibular.
Força muscular	Redução da força muscular de MMII, levando à redução da dorsiflexão de tornozelo, tendência à flexão de joelhos e quadris, dificuldade para levantar-se, tropeços, falseamento de joelhos e redução da resposta frente a um desequilíbrio.
Amplitude de movimento (ADM)	Redução da ADM global, levando à rigidez de tornozelo, coluna cervical e tronco. Pode haver edema em tornozelo associado, levando à redução da estratégia reativa de tornozelo, menor eficiência nas respostas compensatórias frente a um desequilíbrio.
Alinhamento postural	Tendência à flexão de tronco e membros inferiores, levando à redução dos limites de estabilidade e da capacidade de reação frente a desequilíbrios.
Atenção	Redução da capacidade atencional, dificultando a estabilidade durante a realização de duas ou mais tarefas simultaneamente. Pode acentuar o medo de cair, restrição de atividades e ansiedade.
Respostas antecipatórias	Atraso no tempo de reação para preparação de um movimento voluntário, como para se levantar da cadeira, iniciar a marcha e ultrapassar obstáculos.
Respostas reativas	Aumento do tempo de latência muscular, levando ao atraso da resposta e ineficiência reativa. Passam a usar mais estratégias reativas de quadril e passo, e praticamente não usam mais a de tornozelo.

Além das alterações próprias do envelhecimento, muitas são as alterações decorrentes de patologias como o déficit visual decorrente da catarata, glaucoma e retinopatia diabética; o déficit vestibular pela doença de Meniére ou Vertigem Posicional Paroxística Benigna, muito frequente entre idosos, e alterações somatossensoriais como a neuropatia diabética, pés edemaciados por alterações vasculares (Trombose, Flebite, Erisipela) e presença de calosidades.

Deambular é uma tarefa mais complexa do que manter-se parado, pois exige maior integração entre os sistemas sensoriais e motores. Por isso, muitas quedas ocorrem durante o levantar-se da cama e sair do quarto, durante a caminhada na rua ou enquanto o idoso sobe ou desce uma escada.

É ainda mais dificultada se houver uma outra tarefa envolvida, seja ela cognitiva ou motora. Um exemplo muito comum é o idoso descer uma escada com um objeto nas mãos, ou sentar-se na cadeira enquanto conversa com outra pessoa, ou caminhar na rua conversando com outra pessoa ou olhando para os lados.

Consequências dos déficits de equilíbrio e marcha

Quando um idoso ativo, funcionalmente independente, passa a ter distúrbios do equilíbrio e da marcha, sua primeira providência é, sem orientação nenhuma, adquirir um dispositivo de auxílio à marcha (DAM). Outros, por vergonha ou medo de serem estigmatizados, nem adquirem o DAM, continuam se expondo ao risco de sofrer uma queda e também nem procuram orientação profissional.

Nenhum dos casos é o ideal, mas muitos idosos acham que é normal se sentir mais instável e deixam de diagnosticar causas muitas vezes tratáveis de instabilidade postural. Além disso, esse idoso é o que pode também passar a sofrer quedas recorrentes, caso continue se expondo aos riscos, ou então se tornar dependente, caso passe a restringir sua mobilidade por medo de sofrer quedas.

Após a ocorrência de quedas, a capacidade funcional normalmente se torna prejudicada, tanto pelo medo como pelas consequências físicas decorrentes das quedas, como as fraturas. Esse idoso passa a necessitar de supervisão, auxílio e até mesmo ajuda total de terceiros. Mas, caso não faça reabilitação, a tendência é que passe a se acostumar com a ajuda e, dessa forma, acentua-se a perda de força muscular e de déficit de equilíbrio, dificultando o retorno à independência funcional.

Identificação do risco de quedas

O *guideline*[34] proposto pelas Sociedades Americana e Britânica de Geriatria para prevenção de quedas recomenda que a identificação de idosos com risco iminente de quedas seja feita através da utilização do algoritmo mostrado na **Figura 12.1**.

A partir da identificação desse risco, o idoso deve preferencialmente passar por uma intervenção multifatorial, com o objetivo de identificar os principais déficits e a elaboração de uma intervenção específica para prevenção de quedas, que deve incluir:[35]

- Avaliação e intervenção clínica, como o tratamento dos déficits visuais, de hipotensão postural e do diabetes, entre outros exemplos;
- Adequação medicamentosa;
- Adaptação ambiental;
- Orientações quanto aos riscos comportamentais;
- Intervenção na instabilidade postural e no déficit de marcha.

Essas medidas, em conjunto, mostraram ser muito mais eficazes na prevenção de quedas do que medidas isoladas.

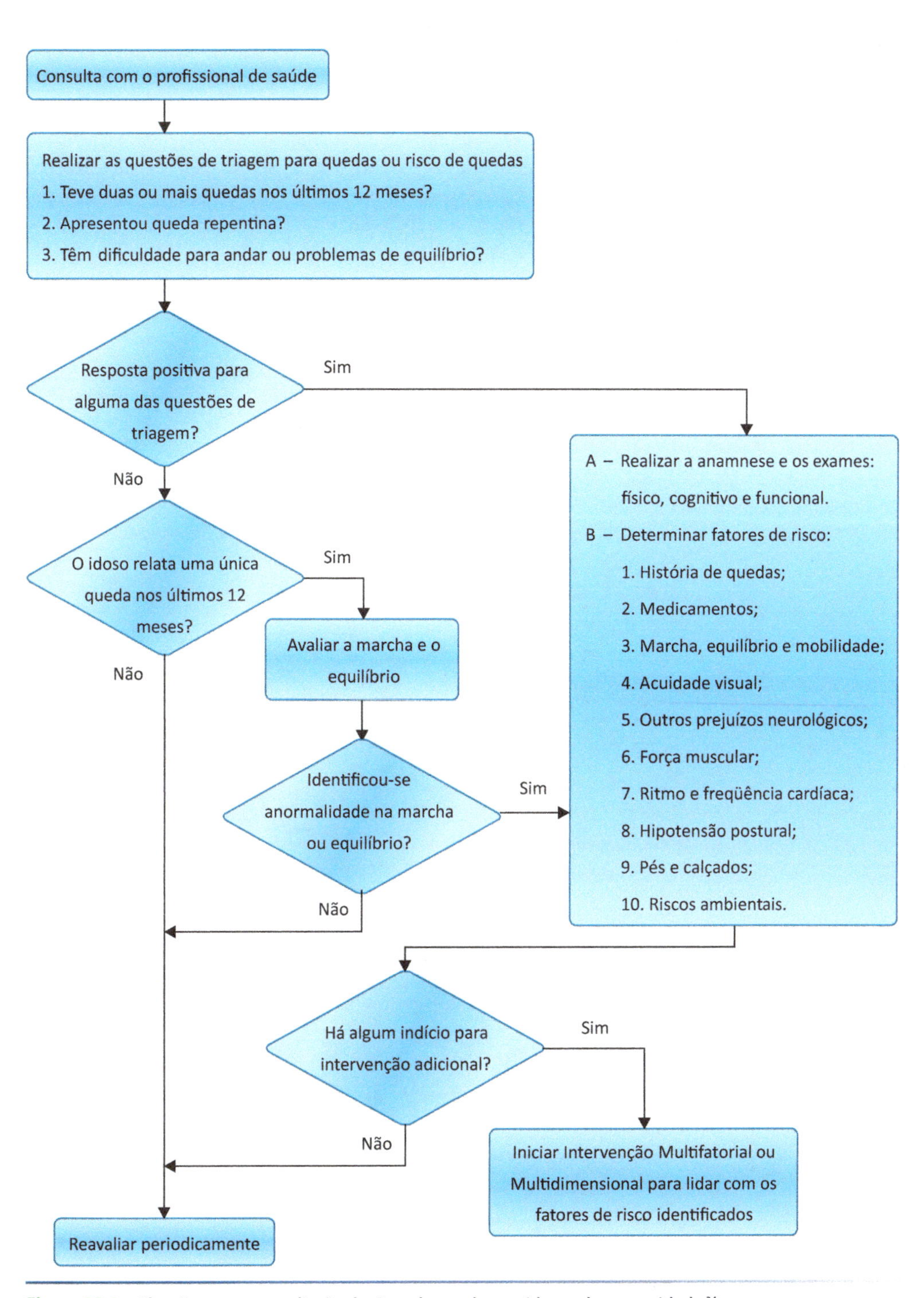

Figura 12.1 Algoritmo para a avaliação do risco de quedas em idosos da comunidade.[34]

Intervenção na instabilidade postural e no déficit de marcha

Na presença de déficit de equilíbrio e de marcha, os exercícios fisioterapêuticos devem objetivar a melhora das condições neuromusculares (força e flexibilidade), articulares (amplitude de movimento), sensoriais, das estratégias (antecipatórias e compensatórias), dos limites de estabilidade, dentro de diversos tipos de ambiente, atividades funcionais e de base de sustentação.[34-37]

As condutas para alcançar estes objetivos devem incluir variações de base de sustentação, exercícios estáticos e dinâmicos, uso de materiais auxiliares, diferentes contextos ambientais, associação com movimentos de membros superiores (MMSS) e tarefas cognitivas.

Os exercícios propostos para cada idoso devem ser individualizados, específicos para os déficits apresentados. A progressão dos exercícios deve ser gradativa, mas realizados com muita prudência (para evitar situações de risco) e bom senso (para não causar frustração, caso o exercício seja muito desafiador).

No **Quadro 12.4**, apresentamos possíveis variações de cada um dos itens citados acima.

Quadro 12.4 Possibilidades de variações nas condutas para melhora da estabilidade

Domínio	Variações
Base de suporte	• pés afastados (largura normal) • pés unidos • um passo à frente • um pé em frente ao outro (*Tandem*) • um pé apoiado no degrau • um pé erguido (unipodal)
Informações visuais	• olhos abertos • olhos fechados • óculos com material embaçante • óculos com privação da visão periférica • lanterna japonesa (cúpula apoiada na cabeça) • movimentação do cenário
Ambiente	• solo estável • mudança de luminosidade • grama, areia, chão molhado • pisos com desenhos que causam confusão visual • rua, calçada • rampa, escada • circuitos com cones
Materiais	• espuma • flutuadores de piscina ("espaguetes") • prancha ortostática anteroposterial e laterolateral • giro-plano • balanço proprioceptivo • bola terapêutica

Continua

Continuação

Domínio	Variações
Membros superiores	• sem movimentação • movimentação ativa (para todas as direções, com ou sem bastão) • bater palmas • tocar os joelhos erguidos • jogar bola para o alto ou para outra pessoa
Tarefas associadas (dupla-tarefa)	• fluência de frutas, animais, localidades, nomes, etc. • evocação de palavras (memória) • resolução de cálculos matemáticos • imitação de gestos • tarefas motoras, principalmente de membros superiores
Marcha	• velocidade normal • aceleração da velocidade • mudança de direção • rotações durante a marcha • aclive/declive, escada • marcha com obstáculos

Todas estas variações podem ser integradas, procurando sempre a progressão quanto ao nível de dificuldade e a aplicação no cotidiano de cada idoso. O objetivo final é que estas condutas sejam aplicáveis no dia a dia do idoso, isto é, que sejam funcionais, que não melhorem apenas o equilíbrio estático, mas também a marcha e a realização das atividades diárias com segurança e estabilidade.

Na presença de distúrbios vestibulares, são utilizados os protocolos de Reabilitação Vestibular que incluem os exercícios de Cawthorne e Cooksey, os exercícios para incrementar a adaptação vestibular e interação vestibulovisual, os exercícios para incrementar a estabilização da postura estática e dinâmica e a estabilização do campo visual (substituição sensorial), estimulações optovestibulares, os exercícios para a estimulação do reflexo vestibulocular (RVO) horizontal e vertical de Davis e O'leary, o protocolo da Associazione Otologi Ospedalieri Italiani, entre outros.[38]

O Protocolo Fisioterapia Aquática para Reabilitação Vestibular (FARV), elaborado a partir dos exercícios de reabilitação vestibular realizados em solo e os métodos de exercícios desenvolvidos para o meio aquático, pode ser também uma possibilidade terapêutica de grande valia.[39]

Mais recentemente, a reabilitação por realidade virtual imersiva e não imersiva tem sido um método inovador e eficiente na reabilitação dos distúrbios do equilíbrio corporal e também elaborar programas de prevenção de quedas. O Balance Rehabilitation Unit®, que é constituído por um Emissor de Imagens Virtuais (óculos 3D) que recria as situações que causam tontura ou vertigem e desequilíbrio corporal e visam alcançar a adaptação de respostas posturais. Os Jogos de Treinamento Postural ("Postural Training Game") por Biorretroalimentação ("Biofeedback"), também disponíveis na BRU®, podem ser utilizados na reabilitação para promover organização sensorial e aperfeiçoar as estratégias de equilíbrio corporal e coordenação motora, de forma lúdica e interativa.[40,41] Tem sido crescente no uso dos sistemas de jogos de vídeo de realidade virtual em reabilitação, como o Nintendo Wii; estes abordam os movimentos físicos, o equilíbrio, a coordenação e o desempenho cognitivo. A efetividade da reabilitação vestibular por realidade virtual foi demonstrada em vários estudos.[42]

Conclusões

Dentre as inúmeras doenças e síndromes geriátricas nas quais a fisioterapia pode intervir, trata-se de uma tarefa árdua escolher aquelas de maior importância. Apesar de suas prevalências serem de nosso conhecimento, nem sempre as mais prevalentes são as mais importantes funcionalmente ou passíveis de reabilitação.

As condutas fisioterapêuticas na especialidade gerontológica raramente seguem protocolos, dada a variabilidade de apresentações clínicas e de repercussão funcional. Cada indivíduo envelhece de uma maneira e, por isso, a intervenção deve ser específica, individualizada, enfocando principalmente a manutenção de sua capacidade funcional.

Referências Bibliográficas

1. Instituto Brasileiro de Geografia e Estatística. Perfil do idoso. Brasília, 2010. Disponível em: www.ibge.gov.br/home/estatistica/populacao/perfilidoso/.
2. Morris JC, Storandt M, Miller JP, et al. Mild Cognitive Impairment represents early-stage Alzheimer's disease. Arch Neurol 2001; 58: 397-405.
3. Petersen RC, Doody R, Kurz A, Mohs RC, Morris JC, Rabins PV, et al. Current concepts in Mild Cognitive Impairment. Arch Neurol 2001; 58(12): 1985-92.
4. Petersen RC (ed). Mild cognitive impairment: aging and Alzheimer's disease. New York: Oxford University Press, Inc, 2003.
5. Porter F, Ousset PJ, Visser PJ, Frisoni GB, Nobili J, Scheltens PH, et al. Mild Cognitive Impairment in medical practice: critical review of the concept and new diagnostic procedure. Report of the MCI working group of the European Consortium on Alzheimer's Disease. J Neurol Neurosurg Psychiatry 2006; 77: 714-18.
6. Ganguli M, Dodge HH, Shen C, DeKosky ST. Mild Cognitive Impairment, amnestic type - an epidemiologic study. Neurology 2004; 63: 121-51.
7. Riley KP, Snowdon DA, Markesbery WR. Alzheimer's neurofibibrillary pathology and the spectrum of cognitive function: findings from the Nun Study. Ann Neurol 2002; 51: 567-77.
8. Petersen RC, Parisi JE, Dickson DW, et al. Neuropathologic features of amnestic mild cognitive impairment. Arch Neurol 2006; 63: 665-72.
9. Petersen RC, Doody R, Kurz A, Mohs RC, Morris JC, Rabins PV, et al. Current concepts im Mild Cognitive Impairment. Arch Neurol 2001; 58: 1985-92.
10. Jicha GA, Parisi JE, Dickson DW, et al. Neuropatologic outcome of mild cognitive impairment following progression to clinical dementia. Arch Neurol 2006: 63: 674-81.
11. Small GW, Kepe V, Ercoli LM, et al. PET of brain amyloid and tau in mild cognitive impairment. N Engl J Med 2006; 355: 2652-63.
12. Baker LD, Frank LL, Foster-Schubert K, Gren PS, Wilkinson CW, McTiernan A, et al. Effects of Aerobic Exercise on Mild Cognitive Impairment: A Controlled Trial. Arch Neurol 2010; 67: 71-9.
13. Geda YE, Roberts RO, Knopman DS, Christianson TJH, Pankratz VS, Ivnik RJ, et al. Physical Exercise and Mild Cognitive Impairment: A Population-Based Study. Arch Neurol 2010; 67: 80-6.
14. Ahlskog JE, Geda YE, Graff-Radford NR, Petersen RC. Physical Exercise as a Preventive or Disease-Modifying Treatment of Dementia and Brain Aging. Mayo Clin Proc 2011; 86: 876-884.
15. Busse AL, Gil G, Santarém JM, Jacob Filho W. Physical activity and cognition in the elderly. A review. Dementia & Neuropsychologia 2009; 3: 204-8.
16. Santos PL, Foroni, PM, Chaves MCF. Physical and leisure activities and it's impact on cognition in aging. Medicina (Ribeirão Preto) 2009; 42: 54-60.
17. Erickson KI, Voss MW, Prakash RS, Basak C, Szabo A, Chaddock L, et al. Exercise training increases size of hippocampus and improves memory. Proceedings of the National Academy of Sciences 2011. 108: 3017.
18. Lautenschlager NT, Cox KL, Flicker L, Foster JK, van Bockxmeer FM, Xiao J, et al. Effect of Physical Activity on Cognitive Function in Older Adults at Risk for Alzheimer Disease. A Randomized Trial 2008. JAMA. 300(9): 1027.
19. American Pshychiatric Association. Diagnostic and statistical manual of mental disorders, 4th edition, text revision. Washington, DC: American Psychiatric Association, 2000.
20. McKhann GM, Knopman DS, Chertkow H, Hyman BT, Jack CR, Kawas CH, et al. The diagnosis of dementia due to Alzheimer's disease: Recommendations from the National Institute on Aging and the Alzheimer's Association workgroup. Alzheimer's & Dementia 2011; 1-7.

21. Herrera EJr, Caramelli P, Silveira AS, Nitrini R. Epidemiologic survey of dementia in a community-dwelling Brazilian population. Alzheimer Disease and Associated Disorders 2002; 16: 103-8.
22. Nitrini R, Caramelli P, Herrera EJr, Bahia VS, Caixeta LF, Radanovic M, et al. Incidence of dementia in a community-dwelling Brazilian population. Alzheimer Disease and Associated Disorders 2004; 18: 241-6.
23. Kato EM & Radanovic M. Fisioterapia nas demências. São Paulo: editora Atheneu, 2007.
24. Bottino CMC, Lopes MA, Hototian SR, Azevedo D, Tatsch M, Folquitto J, Aparício MAM, Bazzarella MC, Litvoc J. Prevalence estimate of dementia in São Paulo: higher than previously reported in Brazil? Dementia and Neuropsychologia 2007; 1(suppl 2): 23.
25. Nitrini R, Bottino CMC. Epidemiologia das demências. *In*: Brucki SMD, Magaldi RM, Morillo LS, Carvalho I, Perroco TR, Bottino CMC, et al. Demências. Enfoque multidisciplinar. Das bases fisiopatológicas ao diagnóstico e tratamento. São Paulo: editora Atheneu, 2011, 41-50.
26. William-Faltaos D, Chen Y, Wang Y, Gobburu J, Zhu H. Quantification of disease progression and dropout for Alzheimer's disease. Int J Clin Pharmacol Ther 2013; 51: 120-31.
27. Waite LM, Broe GA, Grayson DA, Creasey H. Motor function and disability in the dementias. International Journal of Geriatrics and Psychiatry 2000; 15: 897-903.
28. Scarmeas N, Hadjigeorgiou GM, Papadimitriou A, Dubois B, Sarazin M, Brandt J, Albert M, Marder K, Bell K, Honig LS, Wegesin D, Stern Y. Motor signs during the course of Alzheimer disease. Neurology 2004; 63(6):975-82.
29. Pettersson AF, Olsson E, Wahlund LO. Motor function in subjects with mild cognitive impairment and early Alzheimer's disease. Dementia and Geriatric Cognitive Disorders 2005; 19: 299-304.
30. Souren LEM, Franssen EH, Reisberg B. Contractures and loss of function in patients with Alzheimer's Disease. Journal of American Geriatrics Society 1995, 43: 650-5.
31. Allan LM, Ballard CG, Rowan EN, Kenny RA. Incidence and prediction of falls in dementia: a prospective study in older people. PloS One 200; 4: e 5521.
32. Horak FB. Postural orientation and equilibrium: what do we need to know about neural control of balance to prevent falls? Review. Age and Ageing 2006; 35: ii7-ii11.
33. Perracini MR, Gazzola JM. *Balance* em idosos. In: Perracini MR & Fló CM. Funcionalidade em envelhecimento. Rio de Janeiro: editora Guanabara Koogan, 2009, p115-51.
34. American Geriatrics Society/ British Geriatrics Society. Guideline for Prevention of Falls in Older Persons. Disponível no site: (http://www.americangeriatrics.org/health_care_professionals/clinical_practice/clinical_guidelines_recommendations/2010/.
35. Rubenstein LZ. Falls in older people: epidemiology, risk factors and strategies for prevention. Age and Ageing 2006; 35: ii37-ii41.
36. Sherrington C, Whitney JC, Stephen LR, Herbert RD, Cumming RG, Close JCT. Effective exercise for the prevention of falls: A systematic review and meta-analysis. JAGS. 2008;56(12):2234-43
37. Shumway-Cook A, Woollacott MH. Controle Motor - teoria e aplicações práticas. 3ª ed. Barueri: Manole, 2011. 232 p.
38. Ganança MM, Caovilla HH, Ganança FF, Doná F, Branco F, Paulino CA, et al. Como Diagnosticar e Tratar Vertigem. Rev Bras Med. 2008:6-14.
39. Gabilan YPL, Perracini MR, Munhoz MSL, Ganança FF. Fisioterapia Aquática para Reabilitação Vestibular. Acta ORL. 2006;24(1):23-8.
40. Suárez H, Suárez A, Lavinsky L. Postural adaptation in elderly patients with instability and risk of falling after balance training using a virtual-reality system. Int Tinnitus J. 2006;12(1):41-4.
41. Gazzola JM, Doná F, Ganança MM, Suarez H, Ganança FF, Caovilla HH. Realidade virtual na avaliação e reabilitação dos distúrbios vestibulares. Acta ORL. 2009;27(1):22-7.
42. Ganança FF, Gazzola JM, Cunha F. Reabilitação Vestibular e do Equilíbrio Corporal por meio de Realidade Virtual. PRO-ORL. Programa de Atualização v. 2012;6:71-92.

Intervenção Fisioterapêutica na Saúde da Mulher

13

Alessandra Fernanda Loureiro
Ana Carolina Sartorato Beleza

Introdução

A Fisioterapia em Saúde da Mulher foi reconhecida recentemente como especialidade pelo Conselho Federal de Fisioterapia e Terapia Ocupacional por meio da Resolução nº 372, de 6 de novembro de 2009. Particularmente no Brasil, essa área da Fisioterapia é tão nova quanto a própria profissão e está em constante crescimento e aprimoramento.

Anteriormente, tal especialidade era vinculada à nomenclatura Ginecologia e Obstetrícia. Porém, a fim de considerar importantes preceitos históricos e filosóficos que marcam a atuação do fisioterapeuta nesta área, desde o ano 2000 a terminologia foi substituída por "Fisioterapia em Saúde da Mulher".[1]

Fazendo um resgate histórico, podem-se encontrar relatos da presença do fisioterapeuta na equipe obstétrica desde o século passado em países como Inglaterra, África do Sul, Austrália e Canadá.[2] Em Londres, no ano de 1912, a fisioterapeuta Minnie Rendall desenvolveu um programa para puérperas para recuperá-las do parto. Naquele tempo, as mulheres deveriam permanecer em repouso por até 3 semanas após o nascimento do bebê. Mais tarde, Rendall foi incentivada a realizar um trabalho preventivo com gestantes. Foi nesse mesmo país onde foi criada a primeira Associação Obstétrica de Fisioterapeutas Associados.[3]

No continente americano, existem relatos de que o fisioterapeuta iniciou suas atividades relacionadas à preparação para o parto e ao tratamento da incontinência urinária. O primeiro livro norte-americano foi publicado em 1960, com conteúdo voltado ao corpo das mulheres grávidas. Foi somente em 1976 foi criado um departamento de Fisioterapia em Ginecologia e Obstetrícia, ligado à Associação Americana de Fisioterapia.[2]

No Brasil, em 1996, foi publicado o primeiro livro com temas relacionados à área, de autoria de Elza Lucia Baracho Lotti de Souza, constituindo-se em um marco e em uma referência para os profissionais da área.[4] No ano de 2005, durante os trabalhos do XVI Congresso Brasileiro de Fisioterapia, realizado na cidade de São Paulo, profissionais atuantes na área de Assistência à Saúde da Mulher, liderados pela fisioterapeuta Cristine Homsi Jorge Ferreira, fundaram a Associação Brasileira de Fisioterapia em Saúde da Mulher.[1]

Quando se reporta à Fisioterapia em Saúde da Mulher, é necessário refletir sobre algumas questões tais como: qual o conceito de saúde integral da mulher, qual a importância da saúde da mulher e por que a saúde da mulher vai além do sistema reprodutor?

Diversos fatores são relevantes quanto se trata desta população, pois o conceito de saúde é amplo, histórico e complexo. Ele envolve diversas esferas: social; cultural; econômica; biológica; e psicológica. Tais esferas são determinantes para a pré-disposição e desenvolvimento doenças relacionadas à condição feminina.

A visão ampliada de saúde no Brasil, relacionada à mulher, se deu por meio do Programa de Assistência Integral à Saúde da Mulher (PAISM), criado em 1984 pelo Ministério da Saúde. Trata-se de um momento histórico que incorporou o ideário feminista para a atenção à saúde integral.[5]

Atuar nesta especialidade requer conhecimento das condições de saúde da população feminina, o que vai além das questões reprodutivas. Com a expectativa de vida maior das mulheres em comparação à dos homens, um olhar ampliado para esta população justifica-se. As melhorias havidas na saúde de mães e crianças no Brasil evidenciam como o país evoluiu em termos de sistemas de saúde, condições de saúde e determinantes sociais.[6]

Nesse sentido, a atuação do fisioterapeuta ao longo do ciclo vital feminino deve considerar as diversas esferas que compõem a saúde da mulher, bem como os determinantes do meio em que estas vivem. Vale lembrar que as questões de gênero, que definem o "sexo social", devem ser pautadas.

Neste capítulo, pretende-se relacionar os aspectos da cognição e do comportamento com as principais disfunções relacionadas à saúde da mulher.

Disfunções Relacionadas à Saúde da Mulher

A assistência integral à saúde da mulher deve considerar todo o ciclo vital feminino. Neste contexto, um olhar ampliado para além da esfera reprodutiva é fundamental. As questões relacionadas à prevenção e ao tratamento das doenças crônico-degenerativas e o próprio envelhecimento fazem parte do escopo de atuação do fisioterapeuta em Saúde da Mulher.[7]

O Brasil vem passando por profundas transformações nas últimas décadas, o que culminou em maior expectativa de vida da população. Contudo, as mulheres têm sofrido com a falta de políticas de prevenção e tratamento de doenças relacionadas aos aspectos específicos de sua saúde. As melhores condições de vida nem sempre refletem melhores de condições de saúde, expondo as mulheres a alguns riscos, como as doenças crônico-degenerativas, com predomínio das cardiovasculares, da hipertensão arterial, do diabetes, da osteoporose e da osteoartrose.

No grupo da população jovem feminina, a incidência e prevalência da dor pélvica crônica, assim como da dismenorreia, demonstra-se em ascensão. Ambas são condições ginecológicas que proporcionam dor severa na região abdominopélvica, acarretando incapacidade funcional, levando a mulher a procurar tratamento clínico ou cirúrgico. Estima-se que a prevalência gire em torno de 3,8% em mulheres entre 15 e 75 anos, e entre 14 e 24% das em idade reprodutiva. Aproximadamente 10% das visitas ao ginecologista resultam dessas duas condições clínicas ginecológicas, refletindo a importância do impacto que ambas provocam no bem estar dessas mulheres, afetando as atividades de vida diária e laborais e, consequentemente, levando à significativa redução da qualidade de vida.[8,9]

Segundo dados do IBGE,[10] as doenças do aparelho circulatório se destacam como a principal causa de morte no país, tanto em homens como em mulheres em todas as regiões e estados (28,8% para homens e 36,9% para mulheres). A região Sul e o estado do Rio Grande do Sul, em particular, registram as maiores proporções, sendo responsáveis por 40% das mortes de mulheres.

Estudos mostram que o comportamento e o estilo de vida das mulheres interferem diretamente no risco para desenvolvimento de doenças cardiovasculares. Medidas como o índice de massa corporal, circunferência da cintura e relação cintura/quadril mostram que as mulheres brasileiras estão acima do peso e apresentam risco muito aumentado para as doenças cardiovasculares.[11] As repercussões musculoesqueléticas, neurológicas e uroginecológicas de tais doenças são frequentes na prática clínica do fisioterapeuta. Considerar as limitações físicas e funcionais dessas ocorrências, tais como limitações na marcha, perda do controle esfincteriano e disfunções sexuais, é fundamental para o planejamento e sucesso da avaliação e da reabilitação.

Em virtude do crescimento rápido da população feminina com idade superior aos 50 anos, o estudo do climatério e de suas consequências representa grande importância na atualidade. No Brasil, a expectativa de vida ultrapassa os 75 anos para as mulheres. A transição do período reprodutivo para o período não reprodutivo denomina-se climatério.[1]

O hipoestrogenismo, resultado final das alterações morfofuncionais, acaba por ser o responsável pela maioria das manifestações clínicas que advirão neste momento da vida da mulher. Destacam-se aqui, a médio prazo, as alterações urogenitais e da função sexual e, a longo prazo, as doenças cardiovasculares, a osteoporose, a perda de força muscular e alterações cognitivas.[1]

As incontinências urinárias e as disfunções sexuais não são exclusivas das mulheres climatéricas. Sabe-se, atualmente, que mulheres atletas, por exemplo, queixam-se de perda urinária durante os grandes esforços dos treinos e das competições e que partos vaginais traumáticos podem levar a disfunções da musculatura do assoalho pélvico.

A perda de urina pode ser ocasionada por diversos fatores que vão desde as modificações anatômicas e funcionais do sistema urogenital até causas neuropáticas. Aspectos da cognição e do comportamento podem influenciar diretamente o funcionamento da bexiga, prejudicando tanto o armazenamento como o enchimento vesical, tal como ocorre na doença de Alzheimer e na doença de Parkinson.[1]

A prevalência da incontinência urinária pode variar de 10 a 40%, dependendo da faixa etária. Essa condição demanda grande gasto financeiro por parte da mulher, da família e do Estado, afastamento do trabalho, isolamento social e, consequentemente, prejuízos na qualidade de vida.[12]

A queixa de perda urinária pode vir acompanhada de prejuízo na função sexual. Segundo a Organização Mundial da Saúde (OMS), a sexualidade representa um dos quatro pilares que sustentam a qualidade de vida do ser humano. Nesse sentido, o prejuízo causado por determinada disfunção repercute diretamente nos demais pilares da vida da mulher, sendo estes família, saúde e trabalho. No Brasil, estudos revelam que as disfunções sexuais atingem 49% das mulheres.[12,13]

Dispareunia e vaginismo são duas disfunções que o fisioterapeuta encontra comumente em sua prática clínica. A primeira trata-se de queixa de dor durante a relação sexual; já a segunda é uma contração recorrente ou persistente quando se tenta a penetração vaginal. A contração ocorre nos músculos perineais e elevador do ânus e sua intensidade é variada, podendo ser grave, impossibilitando a penetração.[14]

Por fim, não se pode deixar de destacar neste item, uma ocorrência cada vez mais frequente entre as mulheres e que causa profundas modificações em suas vidas: o câncer de mama. O acompanhamento pós-cirúrgico realizado pela fisioterapia tem sido cada vez mais especializado; sendo assim, o conhecimento dos aspectos da doença, as possibilidades de tratamento e as complicações advindas destes devem ser conhecidos a fundo pelo profissional que assistirá a mulher.

De acordo com o Instituto Nacional do Câncer,[15] o câncer de mama é o segundo tipo mais frequente no mundo e o mais comum entre as mulheres. A estimativa para casos novos no ano de 2012 no Brasil foi de 52.680. Infelizmente, as taxas de mortalidade por câncer de mama são elevadas, provavelmente porque a doença ainda é diagnosticada em estádios avançados.

O fisioterapeuta especialista em saúde da mulher deve conhecer estas e outra gama de disfunções, doenças e repercussões não citadas neste capítulo para instituir a melhor terapêutica. O diagnóstico físico-funcional direcionará os objetivos e a melhor conduta fisioterapêutica, sempre considerando a individualidade de cada caso, tal como será visto no item a seguir.

Diagnóstico Físico-Funcional na Saúde da Mulher

A anamnese constitui um dos paradigmas mais presentes na vida dos profissionais da área da saúde, principalmente na fisioterapia. Saber perguntar e ouvir, interpretando e dando continuidade segundo um raciocínio clínico, é um aspecto relevante e misterioso da profissão. Com pacientes que sofrem de algum distúrbio relacionado à saúde da mulher, isso deve estar mais aguçado, pois, muitas vezes, a fisioterapia trata de um problema de grande repercussão emocional e social para a paciente.[16]

A avaliação fisioterapêutica nas disfunções relacionadas à área da saúde da mulher já é iniciada no momento em que conhecemos a paciente, em que a chamamos na sala de espera, observando sua expressão, seu modo de andar, falar e a postura adotada. Mulheres que sofrem de dor crônica (p. ex.: dor pélvica crônica, dismenorreia ou fibromialgia) ou que sofreram algum tipo de abuso sexual acabam adotando postura de proteção, de fechamento e comunicação mais acanhada. O mesmo ocorre em mulheres que sofrem de incontinência urinária que acabam por adotar um comportamento de isolamento social em razão do medo de que as pessoas ao seu redor saibam do seu problema ou que sintam algum odor ocasionado pela perda de urina.

Salienta-se essa alteração de postura e de comportamento também em mulheres grávidas ou que se encontram no período do puerpério, em que há alteração da autoimagem, da percepção e da atitude corporal. Ao longo da gestação, ocorrem diversas mudanças corporais tais como o aumento do peso corporal, as alterações das curvaturas da coluna vertebral, o alargamento da pelve, a presença de edemas e o surgimento de manchas na pele, principalmente no último trimestre gestacional. Essas mudanças levam à alteração da marcha da gestante, deixando-a mais cautelosa. Além disso, em virtude da mudança da imagem corporal, muitas mulheres preferem o biotipo pré-gravidez ou do pós-parto do que o apresentado durante a gestação.[17]

No pós-parto, por causa do retorno do corpo ao estado pré-gravídico e da associação com as modificações que ocorreram ao longo do processo de parturição, as mulheres apresentam alteração da percepção e da imagem corporal uma vez que se sentem mais largas do que realmente são, independente do peso adquirido.[18] Tudo isso pode refletir na forma da abordagem do fisioterapeuta.

Após a apresentação da paciente e das observações preliminares, inicia-se a fase da coleta da história e registro dos dados. Aqui são coletados os dados gerais da paciente, como também, são investigados o tempo da sintomatologia, os sintomas gerais, a queixa principal, a história da moléstia atual, a história ginecológica e obstétrica, os antecedentes pessoais e familiares, as cirurgias pregressas, os fatores agravantes e atenuantes da queixa relatada, como também, as questões voltadas a atividade sexual e ao funcionamento do sistema gastrointestinal.

Em seguida, é realizado o exame físico que é a extensão natural da boa anamnese. Além da análise dos sinais vitais, que inicia o ritual do exame minucioso tornando-se um portal para a confiança e predisposição à colaboração da paciente, alguns aspectos devem ser observados também:[16,19,20]

- Exame das mamas: esta etapa se faz necessária quando a mulher procura o atendimento por repercussões causadas pelo câncer de mama. A inspeção e a palpação buscarão identificar da pele e da musculatura relacionada a mama. A observação da ferida cirúrgica e do dreno é importante. Na presença da dor, a paciente pode adotar posturas antálgicas, limitações de ADM, força muscular e alteração do seu padrão respiratório. Deve-se observa o aspecto da cicatriz, presença de deiscências, seromas, dentre outros. Vale correlacionar tais achados com a avaliação do membro homolateral à cirurgia em busca de linfedemas.

- Exame abdominal: Inspeção, palpação e percussão. Frequentemente pode-se identificar condições gerais que acabam repercutindo na queixa trazida pela mulher, como processos dolorosos abdominais, tumorações abdominais e, em casos mais raros, cicatrizes aderidas e ou queloideanas de eventuais correções cirúrgicas prévias.
- Exame do dorso: Com análise meticulosa da linha média da coluna a procura de cicatrizes anteriores, como também, da presença de aumento de tensões musculares e ou ponto-gatilho e ou zonas de aderência das fáscias.
- Exame da cintura pélvica: Geralmente este exame é realizado por meio da avaliação postural que é procedimento de rotina para o fisioterapeuta. Pode-se classificá-la em equilíbrio, em anteroversão ou retroversão. O posicionamento da pelve possui estreita relação de dependência com os músculos do assoalho pélvico (MAP). Muitas disfunções que ocorrem na cintura pélvica podem interferir negativamente na biomecânica da pelve, acarretando em desordens musculoesqueléticas dos músculos abdomino-pélvicos, como também, no desempenho da função e tônus dos MAP.

Vale salientar que se for observado nos exames anteriores (palpação abdominal, do dorso e da cintura pélvica) a reação de proteção ou esquiva ou fobia em relação ao toque, a avaliação perineal assim como o exame neurológico e ginecológico deverão ser realizados posteriormente, à medida com que o tratamento vai evoluindo e a paciente demonstrando confiança e segurança com a fisioterapeuta. Caso contrário, a sequencia de avaliação segue o curso normal.

- Exame do períneo: Também conhecido como inspeção perineal. É a avaliação prévia ao exame ginecológico propriamente dito. Neste exame atentamos para a presença de cicatrizes perineais, episiorrafias, coloração e trofismo da vulva, alterações clitoridianas e presença de eucorreia.
- Exame neurológico: É de suma importância a inclusão da avaliação neurológica pélvica-perineal no exame físico, uma vez que determinadas patologias como, por exemplo, lesão da cauda equina, Parkinson, diabetes, esclerose múltipla e traumatismos raquimedulares podem alterar esses reflexos traduzindo-se em uma ampla manifestação clínica, como os distúrbios urinários, flatos vaginais, incontinência fecal e processos dolorosos no períneo. Além disso, esta avaliação proporciona a pesquisa de alguns reflexos regionais que permitem avaliar as raízes sacrais e, com isso, identificar se eles se encontram normais, diminuídos ou exacerbados. Os principais reflexos a serem avaliados são: o reflexo cutâneo-anal, reflexo bulbocavernoso e o reflexo da tosse, este último voltado para as mulheres com incontinência urinária. Além da avaliação dos reflexos, o exame neurológico também nos permite avaliar a sensibilidade da região dos adutores da coxa, glúteos e vulva, analisando se os mesmos estão aumentados, diminuídos ou inalterados.
- Exame ginecológico: Após a inspeção e exame neurológico completo é realizada a avaliação ginecológica para verificar a presença de distopias genitais, avaliar o trofismo e, principalmente, o tônus dos MAP. Músculo com tônus aumentado pode gerar espasmos musculares e ponto-gatilho acarretando em queixas dolorosas tanto para os músculos pélvicos quanto para os músculos perineais. Já os músculos com tônus diminuído podem acarretar em fraqueza dos MAP ocasionando queixas de perda de urina e ou fezes, flatos vaginais e disfunções sexuais.

A Avaliação Funcional do Assoalho Pélvico (AFA) proposta por Contreras Ortiz em 1996[21] é uma das escalas utilizadas pelos fisioterapeutas no que tange à avaliação dos MAP. Este autor descreveu este exame em duas partes: avaliação objetiva e avaliação subjetiva. A avaliação objetiva é feita por meio da observação direta das contrações perineais voluntárias, e a subjetiva é a percepção tatilpalpatória dessas contrações por meio do toque bidigital no intróito vaginal.

Tal procedimento permite a graduação exemplificada no Quadro 13.1.

Além da Avaliação Funcional do Assoalho Pélvico proposta por Ortiz a avaliação da função dos MAP pode ser realizada pelo sistema de graduação modificada de Oxford, desenvolvida por Laycock[22], que tem sido o sistema utilizado mundialmente com maior frequência pelos fisioterapeutas na prática clínica, sendo que a graduação é feita da seguinte forma, conforme ilustra o Quadro 13.2.

A avaliação da função dos MAP por sua vez, também pode ser associada com recursos que promovam o *biofeedback* da contração muscular, como a perineometria, cones vaginais e eletromiografia.

O *biofeedback* é definido com um equipamento usado para mensurar efeitos fisiológicos internos ou condições físicas das quais o indivíduo não tem conhecimento.[23] É um método de avaliação e reeducação que utiliza retroinformação externa como meio de aprendizagem. Seu objetivo, por definição, é a conscientização perineal, seja para o relaxamento ou reforço dos músculos do assoalho pélvico.[24]

Como recurso avaliativo, o *biofeedback* auxilia no fechamento do diagnóstico, visto que sugere presença de disfunções do assoalho pélvico.[25] É um instrumento que torna a avaliação mais lúdica e interativa uma vez que os sinais de contração captados são transformados em sinais sonoros ou visuais, estimulando a paciente para o tratamento e tornando o mesmo menos enfadonho.

Para Kari Bo[26] o principal objetivo fisioterapêutico da avaliação é identificar os fatores físicos e emocionais envolvidos na questão, para assim, tratar e melhorar as queixas relatadas.

Ainda, o fisioterapeuta deverá realizar os demais exames e testes específicos que compõem a avaliação, a fim de completar o diagnóstico físico funcional. Cita-se: avaliação da força

Quadro 13.1 Avaliação funcional do assoalho pélvico proposta por Ortiz, 1996[21]

Grau	Função
0	Sem função perineal objetiva nem à palpação.
1	Função perineal objetiva ausente e débil à palpação.
2	Função perineal objetiva débil, reconhecida à palpação.
3	Função perineal objetiva presente e resistência opositora mantida por menos que 5 segundos na palpação.
4	Função perineal objetiva presente e resistência opositora mantida por menos que 5 segundos na palpação.

Quadro 13.2 Avaliação dos músculos do assoalho pélvico segundo graduação de Oxford[22]

Grau	Função Perineal
0	Ausência de contração
1	Esboço de contração
2	Contração fraca
3	Contração moderada (com elevação)
4	Contração boa (com elevação)
5	Contração forte (com elevação)

muscular, avaliação dos encurtamentos musculatares, goniometria, avaliação da marcha, aplicação de testes especiais, equilíbrio, coordenação, dentre outros.

Além disso, o registro da consulta pode e deve, na medida do possível, ser composta por modelos de questionários que visam a reprodutibilidade e universalidade dos dados. Esses questionários são voltados geralmente para avaliação do impacto que a disfunção traz para a vida dessas mulheres, acarretando em aspecto negativo seja na qualidade de vida geral, na vida sexual ou conjugal ou na intensidade da dor relatada.

Existem vários questionários validados para a língua portuguesa e voltados para cada disfunção específica da saúde da mulher. Dentre eles, podemos citar o questionário de dor de McGill,[27] o Female Sexual Function Index (FSFI),[28] o Questionário de Impacto da Fibromialgia (FIQ),[29] o questionário genérico de qualidade de vida Whoqol-Bref[30] e o questionário King´s Health Questionnaire[31] que avalia de forma específica a qualidade de vida nas mulheres com incontinência urinária.

Os registros por meio dos questionários auxiliam o fisioterapeuta tanto na primeira avaliação quanto nas reavaliações ao longo do tratamento proposto, ilustrando ou não eficácia da técnica escolhida e a necessidade da redefinição dos objetivos e estratégias de atendimento.

Tratamento Fisioterapêutico na Saúde da Mulher

Assim como na avaliação, o tratamento fisioterapêutico voltado para a saúde da mulher deve ser minucioso e respeitar a individualidade de cada paciente. Considerando os aspectos da cognição e do comportamento ligados às disfunções relacionadas ao corpo feminino, a combinação de diversas técnicas fisioterapêuticas será necessária para que sejam alcançados os objetivos traçados. Fatores como a percepção, a memória, o raciocínio, o equilíbrio e a coordenação podem ser estimulados e potencializados durante a aplicação das técnicas.

O conhecimento das capacidades e das limitações da mulher, evidenciados durante a avaliação fisioterapêutica, pode nortear o profissional na escolha da melhor terapêutica. Algumas mulheres por constrangimento gerado pela sua condição clínica ou ainda outras que passaram por eventos traumáticos ao longo da vida, acabam adotando uma postura mais conservadora e de receio ao toque, demonstrando que recursos como a cinesioterapia podem ser mais indicados em uma fase inicial da reabilitação do que outros que utilizariam diretamente o toque, por exemplo.

A cognição também envolve o conhecimento do corpo, o conceito corporal, o esquema corporal e a representação corporal. Tais aspectos devem considerados pelo fisioterapeuta ao propor um tratamento, pois as disfunções relacionadas à saúde da mulher modificam claramente a imagem e o esquema corporal das mesmas e interferem nos resultados que se quer alcançar. Pode-se citar, por exemplo, a intensa transformação que o corpo feminino sofre durante a gravidez e o pós-parto, durante um período curto de tempo.

A fisioterapia apresenta uma gama de recursos que podem ser utilizados nas diversas condições, situações e diagnósticos relacionados a saúde da mulher. Neste capítulo serão citados àqueles mais frequentemente utilizados na prática clínica.

A cinesioterapia tem como definição ser a terapia pelo movimento. É um recurso fisioterapêutico que trabalha com a consciência corporal, autoconhecimento e comportamento.[19] É uma técnica de fácil aplicabilidade, baixo custo, de grande aceitação, de menor risco e desconforto e que depende mais da criatividade e dinamismo do fisioterapeuta do que da paciente.

A finalidade deste recurso é mobilizar o corpo do indivíduo como um todo, abrangendo vários sistemas, como por exemplo, o articular (prevenção da rigidez), muscular (estimulação de um músculo ou grupo muscular diminuindo as contraturas), nervoso (restituição da imagem motora), circulatório (nutrição dos tecidos) e psíquico (melhora da autoestima e confiança).[19]

A cinesioterapia pode ser empregada em diversas condições clínicas como: no ciclo gravídico puerperal, no tratamento das doenças crônico degenerativas, na melhora dos sintomas da fibromialgia e na reeducação uroginecológica. Além dos exercícios clássicos, exercícios com bola terapêutica, técnicas de reeducação respiratória, alongamento e fortalecimento podem ser associadas.

Quando o tratamento é focado na pelve, a cinesioterapia tem como um dos objetivos devolver à mulher a percepção dessa região. Frequentemente os processos crônicos de dor e/ou rigidez instalada podem gerar transtornos musculoesqueléticos. Especificamente para a reabilitação da musculatura do assoalho pélvico, nas incontinências urinárias, a cinesioterapia é a terapêutica de primeira escolha, considerada padrão outro pela Sociedade Internacional de Incontinência, conforme ilustrado nas Figuras 13.1 e 13.2.[32]

A cinesioterapia também é amplamente realizada no pós-operatório de câncer de mama e/ou ginecológico. Os principais objetivos são: reabilitar o membro homolateral à cirurgia, prevenir ou tratar complicações como aderências, diminuição da força muscular e da amplitude de movimento e linfedema. Nestes casos, os exercícios podem devolver e melhorar a função do membro acometido, promovendo independência das atividades de vida diária, melhorando autoestima e o bem estar.[20]

A cinesioterapia pode ser feita de forma individual ou em grupo. Quando realizada em grupo se torna mais lúdica, promove troca de experiências entre as mulheres, maior incentivo ao tratamento, maior atenção, raciocínio e expressividade.

Deve-se destacar que na prática clínica do fisioterapeuta, o método Pilates tem sido amplamente utilizado. Apenar de poucas evidencias científicas serem encontradas ainda na literatura, a prática clínica tem mostrado boa aceitação e adesão ao tratamento. Os exercícios propostos por Joseph Hubertus Pilates (1880-1967) compreendem exercícios de alongamento, relaxamento, flexibilidade, reforço muscular, equilíbrio e coordenação que juntos buscam a estabilização lombo-pélvica. Além disso, para realizar esta técnica é fundamental que a mulher trabalhe de forma associada a respiração e concentração.

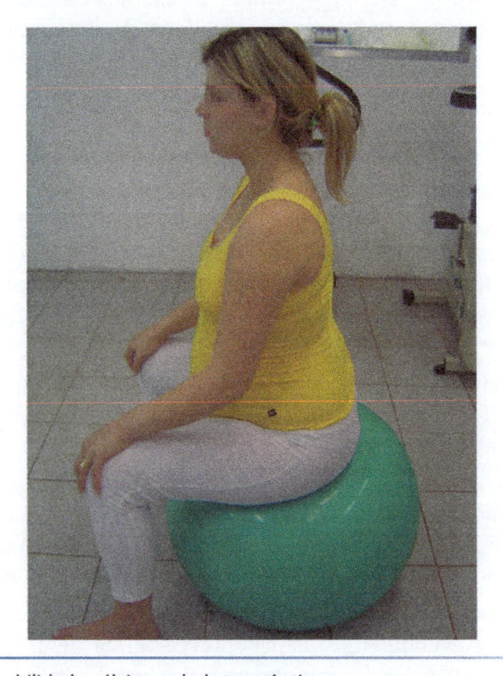

Figura 13.1 Exercício de mobilidade pélvica na bola terapêutica.
Fonte: Arquivo pessoal das autoras.

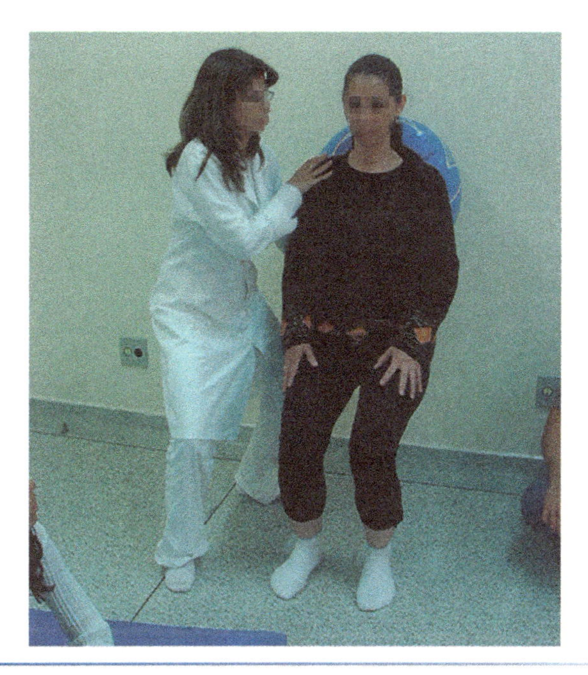

Figura 13.2 Exercício de agachamento com auxílio da bola terapêutica.
Fonte: Arquivo pessoal das autoras.

Além da cinesioterapia e suas variações de técnicas específicas, pode-se destacar também os recursos terapêuticos manuais. Estas são técnicas aplicadas em várias condições clínicas que vão desde a falta de percepção da contração dos músculos do assoalho pélvico ou o aumento da tensão dos mesmos, condições dolorosas ocasionadas pela fibromialgia, dor pélvica crônica e dispareunia até nas aderências da cicatriz e da fáscia muscular ocasionadas pela cirurgia de remoção do tumor de mama.

Dentre os recursos terapêuticos manuais ressalta-se a liberação miofascial, sendo esta uma técnica de fácil aplicabilidade e que proporciona grande efeito de relaxamento, analgesia e reestruturação corporal.[33] A liberação miofascial promove a permissão gradativa ao toque terapêutico e à medida com que a paciente vai relaxando e se entregando ao tratamento estabelece-se um vínculo terapeuta-paciente positivo. Algumas mulheres durante a realização desta técnica podem apresentar choros, tremores e sensação de sonolência e, após a sessão, sensação de leveza, bom humor, bem estar e maior disposição (Figura 13.3).

Além da técnica citada anteriormente, quando a queixa trazida estiver relacionada às disfunções dos músculos do assoalho pélvico e quando não houver mais fobia ao toque terapêutico, as técnicas manuais focadas no períneo passam a ser indicadas. Estas têm como objetivo proporcionar conscientização da região, bem como otimizar a contração muscular, desenvolver de força e o relaxamento. Dentre essas técnicas, podemos citar a massagem perineal, também chamada de liberação miofascial perineal, e *stretching-reflex*.[25]

Pode-se utilizar em determinados casos o *biofeedback* que é uma forma de aprendizado ou de reeducação que permite com que a paciente tenha a percepção consciente de uma função, contração muscular por meio de estímulos sonoros, táteis ou visuais.[34] É um recurso muito utilizado na reabilitação do assoalho pélvico, principalmente, nos casos em que a mulher apresenta ausência ou redução da consciência de contração ou força dos músculos perineais, situação esta encontrada na incontinência urinária, disfunções sexuais femininas (transtorno de excitação e orgasmo) e distopias genitais.

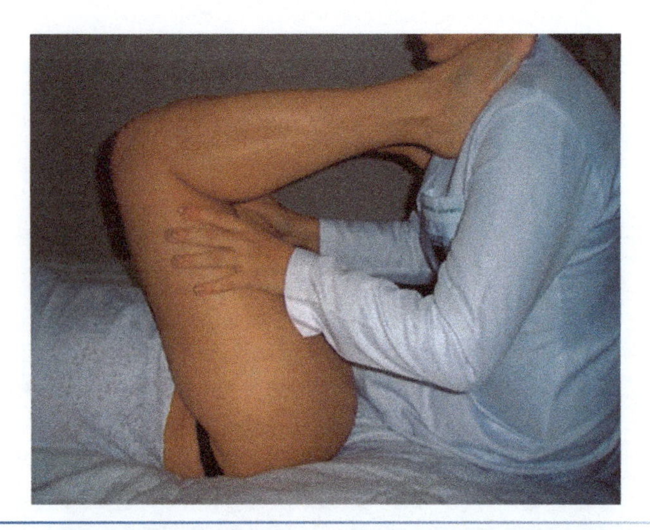

Figura 13.3 Manobra miofascial posterior de coxa.
Fonte: Arquivo pessoal das autoras.

Este recurso pode ser associado à cinesioterapia do assoalho pélvico, uma vez que 30% das mulheres não compreendem a contração dos músculos perineais, tornando-se um instrumento importante de estímulo e aprendizado. Pelas respostas à contração se transformarem em gráficos, desenhos, som ou percepção tátil, o *biofeedback* acaba trabalhando no desenvolvimento do lado lúdico da paciente, assim como, da atenção, concentração, memória de contração muscular e percepção, possibilitando maior motivação da paciente ao tratamento fisioterapêutico quando a mesma identifica as contrações efetivas por meio dos registros do aparelho.[25]

É importante comentar que os equipamentos mais utilizados em nosso meio são o perineômetro e o eletromiógrafico. O perineômetro possui uma sonda vaginal acoplada a um manômetro e esta capta a pressão do canal vaginal e a transforma em sinais luminosos no aparelho e, o eletromiógrafo por sua vez, é um equipamento mais sofisticado que possui sonda vaginal e/ou anal e eletrodos de superfície acoplados a um software que fornece gráficos e/ou desenhos das contrações do assoalho pélvico e dos grupos sinérgicos, permitindo isolar esses grupos musculares e treinar somente a musculatura perineal. Além desses aparelhos, há outros instrumentos que proporcionam o mesmo trabalho de *feedback* tais como o cone vaginal, treinamento com tubos e os recursos manuais (auto-toque genital, *stretching-reflex*, massagem perineal, entre outras).

No caso de disfunções relacionadas ao assoalho pélvico e ao sistema urinário, o fisioterapeuta dispões de uma que compreende a reeducação dos hábitos miccionais. Esta compreende a análise e modificação dos hábitos urinários e de ingesta líquida com o objetivo de reeducar os padrões miccionais inadequados.[34] Basicamente é utilizada para os casos de reeducação vesical. Neste caso, busca-se a mudança dos hábitos alimentares e comportamentais que influenciam na função vesical, como por exemplo, a marcação de micção programada, a redução da ingestão de alimentos irritativos da bexiga (frutas ácidas, sucos de frutas ácidas, chocolate, adoçante, chás cafeínados, café e refrigerantes), regularização dos hábitos intestinais e diminuição da ingestão excessiva de líquidos no período da noite.

Diversos outros recursos estão à disposição do fisioterapeuta para o tratamento das disfunções relacionadas à saúde da mulher. A avaliação acurada e a definição dos objetivos a curto, médio e longo prazo poderão determinar em qual fase deverão ser utilizados os diversos recursos. A fisioterapia em Saúde da Mulher necessita avançar nas evidências científicas sobre determinados disfunções e seus respectivos tratamentos. Ainda existe a necessidade de investigação e pesquisa científica sobre diversos recursos utilizados na clínica relacionada a este grupo.

Conclusão

Diante das considerações realizadas neste capítulo, que buscou abordar a atuação do fisioterapeuta na área de saúde da mulher, destaca-se a importância da atuação do mesmo com uma visão mais abrangente, relacionada ao comportamento, cognição, atitudes demonstradas pelas mulheres que buscam este tratamento, uma vez que podem elucidar, direcionar à uma avaliação mais completa e, consequentemente, a um melhor tratamento.

Referências Bibliográficas

1. Ferreira CRJ. Fisioterapia na Saúde da Mulher: teoria e prática. 1 ed. Rio de Janeiro: Ed Guanabara Koogan, 2011. 439p.
2. Stephenson R, O'Connor LJ. Fisioterapia aplicada à ginecologia e obstetrícia. 2 ed. Barueri, SP: Manole, 2004. 520 p.
3. Polden M, Mantle J. Fisioterapia em Ginecologia e Obstetrícia. 2° ed. São Paulo: Ed. Santos,1997. 440 p.
4. Sousa ELB. Fisioterapia em obstetrícia e aspectos da neonatologia. Ed. Health. 1996.
5. Brasil. Ministério da Saúde. Saúde da mulher. Acessado em: 23 de agosto de 2013. http://portal.saude.gov.br/portal/saude/visualizar_texto.cfm?idtxt=25236.
6. Victora CG, Aquino EML, Leal MC, Monteiro CA, Barros FC, Szwarcwald CL. Saúde de mães e crianças no Brasil: progressos e desafios. The Lancet. 2011.
7. IOPTWH - International Organization of Physical Therapists in Women's Health. Scope of practice. June. 2013.
8. Montenegro MLLS, Gomide EB, Mateus-Vasconcelos EL, Silva JCR, Reis FJC, Nogueira AA, Polineto OB (b). Abdominal myofascial pain syndrome must be considered in the differential diagnosis of chronic pelvic pain. Eur J Obst Gynecol Reprod Biol. 2009, 147: 21-24.
9. Howard FM. Chronic pelvic pain in women. The American Journal of Manage Care 2001; 7: 1001-1013.
10. IBGE. Síntese de Indicadores Sociais confirma as desigualdades da sociedade brasileira. 2002. Acessado em 23 de agosto. 2013. http://www.ibge.gov.br/home/presidencia/noticias/12062003indic2002.shtm.
11. Gallon CW, Wender COM. Estado nutricional e qualidade de vida da mulher climatérica/Nutritional status and quality of life of climacteric women. Rev. bras. ginecol. obstet; 34(4): 175-183, abr. 2012.
12. Baracho E. Fisioterapia aplicada à Saúde da Mulher. 1 ed. Rio de Janeiro. Guanabara Koogan. 2012. 444p.
13. Abdo CH, Oliveira WM, Moreira ED, Fittipaldi JAS. Prevalence of sexual dysfunction and correlated conditions in a sample of Brazilian women: results of the Brazilian study on sexual behavior (BSSB). Int J Impot Res. 2004;16:160-6.
14. Aveiro MC, Garcia APU, Driusso P. Efetividade de intervenções fisioterapêuticas para o vaginismo: uma revisão da literatura. Fisioter. Pesqui. 2009, 16: 279-283.
15. Instituto Nacional do Câncer. Tipos de câncer: mama. Acessado em 28 de agosto de 2013. http://www2.inca.gov.br/wps/wcm/connect/tiposdecancer/site/home/mama.
16. Guide HGC, Silveira SRB, Ribeiro RM, Haddad JM. Avaliação clínica. IN: Reabilitação do assoalho pélvico nas disfunções urinárias e anorretais. Ed. Segmentofarma, São Paulo, 2005.
17. Strang VR, Sullivan PL. Body image attitudes during pregnancy and the postpartum period. J Obstet Gynecol Neonatal Nurs; 14(4): 332-7, 1985.
18. Morin KH, Brogan S, Flavin SK. Attitudes and perceptions of body image in postpartum African American women. Does weight make a difference? MCN Am J Matern Child Nurs; 27(1): 20-5, 2002.
19. Oliveira C. Efeitos da cinesioterapia no assoalho pélvico durante o ciclo gravídico-puerperal. Dissertação (mestrado) – Faculdade de Medicina da Universidade de São Paulo, Departamento de Ginecologia e Obstetrícia. São Paulo, 2006.
20. Gomide LB, Meirelles MCCC. Reabilitação da mulher submetida ao tratamento da neoplasia mamária: fase hospitalar. In: Ferreira CHJ. Fisioterapia na Saúde da Mulher: Teoria e Prática. Rio de Janeiro: Guanabara Koogan; 2011: 360-371.
21. Ortiz OC, Nunez FC, Ibañez G. Evaluacion functional del piso feminino (Classificacion Funcional). Bol Soc Latinoam Uroginecol Cir Vaginal. 1996; 1(3/4):5-9.
22. Laycock J. Clinical evaluation of the pelvic floor. In: Schussler B, Laycock J, Norton P, et al. Pelvic Floor Reeducation. London: Springer-Verlog. 1994.
23. Moreno AL. Fisioterapia em uroginecologia. Ed. Manole, Barueri, 2004.
24. Pinheiro B, Franco GR, Feitosa SM, Yuaso DR, Castro RA, Girão MJBC. Fisioterapia para consciência perineal: uma comparação entre as cinesioterapias com toque digital e com auxílio do biofeedback. Rev Fisioter Mov. 2012; 25(3): 639-648.

25. Chiarapa TR, Cacho DP, Alves AFD. Tratamento fisioterápico. In: Incontinência urinária feminina: assistência fisioterapêutica e multidisciplinar. Ed. Livraria Médica Paulista, São Paulo, 2007.
26. Kari B. Evidence-based Physical Therapy for the Pelvic Floor: Bridging Science and Clinical Practice. 1 ed. Philadelphia: Ed. Elsevier Ltd, 2007. 435p.
27. Castro CES. A formulação linguística da dor: Versão Brasileira do Questionário McGill de Dor. São Carlos, 1.999. 256 p. Dissertação de Mestrado - Centro de Ciências Biológicas, Universidade Federal de São Carlos.
28. Pacagnella RC, Martinez EZ, Vieira EM. Validade de construto de uma versão em português do Female Sexual Function Index. Cad. Saúde Pública. Rio de Janeiro. 2009; 25(11): 2333-2344.
29. Marques AP, Santos AMB, Assumpção A, Matsutani LA, Lage LV, Pereira CAB. Validação da Versão Brasileira do Fibromyalgia Impact Questionnaire (FIQ). Rev Bras Reumatol. 2006; 46 (1): 24-31.
30. Fleck MPA, Louzada S, Xavier M, Chachamovich E, Vieira G, Santos L, Pinzon V. Aplicação da versão em português do instrumento abreviado de avaliação da qualidade de vida "WHOQOL-bref". Rev Saúde Pública. 2000; 34(2):178-183.
31. Fonseca ESM, Camargo ALM, Castro RA, Sartori MGF, Fonseca MCM, Lima GR, Girão MJBC. Validação do questionário de qualidade de vida (King's Health Questionnaire) em mulheres brasileiras com incontinência urinária. Rev Bras Ginecol Obstet. 2005; 27(5): 235-242.
32. Abrams P, Andersson L, Birder L, Brubaker L, Cardozo C, Chapple A, et al. Fourth international consultation on incontinence recommendations of the international scientic committee: evaluation and treatment of urinary incontinence, pelvic organ prolapse, and fecal incontinence. Neurourol Urodyn. 2010;29:213-240.
33. Bienfait M. Fáscias e pompages: estudo e tratamento do esqueleto fibroso. São Paulo: Ed. Summus, 1999.
34. Andersen JT, Blaivas JG, Cardozo L, Thűroff J. Lower urinary tract rehabilitation techniques: seventh report on the standardisation of terminology of lower urinary tract function. Int J Urogynecol. 1992; 3:75-80.

Intervenção Fisioterapêutica nos Transtornos Musculoesqueléticos

14

Mariana Kátia Rampazo Lacativa
José Luiz Marinho Portolez

Introdução

Rotineiros na prática fisioterapêutica, os transtornos musculoesqueléticos apresentam diversas características clínicas e funcionais e acometem diferentes segmentos. Devido à pluralidade de apresentações, esses transtornos, oriundos de desordens musculares, articulares ou ósseas, também geram uma gama de perfis individuais, ou seja, diferentes apresentações psicológicas, cognitivas, sociais e comportamentais podem ser encontradas no cotidiano desse profissional.

Nesse contexto, conhecer e entender multidimensionalmente uma afecção musculoesquelética traz consigo a ideia de incorporar os aspectos cognitivos e comportamentais envolvidos nos diferentes tipos de acometimentos musculoesqueléticos. Dessa maneira, a atuação da fisioterapia deve prever uma abordagem multifatorial, com o intuito de englobar, nas ações avaliativas e intervencionistas, os aspectos cognitivos e comportamentais presentes nos transtornos musculoesqueléticos para, assim, compreender as características do agravo e primar pela efetividade do seu tratamento.

No leque de afecções musculoesqueléticas, é possível elencar as de origem reumatológica, posturais, traumáticas, assim como as relacionadas ao esporte, trabalho e envelhecimento, entre outras.

As lesões musculares estão entre as queixas mais comuns no atendimento ortopédico, ocorrendo tanto em atletas como em não atletas.[1] Entre as doenças reumáticas com alta prevalência, algumas como a osteoartrite (OA), sofrem mudança nos seus índices conforme o envelhecimento da população. A OA afeta mais de 80% dos indivíduos com mais de 50 anos de idade, mas também acomete indivíduos mais jovens, consequente a alguma lesão ou a estresse repetitivo.[2] Já a síndrome da fibromialgia (SFM) concentra seu índice de prevalência em aproximadamente 2% nos adultos, chegando a atingir 6% nas crianças em idade escolar.[3]

Outro índice que merece destaque e atenção entre as dores de ordem musculoesquelética é a dor lombar (lombalgia). É considerada a mais prevalente tendo em vista que, em alguma época da vida, de 70 a 85% dos indivíduos sofrerão dor na coluna.[4] No Brasil, dados referentes à prevalência de dor lombar crônica na região do Sul do país são demonstrados em um estudo de base populacional, realizado na zona urbana de Pelotas, Rio Grande do Sul. Seu índice alcançou 4,2% da população.[5]

Este capítulo abordará, inicialmente, a dor musculoesquelética e suas manifestações clínicas e cognitivas. Em seguida, a síndrome da fibromialgia (SFM) e as lesões musculares no esporte serão abordadas nos contextos fisiopatológicos, funcionais e cognitivos, bem como, as intervenções fisioterapêuticas para esses casos.

Dor Musculoesquelética e Cognição

A dor é um fenômeno complexo afetado por fatores biológicos, psicológicos e sociais. É sempre subjetiva e cada indivíduo aprende e utiliza este termo a partir de suas experiências.[6,7]

Seu conceito foi definido pela International Association for the Study of the Pain como "uma experiência sensorial e emocional desagradável associada a uma lesão tecidual presente ou potencial, descrita relativamente a essa lesão".[6,7] Pode ser aguda, de curta duração, ou crônica, quando persiste por mais de 3 meses.[8]

Dados internacionais revelam que os custos relacionados ao tratamento da dor crônica alcançam, por ano, cerca de U$635 milhões e consideram as condições de dor relacionadas às doenças reumáticas e afecções musculoesqueléticas uma questão importantíssima para a saúde pública.[9] A maioria das condições de dor reumática e musculoesquelética é crônica e exige uma compreensão multidimensional para garantir uma gestão de longo prazo eficaz da dor.[10]

Concomitantemente à dor, aguda ou crônica, algumas manifestações de outros sintomas de diferentes ordens podem ocorrer como alterações nos padrões de sono, apetite e libido, manifestações de irritabilidade, alterações de energia, diminuição da capacidade de concentração, sintomas depressivos, restrições na capacidade para as atividades familiares, profissionais e sociais. No caso da dor crônica, a persistência da dor prolonga a existência desses sintomas, podendo exacerbá-los.[11]

Alguns autores consideram que as mulheres com dor crônica, por acometimentos articular, lombar, muscular ou SFM e também com depressão, apresentam mais dificuldades em atividades cognitivas quando comparadas com aquelas sem depressão. As atividades identificadas foram: tomada de decisões; realizar uma única tarefa; focar a atenção e déficits relacionados à memória.[12]

No contexto do tratamento da dor crônica de origem musculoesquelética, este se torna mais efetivo quando abordado multidisciplinarmente, consistindo em intervenções tanto farmacológicas como não farmacológicas que, por sua vez, são baseadas nas características e particularidades da doença, da dor, nos aspectos psicológicos e no estilo de vida de cada indivíduo acometido.[10]

Na perspectiva de que a dor deve ser compreendida como uma interação complexa de fatores biológicos, psicológicos e sociais, considera-se que esses fatores podem também determinar a severidade da dor, sua relação com a mesma, sofrimento e a incapacidade.[10]

As intervenções não farmacológicas tornam-se elementos essenciais no processo de compreensão da dor crônica. Entre elas, estão a terapia cognitiva comportamental (TCC), a atividade física, treinos de flexibilidade, treinos de força, exercícios aeróbicos, educação, as práticas alternativas e complementares, como a acupuntura, *tai chi chuan* e a meditação.[10]

A TCC tem como objetivo ajudar pacientes a serem capazes de avaliar o impacto da dor nas suas vidas, encorajando-os a manter a orientação para resolver seus problemas e desenvolver um aprendizado para lidar com a cronicidade da sua dor. Assim, os pacientes reorganizam sua relação entre respostas cognitivas, humorais e comportamentais e voltam a produzir respostas mais adaptativas para seu cotidiano. Essa terapia considera que os processos cognitivos estão envolvidos nas causas de distorções e disfunções comportamentais frente a várias possibilidades de interpretação da realidade, podendo comprometer a saúde biopsicossocial do indivíduo.[13]

Essa terapia é considerada eficaz no tratamento da dor e na melhora da qualidade de vida de pacientes com dor crônica musculoesquelética, como também traz resultados benéficos para a prática de exercícios, otimizando seus resultados.[14]

O campo de atuação fisioterapêutica dispõe de diversos recursos para abordar o paciente com dor crônica, desde condutas educacionais, posturais até os recursos eletrotermotofoterápicos e computacionais. Os benefícios dos exercícios terapêuticos na melhora da dor e das atividades funcionais em pacientes com OA tem sido alvo de investigações no formato de revisão sistemática. Há evidências de que os exercícios terapêuticos, realizados no solo e sob supervisão, reduzem a dor e melhoram a funcionalidade de indivíduos com OA de joelho.[15]

Síndrome da Fibromialgia e Cognição

A fibromialgia é uma síndrome de dor crônica que afeta cerca de 5% da população mundial.[16] Foi a partir da década de 1980 que as estimativas sobre sua prevalência foram relatadas conforme critérios estabelecidos para sua classificação.[17]

Seu perfil epidemiológico é retratado com predominância nas mulheres e sem variação entre zonas rural, urbana e nível de desenvolvimento de diferentes países.[16] No Brasil, segundo um estudo realizado em Montes Claros, a SFM foi a segunda doença reumatológica mais frequente, ficando a osteoartrite em primeiro. Nesse levantamento, sua prevalência chegou a 2,5% na população, sendo a maioria do sexo feminino, seguindo assim, as mesmas características epidemiológicas de países desenvolvidos.[18]

Sua etiologia ainda permanece indefinida, embora seu reconhecimento como doença tenha sido datado há muito tempo (1904).[3,16] Somente há três décadas vem sendo seriamente pesquisada, mas pouco ainda se conhece sobre sua etiologia e patogênese.[19] A literatura tem mostrado que o processamento da dor central desempenha um papel fundamental na sua patogênese.[20]

Referida síndrome é caracterizada pela manifestação de dor difusa, crônica e não articular, pelo corpo com a presença de sítios anatômicos específicos dolorosos à palpação denominados *tender points*.[3] Além desses sintomas, a SFM está associada a outras manifestações clínicas de diferentes ordens, como fadiga muscular, distúrbio do sono, problemas cognitivos, depressão, ansiedade e uma variedade de outros sintomas psicossomáticos. Tais manifestações, consequentemente, culminam na diminuição da funcionalidade, da capacidade de trabalho e na redução da qualidade de vida.[3]

De acordo com o Colégio Americano de Reumatologia,[3] os critérios para classificação desta afecção incluem, concomitantemente à dor crônica generalizada por pelo menos 3 meses, a presença de 11 ou mais de 18 possíveis *tender points.* Estes representam 9 regiões predefinidas no corpo bilateralmente, a maioria localizadas nas inserções musculotendíneas.[3] A Figura 14.1 ilustra a localização dos *tender points* e também descreve outros acometimentos que podem estar presentes nos relatos dos sintomas de pacientes com SFM.

Na prática clínica e na área científica, o diagnóstico da SFM é comumente realizado por meio dos critérios da ACR; porém, algumas considerações devem ser incorporadas quanto ao seu uso, como o treinamento dos clínicos, a dificuldade em uniformizar a avaliação dos *tender points* e a avaliação de outros sintomas associados à síndrome. Esses fatores podem influenciar os diagnósticos realizados e são alvo de controvérsias quanto a esse método diagnóstico.[21] A utilização de alguns questionários, com validade e confiabilidade científica comprovadas, são de fundamental importância para o diagnóstico da SFM. O questionário de impacto da fibromialgia (FIQ) e a escala visual analógica da dor (EVA) são amplamente utilizados e devem ser incorporados à prática clínica.[22,23]

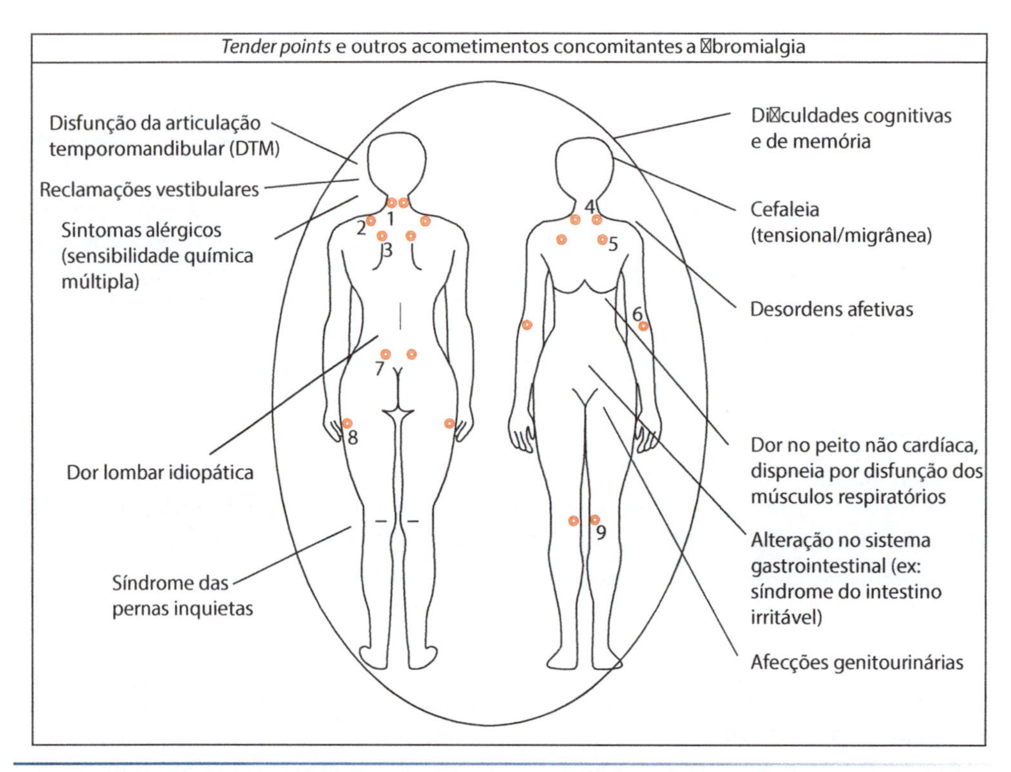

Figura 14.1 Localização dos *tender points* (1: Inserção do músculo suboccipital; 2: Borda superior do trapézio; 3: Origem do músculo supraespinhoso superiormente à borda medial da escápula; 4: Vista anterior dos espaços intertransversos de C5-C7; 6: Epicôndilo lateral; 7: Quadrante superior externo das nádegas; 8: Grande trocânter, uniões musculares adjacentes; 9: Coxim medial do joelho próximo à interlinha articular[3]) e outros possíveis acometimentos concomitantes a fibromialgia.
Fonte: Claw, 2011.

Síndrome da Fibromialgia e Alterações Cognitivas

No que tange ao comprometimento cognitivo, que afeta mais de 50% dos pacientes com SFM, as alterações mais relatadas são dificuldades de concentração e esquecimento.[24] Outros achados como diminuição da memória semântica e episódica, memória de trabalho, bem como problemas de atenção seletiva também podem ocorrer.[25]

Alguns estudos apontam que pacientes com fibromialgia podem ter deficiências nas memórias de trabalho, episódica e semântica que se assemelham a déficits de cerca de 20 anos de envelhecimento. Também descrevem que esses pacientes podem ter uma dificuldade especial com a memória quando as tarefas são complexas e sua atenção está dividida.[25] Outros achados, como prejuízos na memória de longo prazo e das funções executivas, podem ser encontrados.[26]

Os sintomas cognitivos nesses pacientes podem ser exacerbados pela presença de depressão, ansiedade, distúrbios do sono, distúrbios endócrinos e dor, mas a relação entre esses fatores ainda deve ser mais bem investigada.[25] Há um consenso no grau de dor que está diretamente relacionado com o nível de disfunção cognitiva.[26]

A existência de sintomas relacionados à cognição pode ser avaliada com a aplicação de alguns testes, mas ainda não foram estabelecidos testes e tratamento padronizado para os problemas cognitivos em pacientes com fibromialgia.

Amplamente utilizado para o rastreio de alterações cognitivas, o Mini Exame do Estado Mental (MEEM)[27] prevê a avaliação dos seguintes aspectos: orientação temporal; espacial; memória de curto prazo; atenção e cálculo; memória de evocação; linguagem e capacidade visuoconstrutiva. Alguns estudos demonstram prejuízos cognitivos, de acordo com o MEEM, em pacientes com SFM, comparando com grupos-controle.[28,29]

No contexto da avaliação da memória, outros testes podem ser aplicados, a exemplo de: a memória de trabalho pode ser avaliada pelo *Reading Span Test*,[30] ou *Paced Auditory Serial-Addition Test* (PASAT)[31]; a memória episódica de longo prazo pelo *Free Recall Test*[32] e a memória semântica pelo Teste de Fluência Verbal.[33]

Na avaliação da atenção, existem algumas baterias computarizadas que já são utilizadas para simular as tarefas cotidianas (*Test of Everyday Attention*)[34] e também para avaliar a memória seletiva, com um programa informatizado que propõe a alternância da atenção entre diferentes aspectos de uma tarefa.

Tratamento Não Farmacológico na SFM

Consequente ao seu caráter crônico e seus múltiplos sintomas, a síndrome da FM requer uma abordagem multidimensional e interdisciplinar, englobando intervenções que atuem nos aspectos físicos, farmacológicos, cognitivo-comportamental e educacional.[23]

Entre as terapias não farmacológicas, a atuação da fisioterapia tem como objetivos o controle da dor, o aumento ou manutenção das habilidades funcionais do paciente e, deste modo, visa contribuir para a melhora da qualidade de vida. Entretanto, a intervenção fisioterapêutica deve ser pautada pela prática baseada em evidências. Nesse contexto, uma ampla variedade de modalidades terapêuticas pode ser aplicada no tratamento dos sintomas da fibromialgia, entre elas a cinesioterapia, a hidroterapia, recursos eletrotermofototerapicos, massoterapia, acupuntura entre outras.

No Quadro 14.1, são descritas três revisões sistemáticas da literatura, as quais buscam retratar a evidência científica da efetividade de intervenções não farmacológicas nos pacientes com SFM. As informações reunidas nesses estudos têm o propósito de direcionar as condutas mais eficazes para os sintomas dessa síndrome, como também mapeiam as lacunas científicas que ainda precisam ser estudadas e comprovadas.

Quadro 14.1 Relação das revisões sistemáticas de intervenções não farmacológicas no tratamento da fibromialgia[35]

Autores das revisões	Estudos selecionados	Resultados das intervenções	Conclusões do estudo de revisão
Sosa-Reina et al., 2017[35]	14 estudos sobre exercícios terapêuticos utilizando exercícios aeróbicos, fortalecimento ou alongamento ou uma combinação destes exercícios.	• Exercício aeróbico: 9 estudos • Fortalecimento muscular: 7 estudos • Combinação de tipos de exercício (exercícios aeróbicos, fortalecimento e alongamento): 4 estudos	• Exercícios de fortalecimento muscular e aeróbico são mais eficazes para reduzir a dor e melhorar o bem-estar global em pessoas com FM; • Exercícios de alongamento e aeróbicos aumentam a qualidade de vida relacionada à saúde. • Exercícios combinados produzem maior efeito sobre os sintomas da depressão.

Continua

Continuação

Autores das revisões	Estudos selecionados	Resultados das intervenções	Conclusões do estudo de revisão
Deare et al, 2013[36]	9 estudos de intervenção com acupuntura	• Acupuntura manual = 6 estudos; • Eletroacupuntura = 3 estudos	Evidência moderada na melhora a dor e rigidez, sendo que a eletroacupuntura traz mais benefícios no bem-estar geral, sono e fadiga. Entretanto, o pequeno tamanho da amostra e a escassez de estudos para cada comparação enfraquecem o nível de evidência e suas implicações clínicas. Estudos maiores são necessários.
Ricci et al, 2010[23]	7 estudos de intervenção com recursos eletrotermo-fototerapêuticos	• Laser = 4 estudos; • TENS = 1 estudo; • CIV = 1 estudo; • CIV combinada com US = 1 estudo	Todos os estudos apontam melhora significativa da dor, porém não é possível generalizar os resultados, pois o método e o tempo das intervenções variaram amplamente e muitos parâmetros não são mencionados.
Busch et al, 2007[37]	34 estudos de intervenção com exercícios	• Treinamento físico aeróbico supervisionado (32 estudos); • Treinamento de força (2 estudos);	• Forte evidência científica: exercícios aeróbicos supervisionados têm efeitos benéficos na capacidade física e nos sintomas da FM; • Moderada evidência científica: treinos de força melhoram alguns sintomas da FM; • Fraca evidência científica: treinos de flexibilidade

TENS: estimulação elétrica transcutânea; CIV: corrente interferencial vetorial; US: ultrassonografia.

De acordo com as evidências científicas, muitas modalidades fisioterapêuticas, como eletrotermofototerapia entre outras, carecem de comprovação científica, tornando-se, assim, uma lacuna do conhecimento que precisa ser preenchida na área da fisioterapia.[29]

Segundo o Consenso Brasileiro de Tratamento da Fibromialgia, entre as modalidades não farmacológicas de tratamento, os exercícios musculoesqueléticos têm forte recomendação. Estes devem ser realizados pelo menos duas vezes por semana, sendo que os exercícios aeróbicos devem ser de moderada intensidade, ou seja, entre 60 e 75% da frequência cardíaca máxima ajustada (210 menos a idade do paciente).[38,39] Com esse programa de exercício aeróbico individualizado, objetiva-se alcançar o ponto de resistência leve, não o ponto de dor, para dessa maneira, evitar a dor induzida pelo exercício.[38,39]

Outras intervenções, como alongamentos, treinos de força muscular e técnicas de relaxamento, mostram-se benéficos para alguns pacientes com fibromialgia, porém, ainda permanecem com fraca evidência científica. O suporte psicoterápico também pode ser utilizado, sendo a terapia cognitivo-comportamental benéfica para alguns pacientes com fibromialgia.[38,39]

Lesões Musculares no Esporte e Cognição

O músculo é, entre os tecidos biológicos, o mais plástico, sendo, portanto, mutável e respondendo a estímulos normais e patológicos.[40] É composto por milhares de fibras, unidas entre si por tecido conjuntivo e cada fibra muscular é constituída de miofibrilas, que são os elementos contráteis, cercadas pela parte solúvel que é o sarcoplasma.[41]

A maioria das lesões ocorre por ação excêntrica ou trauma direto no ventre muscular[42] e é caracterizada por alteração no aspecto morfológico e histoquímico, o que causa déficit de funcionalidade no segmento afetado. O grau de lesão e de degeneração pode ocorrer segundo 4 níveis crescentes:

1. miofibrilas;
2. miofibrilas e sarcômeros;
3. sarcolema, células satélites, endomísio;
4. capilares.[43]

As lesões podem ser provocadas por fatores extrínsecos (contusão muscular) ou por fatores intrínsecos, podendo ser divididas em dois tipos:

1. sem rompimento de fibras (cãibras, contraturas e estiramentos); ou
2. com rompimento de fibras.[44]

Existem três importantes formas de lesão muscular na prática esportiva:

1. distensão muscular aguda ou estiramentos musculares;
2. contusão; e
3. lesão muscular induzida pelo exercício.

A distensão muscular aguda resulta do estiramento excessivo passivo de um músculo, normalmente por sobrecarga tanto concentricamente como excentricamente.[45] Estas podem ser: leves, quando há ruptura estrutural mínima e retorno rápido à função normal; moderadas quando há uma laceração parcial, dor e alguma perda de função; ou, ainda, graves, quando há ruptura tecidual completa, hemorragia e tumefação. A contusão resulta de contato direto, o que ocasionará uma hemorragia intramuscular, sendo comum em esportes de contato físico. Esse tipo de lesão também pode ser induzido pelo exercício, resultando da ruptura do tecido conjuntivo e contrátil após atividade física, acontecendo entre 24 e 48 horas após a participação no exercício, sendo caracterizada por hipersensibilidade local, rigidez e restrição de amplitude de movimento. Seus sintomas e eventos metabólicos são semelhantes aos da inflamação aguda e, 24 horas após o exercício, pode-se observar que o número de miotubos aumenta até dez vezes, gerando uma situação de adaptação muscular.

Os exercícios excêntricos são os que mais levam à lesão muscular, podendo esta ser identificada pela liberação de creatinaquinase e pela presença de proteínas miofibrilares no sarcoplasma. É possível comprovar que o exercício aumenta em cerca de três vezes, 24 horas depois o exercício, a liberação e proliferação de células satélites. Por fim, as células satélites podem aumentar o número de núcleos existentes nas fibras, reparar ou regenerar fibras lesadas e formar uma nova miofibra.[46] A lesão muscular pode ainda ocorrer quando há contração isométrica, em que a força e a sobrecarga são equivalentes e o tamanho do músculo não se altera. Nesse tipo de contração, há lesão ultraestrutural das fibras musculoesqueléticas.

A ocorrência de lesão muscular leva à associação de perda do controle neuromuscular, normalmente em virtude dos sintomas inflamatórios com dor e edema. Deste modo, após uma lesão, a ação de organização do movimento fica comprometida, sendo esta de relevância para o bom funcionamento muscular. O déficit é proporcional ao tamanho da lesão, obedecendo sua classificação usual, que se dá de acordo com o grau de laceração da fibra muscular, sendo a lesão classificada como:

- Grau I, quando há ruptura mínima das fibras musculares, observam-se edema, dor durante o alongamento e contração contra a resistência no local da lesão, sem perda de movimento;
- Grau II, quando a laceração muscular apresentar hemorragia significante, em que, além de dor e edema, haverá limitação do movimento; e
- Grau III, quando houver perda de continuidade e função da maior parte ou totalidade do músculo, apresentando fraqueza intensa no ventre muscular, acompanhado de estalido audível, dor intensa, edema ou abaulamento do músculo retraído.[47,48]

Em todos os casos, ocorre necrose de algumas ou todas as fibras musculares, envolvendo poucos ou todos os sarcômeros. Outros sistemas de classificação diferentes são publicados na literatura, mas ainda não há consenso entre seus autores.[49]

Quando ocorre a lesão, há diminuição de força muscular, que retorna cerca de 50% entre 1 a 3 dias e 80% em 14 dias. O retorno total da força pode demorar até 30 dias.[50]

A incidência de recidivas das lesões musculares é bastante comum, representando cerca de 30,6% dos casos e podem ser causadas por diminuição da força tensil do tecido cicatricial, diminuição da força muscular e diminuição da flexibilidade. Em virtude da grande incidência de recidivas, o diagnóstico e o tratamento devem ser realizados com exatidão.[51]

Regeneração Muscular

Todo organismo vivo é capaz de alterar suas propriedades estruturais e funcionais de acordo com as condições ambientais impostas em um determinado sistema. Essa habilidade em determinar mudanças estruturais e funcionais é observada no músculo esquelético em que ocorre alteração da expressão da quantidade e do tipo de proteínas para que o tecido se adapte a estímulos que desequilibrem sua homeostasia.[52] A regeneração muscular é um exemplo que demonstra a plasticidade do sistema musculoesquelético, ou seja, a capacidade adaptativa do músculo frente a um estímulo externo. Por muitos anos, acreditou-se que a regeneração muscular não era possível; entretanto, Mauro[53] relatou a existência da célula satélite (*stem cells*) na periferia das miofibras de sapos e, desde então, sabe-se que a fibra muscular certamente se regenera (Figura 14.2).[54]

Assim sendo, a fibra muscular pode responder à lesão tanto com a regeneração[55] como com a formação de fibrose na área lesada.[56] No entanto, esta última pode levar à inibição completa da regeneração.[55-57] O sucesso da regeneração depende da extensão e da natureza da lesão,[46] mas, em todas as situações, o processo envolve revascularização, infiltração celular, fagocitose das células ou fragmentos danificados, proliferação e fusão das células precursoras do músculo, que representam as células satélites e, finalmente, a reinervação.[58] A integridade da lâmina basal, que é um componente do endomísio intimamente relacionado com a superfície da fibra muscular, também é importante no sucesso da regeneração, para a formação e orientação espacial dos novos miotubos e no desenvolvimento mínimo de fibrose (Figura 14.3).[46,59]

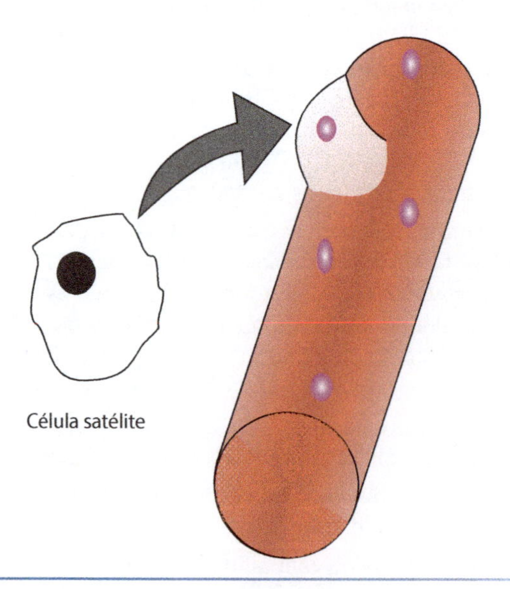

Figura 14.2 Células satélites, responsáveis pela regeneração muscular.
Fonte: www.muscular-distrophy.org.

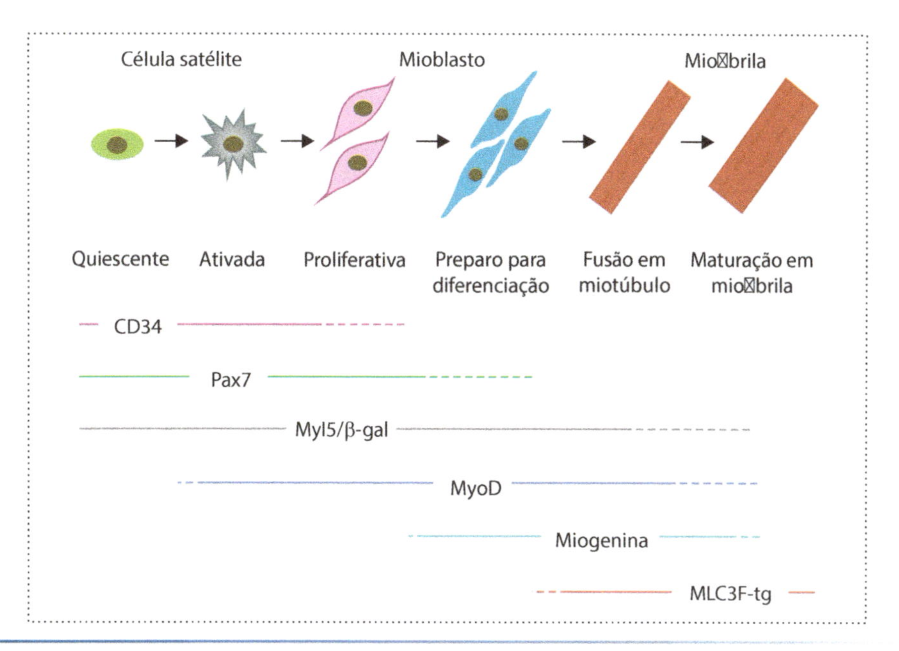

Figura 14.3 Diferenciação das células satélites (*stem cells*) para miofibrilas.
Fonte: www.stenceltreametments.org.

Diagnóstico

Para o diagnóstico de lesões musculares, é recomendado começar com uma história precisa da ocorrência, suas circunstâncias, os sintomas, seguido de um exame clínico cuidadoso com inspeção, palpação da área da lesão, a comparação para o outro lado e ensaio da função dos músculos.[60-62]

A ultrassonografia entre 2 e 48 horas depois do trauma muscular fornece informações úteis sobre qualquer perturbação existente da estrutura do músculo, particularmente quando não existe nenhum hematoma ou se os pontos de exames clínicos no sentido de uma desordem funcional não evidenciarem dano estrutural.

Recomenda-se uma ressonância magnética (RM) no caso de suspeita de lesão estrutural. Ela será importante na determinação se edema estiver presente, mostrando ainda o padrão lesão e se existe alteração estrutural ou não, incluindo o seu tamanho aproximado. Além disso, a RM é útil para a confirmação do local e se há envolvimento tendinoso. No entanto, deve ser salientado que a RM, por si só, não é sensível o suficiente para medir a extensão do dano muscular com precisão.[63]

Dor e Alterações Cognitivas no Atleta

No músculo lesado, a dor está associada à lesão estrutural e o edema, à destruição da integridade da membrana plasmática e da membrana basal.[64] O edema é definido como um tumor ou tumefação formado pelo extravasamento de elementos para o exterior dos vasos e a intensidade desse extravasamento estará correlacionada ao tipo e grau da agressão tecidual.[65] Com relação à sensibilidade muscular, o pico de dor é frequentemente observado entre o 2° e o 3° dia pós-lesão,[66] conhecida, então, como dor de início retardado[67] e ocorre, principalmente, após lesão causada pela contração excêntrica. Embora as causas da dor não estejam bem esclarecidas, acredita-se que envolvam reação inflamatória resultante da lesão.[68]

A dor e a inflamação geram incapacidade em razão do comprometimento no controle motor e consequente disfunção do segmento corporal lesado. A presença do quadro álgico e inflamatório dificulta a avaliação clínica, a proposta terapêutica e o processo de reabilitação.[65] A dor também interfere no recrutamento muscular, sendo inibida sua ação motora.

Quando presente, a dor resulta em incapacidade e inabilidade e tem como finalidade a proteção do organismo; permanecendo essa condição, pode resultar em hipotrofia muscular, hábitos de desuso e em consciente ou inconsciente proteção, levando à perda grave da função muscular.[8]

A dor no atleta tem duas origens, uma decorrente do próprio treinamento e a outra, causada por lesões musculoesqueléticas que geralmente se prolongam no tempo gerando, deste modo, as dores crônicas.

A dor crônica tem implicações significativas na vida do atleta tanto no âmbito fisiológico como no emocional. Thurm[69] sugere que a dor crônica diminui a velocidade de ativação da contração muscular do segmento afetado e altera o padrão de movimento e o desempenho motor, além de interferir nas funções cognitivas quando a sensação tem intensidade alta. O processamento das informações de dor ocorre no córtex somatossensorial, no tálamo e no sistema límbico e, como este sistema está relacionado com as emoções, a dor crônica interferirá também no humor.

A dor altera as funções cognitivas[70] e, em altas intensidades, interfere no desempenho das tarefas cognitivas, na atenção, na habilidade visuoespacial e na destreza manual.[71]

Tratamento das Lesões Musculares

O tratamento para as lesões musculares pode ser dividido em fases, de acordo com os objetivos principais. Em uma primeira fase, é importante o controle do processo inflamatório, pois este limita o movimento, inibindo assim, a força muscular, fato que pode levar à hipotrofia muscular. Nesta fase, preconiza-se tratamento com gelo, compressões, elevação, drogas anti-inflamatórias não esteroides e repouso.

Em uma segunda fase, é importante evitar a formação de aderências e cicatrizações indesejáveis, sendo utilizadas massagens transversas, exercícios terapêuticos e ultrassom. O uso do ultrassom, nesta segunda fase, é importante na intensificação da circulação local como forma de remoção dos resíduos do processo inflamatório e para aumentara extensibilidade das partes moles, favorecendo, assim, a mobilização precoce e o alinhamento das fibras colágenas.[47]

As lesões musculares podem ser prevenidas por meio de alongamentos, o que proporciona habilidade para gerar força e aumentar o recrutamento de fibras, além de exercícios com pequenas contrações e isométricos que proporcionam ganho de força.[50,51]

Fase I

O alongamento dos tendões lesionados em excesso deve ser evitado, pois isso pode resultar na formação de cicatriz densa na área da lesão muscular que atrapalha na regeneração, no entanto, movimento articular restrito deve ser encorajado sendo que o aparecimento da dor define a faixa de limite de movimento.

Os exercícios terapêuticos de pequenas amplitudes são usados para promover ação de controle neuromuscular dentro de um intervalo de tempo protegido, minimizando assim o risco de danos à remodelação muscular. Os exercícios devem sempre ser realizados sem dor, com a progressão da intensidade de leve a moderada, conforme tolerado.

O gelo na área lesada deve ser utilizado de 2-3 vezes ao dia para ajudar a diminuir a dor e a inflamação com duração de cada sessão de até 20 minutos. AINEs (Anti-inflamatórios não esteroides) podem ser utilizados durante os primeiros dias após a lesão muscular. No entanto, as investigações demonstram a falta de benefícios e possivelmente efeito negativo sobre a função muscular após a recuperação, o que resulta em controvérsia quanto à sua utilização. Os analgésicos têm sido sugeridos como uma alternativa aos AINEs, dado o risco e custo reduzidos.

Fase II

AINEs geralmente não são utilizados durante esta fase devido aos efeitos causados pelo uso prolongado, além disso, mascara a dor durante a recuperação podendo resultar em uma progressão excessivamente agressiva.

Exercícios empregados na fase II promovem um aumento gradual do alongamento muscular em comparação com a amplitude limitada de movimento permitido na fase I. Esta abordagem baseia-se em observações de que a mobilização do músculo esquelético de 5-7 dias após a lesão pode melhorar a regeneração da fibra, são realizados com um aumento progressivo da velocidade e intensidade, respectivamente. Movimentos são iniciados principalmente nos planos transversal e frontal para evitar estirar demais o músculo lesionado. Exercícios de trabalho excêntricos do músculo são iniciados como parte de padrões de movimentos funcionais. Em preparação para o retorno do atleta ao esporte, treinamento anaeróbio e habilidades esportivas são iniciados tendo o cuidado de evitar o alongamento muscular total ou trabalho excêntrico excessivo.

Fase III

As amplitudes de movimentos gerais, não estão mais restritas.

Gelo deve ser realizado após os exercícios, conforme necessário, para ajudar a diminuir possível dor associada e inflamação.

Dado o iminente retorno do atleta ao esporte, exercícios de agilidade e treino do gesto esportivo devem ser enfatizados, envolvendo mudanças de direção rápidas e técnicas de treinamento, respectivamente. Exercícios de estabilização do tronco devem tornar-se mais difíceis incorporando movimentos no plano transversal e posturas assimétricas. Com a ênfase permanecendo em padrões de movimentos funcionais.

Estabelecer critérios objetivos para determinar a apropriada hora de voltar para o esporte continua sendo um desafio e uma área importante para futuras pesquisas. É recomendado que os atletas sejam liberados para retornar às atividades desportivas sem restrições, uma vez que a amplitude de movimento esteja completa, força e habilidades funcionais (por exemplo, saltar e correr) pode ser realizada sem queixas de dor ou rigidez. Testes de esforço máximo e, se possível, teste de força isocinética também devem ser realizados tanto sob condições concêntricas quanto excêntricas. Diferenças de déficit bilateral de 5% devem existir na proporção de força de um lado para outro,[72] sendo um padrão de avaliação para o retorno do atleta à sua prática esportiva com segurança e confiança.

Conclusão

Este capítulo abordou os aspectos cognitivos e comportamentais associados a dor, a fibromialgia e as lesões associadas ao esporte, o que demonstra a necessidade da atuação do fisioterapeuta com um olhar mais amplo do ser humano e não apenas direcionado aos aspectos físicos do tratamento e recuperação do paciente.

Referências Bibliográficas

1. Barroso GC, Thiele ES. Lesão muscular nos atletas. Rev Bras Ortop 46 (4):354-58, 2011.
2. Zangh W, Doherty M. EULAR recommendations for knee and hip osteoarthritis: a critique of the methodology.Br J Sports Med 40:664-9, 2006.
3. Wolfe F, Smythe HA, Yunus MB, Bennett RM, Bombardier C, Goldenberg DL et al. The American College of Rheumatology 1990 Criteria for the Classification of Fibromyalgia. Report of the Multicenter Criteria Committee. Arthritis Rheum 33(2):160-172, 1990.

4. Deyo RA, Mirza SK, Martin BI. Low back pain prevalence and visit rates: estimes from U.S. National Surveys, 2002. Spine 31(23):2724-7, 2006.
5. Silva MC, Fassa AG, Valle NCJ. Dor lombar crônica em uma população adulta do Sul do Brasil: prevalência e fatores associados. Cad Saúde Pública 20(2):377-385, 2004.
6. Merskey H, Bogduk N. Classification of chronic pain: descriptions of chronic pain syndromes and definitions of pain terms. 2nd ed. Seattle: IASP Press, 1994.
7. Prentice WE. Modalidades terapêuticas em medicina esportiva. São Paulo: Manole, 2002.
8. Teixeira MJ, Marcon RM, Figueiró JAB. Dor, epidemiologia, fisiopatologia, avaliação, síndromes dolorosas e tratamento. São Paulo: Moreira Jr, 2001.
9. Committee on Advancing Pain Research C, Education, Medicine Io. Relieving Pain in America: A blueprint for transforming prevention, care, education and research: The National Academics Press, 2011.
10. Cunningham NR, Kashikar-Zuck. Nonpharmacological treatment of pain in rheumatic diseases and other musculoskeletal pain conditions. Curr Rheumatol Rep 15: 306-313, 2013.
11. Kreling MCGD, Cruz DALM, Pimenta CAM. Prevalência de dor crônica em adultos. Rev Bras Enferm 59(4): 509-13, 2006.
12. Jansen GB, Linder J, Ekholm KS, Ekholm J. Differences in symptoms, functioning, and quality of life between women on long-term sick-leave with musculoskeletal pain with and without concomitant depression. J Multidisc Healthc 4:281-92, 2011.
13. Willians DA, Cary MA, Groner KH. Improving physical functional status in patients with fibromyalgia: a brief cognitive behavioral intervention. J Rheumathol 29:1280-1286, 2002.
14. Castro MMC, Daltro C, Kraychete DC, Lopes J. The cognitive behavioral therapy causes improvement in quality of life in patients with chronic musculoskeletal pain. Arq Neuropsiquiatr 70(11): 864-868, 2012.
15. Fransen Marlene, McConnell Sara. Exercise for osteoarthritis of the knee. Cochrane Review Database Syst Rev 8:CD004376, 2013.
16. White KP, Harth M. Classification, epidemiology and natural history of fibromyalgia. Curr Pain Headache Rep 5: 320-329, 2001.
17. Goldenberg DL. Fibromyalgia, chronic fatigue syndrome, and myofascial pain syndrome. Cur Opin Rheumatol 5:199-208, 1993.
18. Senna ER, De Barros AL, Silva EO, Costa IF, Pereira LV, Ciconelli RM et al. Prevalence of rheumatic diseases in Brazil: a study using the COPCORD approach. J Rheumatol 31(3):594-7, 2004.
19. Heymann RE, Paiva ES, Helfenstein Jr M, Pollak DF, Martinez JE, Provenza JR et al. Consenso brasileiro do tratamento da fibromialgia. Rev Bras Reumatol 50(1):56-66, 2010.
20. Abeles AM, Pilliger MH, Solitar BM, Abeles M. Narrative review: the pathophysiology of fibromyalgia. Ann Intern Med 146:726-734, 2007.
21. Katz RS, Wolfe F, Michaud K. Fibromyalgia diagnosis: a comparison of clinical, survey, and american college of rheumatology criteria. Arthritis Rheum. 54(1):169-76, 2006.
22. Marques AP, Santos AM, Assumpção A, Matsutani LA, Lage LV, Pereira CAB. Validação da Versão Brasileira do Fibromyalgia Impact Questionnaire (FIQ). Rev Bras Reumatol 46(1): 24-31, 2006.
23. Ricci NA, Dias CNK, Driusso P. A utilização dos recursos eletrotermofototerapêuticos no tratamento da síndrome da fibromialgia: uma revisão sistemática. Rev Bras Fisioter 14(1):1-9, 2010.
24. Katz RS, Heard AR, Mills M, Leavitt F. The prevalence and clinical impact of reported cognitive difficulties (Fibrofog) in patients with rheumatic disease with and without fibromyalgia. J Clin Rheumatol 10:53-8, 2004.
25. Glass JM. Fibromyalgia and cognition. J Clin Psychia-try 69(S-2): 20-4, 2008.
26. Gelonch O, Garolera M, Rosselló L, Pifarré J. Cognitive dysfunction in fibromyalgia. Rev Neurol 156(11):573-88, 2013.
27. Folstein MF, Folstein SE, Mchugh PR. "Mini-Mental State": a Practical Method for Grading the Cognitive State of Patients for the Clinician. Journal of Psychiatric Rescarch, 12:189-198, 1975.
28. Skare TL, Maria ACMP, Ferrari EB. Avaliação da função cognitiva em pacientes com fibromialgia. Arq Catarin Med 41(4):15-18, 2012.
29. Rodríguez-Andreu J, Ibáñez-Bosch R, Portero-Vázquez A, Masramon X, Rejas J, Gálvez R.Cognitive impairment in patients with fibromyalgia syndrome as assessed by the Mini-Mental State Examination. BMC Musculoskeletal Disorders 10:162-169, 2009.
30. Salthouse TA, Babcock RL. Decomposing adult age differences in working memory. Dev Psychol 27:763-777, 1991.
31. Gronwall DM. Paced auditory serial-addition task: a measure of recovery from concussion. Percept Mot Skills.
32. Park DC, Smith AD, Lautenschalger G. Mediators of long-term memory performance across the life span. Psychol Aging 11:621-637, 1996.

33. Thurstone IL, Thurstone T. Examiner Manual for the SRA primary mental abilities. Chicago, III: Scientific Resources Associates, 1949.
34. Robertson IH, Ward T, Ridgeway V. The Test of Everyday Attention. Suffolk, Va:Thames Valley Test Company, 1994.
35. Sosa-Reina MD, Nunez-Nagy S, Gallego-Izquierdo T, Pecos-Martín D, Monserrat J, Álvarez-Mon M. Effectiveness of Therapeutic Exercise in Fibromyalgia Syndrome: A Systematic Review and Meta-Analysis of Randomized Clinical Trials. Biomed Res Int. 2017;2017:2356346.
36. Deare JC, Zheng Z, Sue CC, Liu JP, Shang J, Scott SW, Littlejohn G. Acupuncture for treatring fibromyalgia. Cochrane Review Database Syst Rev 31(5):CD007070, 2013.
37. Busch AJ, Barber KAR, Overend TJ, Peloso PMJ, Schachter CL. Exercise for treating fibromyalgia syndrome. Cochrane Review Database Syst Rev 17(4): CF003786, 2007.
38. Carville SF, Arendt-Nielsen S, Bliddal H, Blotman F, Branco JC, Buskila Det al. EULAR evidence-based recommendations for the management of fibromyalgia syndrome. Ann Rheum Dis 67(4):536-41, 2008.
39. Heymann RE, Paiva ES, Helfenstein Jr M, Pollak DF, Martinez JE, Provenza JR et al. Consenso brasileiro do tratamento da fibromyalgia. Rev Bras Reumatol 50(1):56-66, 2010.
40. Rose S, Rothstein M. Muscle biology and physical therapy. Phys Ther 62: 1754-6, 1982.
41. Rocha SJ. Federação Portuguesa de Futebol. Medicina esportiva, Lisboa. 2:413, 1967.
42. Rahusen FT, Weinhold PS, Almekinders LC. Nonsteroidal anti-inflammatory drugs and acetaminophen in the treatment of an acute muscle injury. Am J Sports Med 32 (8):1856-9, 2004.
43. Pai VD. Esporte e lesão muscular. Rev Bras Neurol 30 (2): 45-48, 1994.
44. Costa S, Kattan R, Lopes AS, Lopes RS, Moura CE. Diagnóstico e tratamento das lesões musculares parciais e totais. Rev Bras Ortop 30 (10): 744-752,1995.
45. Armand AS, Charbonier F, Della B, Gallien CL, Lunay T. Effects of eccentric treadmill runing on mouse soleus: degeneração/regeneração study with Myf-5 and MyoD probes. Acta Phys Scan 179(1): 75-84, 2003.
46. Engel AG, Armstrong CF. Myology Basic and Clinical. 2nd ed. New York, McGraw- Hill, 1994.
47. Castillo AA, Pinto SS. Lesão muscular: fisiopatologia e tratamento. Fisiot Mov 12 (2):23-36, 1998.
48. Zernicke RF, Whiting WC. Biomecânica da Lesão Músculo Esquelética. Rio de Janeiro, Guanabara Koogan: 124-125, 2001.
49. O'Donoghue DO. Treatment of injuries to athletes. Philadelphia, WB Saunders, 1962.
50. Brooks SV, Faulkner JA, Opiteck JA. Injury to skeletal muscle fibers during contractions: conditions of occurrenceand prevention. Phys Ther 73 (12):92-101, 1993.
51. Rocha RSB, Cavallieri AG. Lesão, Plasticidade e Reabilitação do Sistema Muscular. R Bras Ci e Mov 15(2): 81-85, 2007.
52. Baldwin KM, Haddad F. Skeletal Muscle Plasticity: Cellular and molecular responses to altered physical activity paradigms. Am J Phys Med Rehabil 81:40-51, 2002.
53. Mauro, FS. Satellite cells of skeletal muscle fibers. J Biophys Biochem Cytol 9:493-495, 1961.
54. Chargé SBP, Rudinicki MA. Cellular and molecular regulation of muscle regeneration. Physiol Rev (84): 209-238, 2004.
55. Jarvinen, TAH. Et al. Muscle strain injuries. Curr Op Rheumatol 12:155-161, 2000.
56. Kaariainen M. et al. Relation between myofibers and connective tissue during muscle injury repair. Scand J Med Sci Sports (10):332-7, 2000.
57. Lehto M, Jarvinen M, Nelimarkka O. Scar formation after skeletal muscle injury. A histological and autoradiographical study in rats. Arch Orthop Trauma Surg 104:366-70, 1986.
58. Carlson BM, Faulkner JA. The regeneration of skeletal muscle fibers following injury: a review. Med Sci Sports Exer (15):187-198, 1983.
59. Ferrari RJ,Picchi LD, Botelho AP, Minamoto V. Processo de regeneração na lesão muscular: uma revisão. Fisioterapia em Movimento 18(2): 63-71, 2005.
60. Jarvinen TA, Jarvinen TL, Kaariainen M, et al. Muscle injuries: biology and treatment. Am J Sports Med 33:745–64, 2005.
61. Askling CM, Tengvar M, Saartok T, et al. Acute first-time hamstring strains during high-speed running: a longitudinal study including clinical and magnetic resonance imaging findings. Am J Sports Med 35:197–206, 2007.
62. Askling CM, Tengvar M, Saartok T, et al. Proximal hamstring strains of stretching type in different sports: injury situations, clinical and magnetic resonance imaging characteristics, and return to sport. Am J Sports Med 36:1799–804, 2008.
63. Mueller-Wohlfahrt HW, Haensel L, Mithoefer K, Ekstrand J, English B, McNally S, Orchard J, et. al. Terminology and classification of muscle injuries in sport: The Munich consensus statement. Br J Sports Med 47:342–350, 2013.

64. Borato E, Oliveira JJJ, Ciena AP, Bertolini GRF. Avaliação Imediata da Dor e Edema em Lesão Muscular Induzida por Formalina e Tratada com Laser 808 nm. Rev Bras Med Esporte 14(5): 446-9, 2008.
65. Resende MA, Pereira LSM, Castro MSA. Proposta de um modelo teórico de intervenção fisioterapêutica no controle da dor e inflamação. Fisioterapia Brasil 6:368-71, 2005.
66. Chen T, Hsieh SS. Effects of a 7-days eccentric training period on muscle damage and inflammation. Med Sci Sports Exerc (33):10-1732-8, 2001.
67. Lapointe BM, Frémont P, Côté CH. Influence of nonsteroidal anti-inflammatory drug treatment duration and time of onset on recovery from exercise-induced muscle damage in rats. Arch Phys Med Rehabil (84): 651-5, 2003.
68. Miles MP, Clarkson PM. Exercise-induced muscle pain, soreness, and cramps. J Sports Med Phys Fitness 34(3):203-216, 1994.
69. Thurm BE. Efeitos da dor crônica em atletas de alto rendimento em relação ao esquema corporal, agilidade psicomotora e estados de humor. (dissertação). São Paulo (SP): Universidade São Judas Tadeu; 2007.
70. Lorenz L, Bromm B. Event-related potential correlates of interference between cognitive performance and tonic experimental pain. Psychophysiology 34(4):436-445, 1997.
71. Eccleston C. Chronic pain and attention: a cognitive approach. Br J Clin Psychol 33:535-547, 1994.
72. Heiderscheit BC, Sherry MA, Silder A, Chumanov ES, Thelen DG. Hamstring Strain Injuries: Recommendations for Diagnosis, Rehabilitation and Injury Prevention. J Orthop Sports Phys Ther 40(2): 67–8,1 2010.

Intervenção Fisioterapêutica nos Transtornos Cardiorrespiratórios

15

Ivan dos Santos Vivas
Alessandre de Carvalho Júnior

Introdução

Do ponto de vista fisiológico, é impossível separar os componentes orgânicos em estruturas isoladas, que não interagem com diferentes sistemas, tendo, assim, uma função simbiótica, como se o organismo dependesse do todo para compor um meio. Partindo dessa premissa, muitas disfunções orgânicas devem ser entendidas como resultantes de desequilíbrios multifatoriais, em que aspectos físicos e comportamentais interagem entre si e são capazes de produzir diversas manifestações corporais. O profissional que tem essa consciência agregada ao conhecimento técnico, tem também o compromisso de relacionar as diferentes causas de uma disfunção de ordem física ou psíquica e, com isso, criar uma estratégia terapêutica que possibilite atender o maior número de demandas de um indivíduo.

O sistema cardiorrespiratório apresenta uma função ímpar no organismo e sofre influências de diversos sistemas, principalmente do sistema neuro-hormonal. O desempenho cardíaco, a manutenção da hemodinâmica, e a adequação da pressão dos gases sanguíneos são exemplos básicos de como a atuação de diversos sistemas interagem entre si e resultam em atividades metabólicas altamente complexas. Com isso, aspectos comportamentais, por intermédio da atividade neuro-hormonal, são capazes de potencializar funções sistêmicas, desencadeando uma série de sintomas passíveis de observação e abordagem da maneira mais completa possível.

Estudos qualitativos que utilizam questionários estruturados para analisar a relação de transtornos cardiorrespiratórios com desordens cognitivas conseguem avaliar de maneira mais precisa as demandas particulares de cada individuo do ponto de vista comportamental,[1,2] e não apenas a análise fragmentada da evolução orgânica da doença. Ao realizar uma avaliação mais ampla, o profissional passa a entender os fatores que condicionam a causa de uma disfunção sistêmica e são capazes de potencializar a agudização de quadros crônicos, bem como o surgimento de novos eventos lesivos.

Entre as diversas disfunções cognitivas que influenciam o sistema cardiorrespiratório, destacam-se a depressão e a ansiedade por terem um alto índice de relação com disfunções, como a doença pulmonar obstrutiva crônica (DPOC) e as coronariopatias.[3] E essas desordens cognitivas são consideradas tanto fatores gatilhos para a manifestação da doença como um marcador para predizer sua evolução.[3]

O fisioterapeuta, por ser um profissional que dispõe de tempo para realizar suas atividades técnicas, acaba conhecendo as reais necessidades do indivíduo e passa a identificar sinais importantes que devem ser valorizados na sua terapêutica. Aspectos comportamentais como a motivação passam a ter um papel fundamental no ambiente terapêutico e se tornam um instrumento chave no processo de reabilitação.

Epidemiologia

Doença Coronariana (DC)

Uma das principais causas de morte no mundo e de incapacidade prematura,[4] as doenças coronarianas (DC), segundo a Organização Mundial de Saúde (OMS), são responsáveis por 12,6% das mortes totais, representando cerca de 7 milhões de morte a cada ano.[5]

Existem vários fatores que colaboram para o surgimento de doenças cardiovasculares, entre eles destacam-se o sedentarismo, os hábitos alimentares inadequados e os aspectos cognitivos. Dentre os transtornos cognitivos, a depressão é a doença que está mais associada em paciente com DC, tendo a maior prevalência, que gira em torno de 17 a 27% nos primeiros meses após o evento lesivo[4] e que ainda apresenta uma alta prevalência após o primeiro ano.[6] Além de considerado um fator de risco para o desenvolvimento de eventos cardíacos, a depressão está intimamente ligada ao aumento de morbidade e mortalidade.[7]

A atividade física pode reduzir os sintomas da depressão em pacientes com DC, sendo tão efetiva quanto o uso de medicamentos antidepressivos em caso de depressões consideradas moderadas.[8]

Doença Pulmonar Obstrutiva Crônica (DPOC)

Uma em quatro pessoas com diagnóstico de DPOC terá sintomas significativos de depressão e ansiedade, o que é o dobro da prevalência observada em pessoas que não tem DPOC.[9] Existem fatores inflamatórios e fisiológicos envolvidos no surgimento dos transtornos cognitivos associados na fisiopatologia da DPOC, mas as evidências mostram que a análise subjetiva da condição de saúde é considerada um melhor preditor de depressão em indivíduos com DPOC.[1]

A dispneia é o principal sintoma das afecções respiratórias e a que mais traz debilidade física e estresse emocional.[10] Indivíduos que passam por essa experiência relatam que sentem uma série de sintomas psíquicos que potencializam o estado de mal-estar. Evidências sugerem que entre 20 e 50% dos indivíduos com DPOC desenvolverão ansiedade e estes apresentam maior debilidade física quando comparados a indivíduos com a mesma função pulmonar.[11,12] Outros sinais e sintomas cognitivo-comportamentais também são atribuídos a indivíduos com DPOC, como desespero, medo de morrer e pânico.[13] Estudos apontam a relação entre pânico e função orgânica que, por sua vez, é sustentada pelas crenças negativas que estes indivíduos desenvolvem.[14]

Fisiopatologia

A dispneia é uma alteração comum tanto das doenças pulmonares (consequente a distúrbios de difusão de oxigênio e ventilatórios) como nas cardiovasculares (principalmente em razão de congestão pulmonar). É um sintoma limitante da atividade física e das atividades de vidas diárias, estando, em algumas situações, presentes até em repouso nas doenças mais avançadas.

O sintoma de dispneia pode causar ansiedade e pânico em virtude, justamente, da sensação de sufocamento, "falta de ar" e a sensação de que, a qualquer momento, será impossível realizar uma ventilação pulmonar adequada para garantir a sobrevida.

O inverso também acontece, os pacientes com síndrome do pânico ou com ansiedade extrema, podem apresentar como sintoma a dispneia. Desse modo, uma alteração intensifica a outra, levando o paciente a entrar em um ciclo dispneia-ansiedade-dispneia.[15]

Essa relação entre a dispneia e a ansiedade está presente independentemente das causas, cardíacas e/ou pulmonares. Porém, em especial para pacientes com doenças pulmonares obstrutivas, a ansiedade pode causar um padrão respiratório que piora a dinâmica ventilatória. Pacientes obstrutivos têm dificuldade na fase expiratória, retardando o tempo de desinsuflação pulmonar e, consequentemente, tornando necessário um aumento da fase expiratória. A ansiedade, por sua vez, aumenta a frequência respiratória, diminuindo, assim, o tempo expiratório, o que dificulta o paciente obstrutivo a realizar uma desinsuflação satisfatória e, portanto, uma hipersinsuflação dinâmica. O pulmão cada vez mais hipersinsuflado diminui gradativamente o volume-minuto, apesar da frequência respiratória aumentada, resultante de queda importante no volume corrente.

Desse modo, é importante o conhecimento dessas alterações pelo fisioterapeuta para que, durante o tratamento de pacientes com dispneia, mantenha o foco da terapia não somente em técnicas e manobras fisioterapêuticas, como também tente garantir um relaxamento e diminuição da ansiedade, tentando atuar no ciclo dispneia-ansiedade-dispneia e assegurando, principalmente para os pacientes obstrutivos, diminuição na frequência respiratória e prolongamento do tempo expiratório.

O sistema motivacional exerce um papel de controle em ambos os sistemas autonômicos e sensório motor somático. Assim, ele controla tantos os músculos esqueléticos, mediante impulsos para o lobo frontal e tronco encefálico, como os músculos lisos e glândulas por meio do hipotálamo, que se situa no centro do sistema límbico.[16] Tanto a motivação como a concentração são atribuídas ao funcionamento do sistema límbico. Essas estruturas neuroanatômicas têm grandes conexões com o sistema reticular (sistema retículo-límbico). Assim, há uma interdependência entre o mapeamento somatossensorial das habilidades funcionais (cognitivo) e a atenção (límbico), o que é necessário para qualquer tipo de aprendizagem que envolve a programação sequencial ou simultânea de um movimento (gesto motor).[17]

Tratamento Fisioterapêutico

A reabilitação é um processo e visa ajudar um indivíduo a atingir seu melhor potencial físico, psicológico, social, vocacional e educacional, de forma a tornar compatível sua deficiência fisiológica e anatômica aos seus planos de vida.[18] Um plano terapêutico deve ser elaborado levando em conta todos os aspectos que influenciem o processo de reabilitação. Assim como vários fatores determinam a qualidade deste processo, os aspectos cognitivo-comportamentais são de extrema importância no contexto terapêutico.

Entre as variáveis comportamentais, destaca-se a motivação. Esta pode ser entendida no contexto terapêutico por um processo mediante o qual o organismo assume determinado comportamento com o objetivo de, de acordo com suas necessidades, controlar o ambiente em que está inserido. Nesse processo, estão envolvidos, por um lado, o aprendizado da relação entre estímulo biologicamente significativo e, por outro lado, estímulos neutros que predizem sua ocorrência. Desse modo, o organismo aproxima-se e contacta estímulos-alvos úteis, evita estímulos nocivos e ignora aqueles indiferentes.[7] Ao avaliar um paciente para tratá-lo, o fisioterapeuta deve ouvi-lo, esclarecer sobre sua doença e conhecer sua opinião sobre os recursos mais agradáveis para o seu tratamento a fim de proporcionar maiores satisfação e conforto, o que permite a combinação de técnicas para tornar o momento terapêutico mais agradável, motivador e humano.[19] É de extrema relevância considerar o ponto de vista do paciente quanto às suas expectativas e opinião na qualidade do atendimento, assim como seus desejos e preferências.

O comportamento motivado ocorre em função do reforço e da recompensa, a qual é baseada em sistemas internos e externos de retroalimentação. A experiência repetida de reforço e recompensa leva à aprendizagem, mudança na expectativa, mudança no comportamento e manutenção do desempenho.[16] O paciente precisa estar ou ser motivado para a terapia. As tarefas devem ter um grau adequado de complexidade. Não podem ser muito difíceis, pois o paciente não conseguirá realizá-las, gerando frustração, e não podem ser muito fáceis porque não motivarão. Quando o paciente obtém sucesso na execução da tarefa, este sucesso é um modo de potencializar a motivação.[20] No atendimento multidisciplinar, devem-se evitar “mensagens contraditórias” a respeito do que se espera dos pacientes que estão participando da reabilitação, pois isso poderá desmotivá-los. O fisioterapeuta, por ter um contato constante com os pacientes, lhes dá uma contribuição importante no processo de reabilitação.[21] O fisioterapeuta deve integrar técnica e humanismo nos atendimentos para alcance das perspectivas dos seus pacientes.[22]

A incapacidade, presente nas doenças crônicas, leva o individuo à sensação de invalidez e, consequentemente, à depressão. Alguns sintomas e incertezas também provocam ansiedade, independentemente da doença de base. Nas doenças pulmonares e cardiovasculares crônicas, essa situação não é diferente.

Nesse grupo de doenças, além de todas alterações esperadas frente à doença crônica, o sintoma mais importante no agravamento dos distúrbios comportamentais é a dispneia. Já foi pesquisado se a hipoxemia crônica também poderia ter relação com esses distúrbios, porém não há consenso na literatura a respeito.[23] Foi notado que, mesmo com a correção da hipoxemia por meio da oxigenoterapia, não houve correção da ansiedade ou da depressão naqueles pacientes que permaneceram com sintomas frequentes de dispneia.[24]

Por se tratar de uma doença altamente complexa, havendo influências multifatoriais para o seu surgimento, os indivíduos com DPOC demandam maior atenção na abordagem das suas complicações, para isso existem inúmeras estratégias terapêuticas que, juntas, formam um complexo terapêutico, objetivando um atendimento mais completo. Entre as estratégias não farmacológicas, destacam-se dois grupos principais: intervenções psicológicas; as intervenções de estilo de vida (Quadro 15.1).

Os componentes psicológicos mais comuns são as intervenções cognitivo-comportamentais, as técnicas de resolução de problemas, o relaxamento e a miscelânea (como o manejo de estresse). Os componentes de estilo de vida mais comuns são o treinamento físico, o treino de habilidades a educação, especialmente, fazendo parte de um programa de reabilitação pulmonar. A atividade física por meio desses programas de reabilitação pulmonar está relacionada com a diminuição nos efeitos de sintomas psicológicos, como a ansiedade.

Estudos recentes que utilizaram como proposta terapêutica o complexo psicológico e/ou as intervenções de estilo de vida demonstraram redução de sintomas de depressão, mas essa redução era considerada pequena, porém quando realizada a análise de subgrupo das diferentes variáveis a ser estudado, o treinamento físico, dentro de um programa de reabilitação pulmonar, foi a única estratégica terapêutica, entre todas, que conseguiu reduzir sintomas de ansiedade e depressão simultaneamente e que considerada significativa do ponto de vista estatístico.[9,25] A atividade física, como estratégia terapêutica direcionada às demandas particulares desta população específica, tem sido apontada como a estratégica mais efetiva quando comparada com outras estratégias comportamentais, estilo de vida etc.

A atividade física oferece aos pacientes com DPOC uma alternativa e uma aproximação no manejo de sintomas depressivos, especialmente para aqueles que apresentam comorbidades físicas e estão sujeitos aos inúmeros efeitos antagonistas das terapias medicamentosas a que são submetidos.[26] Trinta minutos de atividade física de 3 a 12 semanas têm apontado efeitos positivos em indivíduos tabagistas de longa data associados com sintomas de depressão/ansiedade.[27,28] Porém, no contexto terapêutico, a forma como é realizada a atividade física é ainda incerta, principalmente no que diz respeito ao incremento de intensidade.

Já em indivíduos com doença coronariana aguda, foram identificadas características consideradas barreiras ou facilitadores para a atividade física, e esses aspectos dizem respeito ao grau de adesão na participação em atividades física (Quadro 15.2). E, entre esses conceitos positivos e negativos, os indivíduos podem ser divididos em ativos e inativos.

Quadro 15.1 Classificação dos componentes de intervenção[3]

Tipos de intervenção	Descrição	Componentes
Estilo de vida	Educação geral	Fornecimento básico de informações, usando técnicas didáticas
	Discussão geral	Discussões facilitadas por um profissional
	Treinamento físico	Exercícios direcionados
	Habilidades e autogestão	Ensinar habilidades práticas para melhorar a doença
	Terapia comportamental	Uso de técnicas, como estabelecimento de metas
	Prevenção de recaídas	Discussão de como manter mudanças positivas e prevenir futuras recaídas
Psicológico	Técnicas de resolução de problemas	Identificação de problemas/barreiras para mudanças comportamentais e técnicas de como superá-las
	Terapia cognitiva comportamental	Usar ou ensinar técnicas para invocar mudanças psicológicas positivas
	Suporte social	Ensinar técnicas para melhorar o suporte social
	Relaxamento	Prática de técnicas de relaxamento, incluindo imagem e distração
	Biofeedback	*Feedback* biológico para apoio de relaxamento
	Miscelânea	Intervenções em saúde mental, como manejo do estresse.

Quadro 15.2 Barreiras e facilitadores para atividade física[29]

Barreiras	Facilitadores
Baixa autoestima	Experiência psicológica dos benefícios do exercício
Percepções negativas em relação à saúde e mudança de vida	Apoio de outros indivíduos
Baixa motivação para o exercício	Ter uma razão para o exercício
Obstáculos externos	Usar estratégias psicológicas
Restrições físicas	
Medo de exercício	
Pouca informação sobre exercícios	

Entre as barreiras identificadas para a realização da atividade física, destacam-se as percepções negativas em relação à saúde e baixa motivação para o exercício. Já entre as experiências psicológicas dos benefícios do exercício, foi apontada como o principal fator facilitador a adesão às práticas físicas em indivíduos com doença coronariana. Indivíduos comumente prosseguem com a atividade física porque esta os faz se sentirem melhor psicologicamente ou porque mais relaxados, e segundo os mesmos, conseguem esquecer problemas como dores crônicas e estresse e referem que o exercício eleva o seu senso de realização.[29]

A fisioterapia participa de maneira direta em todas as fases dos programas de reabilitação cardíaca e na fase 2, que é caracterizada pela implementação de atividade físicas dirigidas, atividades para relaxamento, informações sobre estilo de vida e manejo do estresse. A intensificação dos exercícios tem mostrado redução de sinais de ansiedade e de depressão;[30] é importante frisar que essa fase só será iniciada quando a equipe multidisciplinar julgar que tais atividades não oferecem risco ao paciente.

Conclusão

Há muito tempo sabe-se da relação entre os distúrbios cardiorrespiratórios e o seu reflexo no surgimento de disfunções comportamentais, porém somente nos últimos anos foi possível entender melhor as variáveis e os fatores que influenciam tanto a sua exacerbação como para a redução dos sintomas manifestados e o fisioterapeuta tem se mostrado, cada vez mais, um profissional decisivo na implantação de programas de atendimento, elaboração de técnicas profiláticas/curativas e na participação nas diferentes fases de programas terapêuticos.

Referências Bibliográficas

1. Hanaina NA, Mullerova H, Locantore NW et al. On behalf of the Evaluation of COPD Longitudinally to identify predictive surrogate endpoints (ECLIPSE) study investigators. Determinants of depression in the ECLIPSE Chronic Obstrutive Pulmonary Disease Cohort. Am J Respir Crit Care Med; 183 604-611. 2001.
2. Murphy B, Cockburn J, Murphy M. Focus groups in health research. Health Prom J Aust. 2:37-40, 1992.
3. Coventry PA, Bower P, Keyworth C, Kenning C, Knopp J, Garrett C, et al. The effect of complex interventions on depression and anxiety in chronic obstructive pulmonary disease: systematic review and meta-analysis. PLoS One.5;8(4):e60532, 2013.
4. Rudisch B, Nemeroff CB. Epidemiology of comorbid coronary artery disease and depression. Biol Pscyiatry, 54 (3): 227-240. 2003.
5. World Health Organization. Cardiovascular diseases Fact sheet n.317. Disponível na internet: http://www.who.int/mediacentre/factsheets/fs317/en/print.html.
6. Grace SL, Abbey SE, Pinto R et al. Longitudinal course of depressive symptomatology after a cardiac event: effects of gender and cardiac rehabilitation. Psychosom Med, 67 (1) 52-58. 2005.
7. Van Melle JP, de Jonge P, Spijkerman TA et al. Prognostic association of depression following myorcadial infarction with mortality and cardiovascular events: a meta-analysis. Psychosom Med; 66 (6): 814-822. 2004.
8. Blumenthal JA, Babyak MA, Moore KA et al. Effects of exercise training on older patients with major depression. ARCH Intern Med; 159 (19); 2349-2356. 1999.
9. Zhang MWB, Ho RCM, Cheung MWL et al. Prevalence of depressive sympotoms in patients with chronic obstructive pulmonary disease: a systematic review, meta-analysis and meta-regression. Gen Hosp Psychiatry; 33: 217-223. 2011.
10. American Thoracic Society. Dyspnea, mechanisms, assessment and management. A consensus statement. American Journal of Respiratory Critical Care of Medicine, 159, 321-340.1999.
11. Gudmundsson G, Gislason T, Janson C et al. Risk factors for rehospitalisation in COPD: Role of health status, anxiety and depression. European Respiratory Journal, 26, 414-419. 2005.
12. Gurney-Smith B, Cooper BJ, Wallace L. Anxiety and panic in chronic obstructive pulmonary disease: The role of catastrophic thoughts. Cognitive Therapy and Research, 26, 43-155. 2002.
13. Hallas CN, Howard C, Theadom A, Wray J. Negative beliefs about breathlessness increases panic for patients with chronic respiratory disease. Psychol Health Med. 17(4):467-77, 2012.
14. Howard C, Hallas CN, Wray J et al. The relationship between illness perceptions and panic in choronic obstructive pulmonary disease. Behaviour Research and Therapy, 47(1), 71-76. 2009.
15. Mikkelsen RL, Middelboe T, Psinger C et al. Anxiety and depression in patients with chronic obstructive pulmonary disease (COPD). A review. Nord J Psychiatry; 58: 65-70. 2004.
16. Umphred D A. Rabilitação Neurológica. 4 ed. São Paulo: Manole, 2004. p156-177.
17. Rijntjes M, Dettmers C, Buchel C, et al: A blueprint for movement: Functional and anatomical representations in the human motor system. J Neurosci 19:8043-8048. 1999.
18. Kandel ER, Schwartz JH, Jessel TM: Principles of Neural Science, 5th ed. New York, Elsevier Medical Science Publishing, 2000.
19. Andrade L, Oliveira R: Acidente Vascular Cerebral. Revista Brasileira de Hipertensão, 8 (3), 280.2001.

20. Annunciato FD, Salina EM, Oliveira NEC. Fatores ambientais que influenciam a plasticidade do SNC.Acta Fisiátrica, São Paulo p.10 8(1): 6-13, 2001.
21. Maclean N, Pound P, Wolfe C, Rudd A. Qualitative analysis of stroke patients' motivation for rehabilitation;321:1051-1054,2000.
22. Blascovi-Assis SM, Peixoto B. A visão dos pacientes no atendimento de fisioterapia: dados para traçar um novo perfil profissional. Fisioterapia em Movimento, Curitiba,v. 15, n. 1, 2002, p. 61-67,2002.
23. Norwood RJ, A review of etiologies of depression in COPD. Int J Chron Obstruct Dis. 2(4): 485-491, 2007.
24. Lahdensuo A, Ojanen M, Ahonen A et al. Psychosocial effects of continuous oxigen therapy in hypoxaemia chronic obstructive pulmonary disease patients. Eur Respir J;2:977-980,1989.
25. Paz-Diaz H, Montes de Oca M, López JM et al. Pulmonary rehabilitation improves depression, anxiety, dyspnea and health status in patients with COPD. A J Phys Med Rehab 86: 30-36. 2007.
26. Boyd CM. Clinical practice guidelines and quality of care for older patients with multiple comorbid diseases: Implications for pay for performance. JAMA 294: 716-724. 2005.
27. Herring MP, O'Connor PJ, Dishman RK. The effect of exercise training on anxiety symptons among patients: a systematic review. Arch Internen Med 170: 321-331. 2010.
28. Herring MP, Puetz TW, O'Connor PJ et al. Effect of exercise training on depressive symptons among patients with a chronic illness: a systematic review and meta-analysis of randomized controlled trials. Arch Intern Med 172: 101-111. 2012.
29. Rogerson MC, Murphy BM, Bird S, Morris T. "I don't have the heart": a qualitative study of barriers to and facilitators of physical activity for people with coronary heart disease and depressive symptoms. Int J Behav Nutr Phys Act. 30;9:140, 2012.
30. Sanjuán P, Arranz H, Castro A. Effect of negative attributions on depressive symptoms of patients with coronary heart disease after controlling for physical functional impairment. Br J Health Psychol.;19(2):380-92, 2014.

Intervenção Fisioterapêutica e Terapias Complementares

16

Rebeca de Barros Santos Rehder

Introdução

São inúmeros os desafios encontrados diariamente por pessoas que buscam reabilitação ou restauração de padrões de movimento e/ou comportamento. Profissionais da reabilitação física e intelectual procuram constantemente por alternativas nos métodos e estratégias que possam auxiliar no tratamento das pessoas que apresentam desordens neurológicas. Neste contexto, variar estímulos e meios utilizados para alcançar objetivos específicos tem sido cada vez mais valorizado na reabilitação por meio de terapias complementares.

A inclusão de métodos e ferramentas que enriquecem os procedimentos e sessões de terapia favorece pacientes de todas as idades por meio de diversos mecanismos que serão estudados e detalhados neste capítulo, entre eles está a motivação, um dos principais facilitadores de processos terapêuticos.

Acrescentar um novo estímulo, físico ou motivacional, ao programa de fisioterapia pode trazer benefícios inesperados, bem como a variabilidade de estímulos contribui positivamente em longos processos de reabilitação.

Terapia Assistida por Cavalos – Equoterapia

Entre as diversas formas de terapias complementares, a equoterapia representa uma das principais intervenções terapêuticas com animais em todo o mundo. O cavalo como instrumento terapêutico vem se mostrando, cada vez mais, como complemento e facilitador terapêutico bastante eficaz nos programas de reabilitação. É amplamente reconhecido que a interação entre as pessoas e os cavalos tem benefícios físicos, mentais, emocionais e intelectuais.[1,2]

Equoterapia significa tratamento com auxílio do cavalo, sobre o qual o paciente realiza movimentos orientados por terapeutas especializados, aproveitando ao máximo os estímulos do cavalo e do ambiente. O paciente montado responde ativamente aos movimentos do animal, tendo analisadas suas respostas para que o tratamento seja direcionado de acordo com a finalidade de cada terapia.[3,4]

A equoterapia é definida pela Associação Nacional de Equoterapia ANDE Brasil como um método terapêutico e educacional que utiliza o cavalo em uma abordagem interdisciplinar, nas áreas de saúde, educação e equitação, buscando o desenvolvimento biopsicossocial de pessoas com deficiência.[4]

No Brasil, utiliza-se o termo "equoterapia", criado pela Associação Nacional de Equoterapia, que tem o prefixo do latim *equus,* que significa "cavalo". Em países de língua inglesa, a terapia com cavalo pode ser nomeada de diversas formas, com diferenças específicas de acordo com a aplicação do conceito e interação com o cavalo e seus movimentos. Os principais termos encontrados em inglês são *equine-assisted therapy, hippotherapy, therapeutic riding, riding for the disabled, therapeutic horsemanship.*[4,5]

O conceito dos efeitos terapêuticos do passo do cavalo encontra a sua primeira menção registrada nos antigos escritos gregos de Hipócrates de Loo, na Grécia antiga, em seu *Livro das dietas*, datado de 460-377 a.C., em que aconselhava a equitação para regenerar a saúde e preservar o corpo humano de muitas doenças. Samuel Theodor Quelmaz (1697-1758), ao escrever *A saúde através da equitação*, abordou pela primeira vez o movimento tridimensional do cavalo ao passo. No século XIX, investigações científicas sobre a utilidade terapêutica da equitação para doenças neurológicas e outras deficiências começaram a ser realizadas. Após a Segunda Guerra Mundial, o uso do cavalo como terapia foi ainda mais estimulado e difundido. Em 1952, nos Jogos Olímpicos de Helsinque, uma atleta com poliomielite, Liz Hartel, ganhou a medalha de prata de adestramento equestre. Esse acontecimento gerou ampla divulgação da técnica e da viabilidade deste esporte para pessoas com deficiência.[3,6]

Em 1969, foi criada a Associação Norte-Americana de Equitação Terapêutica (NARHA, do inglês North American Riding for the Handicapped Association), hoje nomeada PATH Intl. - Professional Association of Therapeutic Horsemanship International.[5]

A equoterapia é aplicada no Brasil desde 1989 e, hoje, é difundida em todo o território nacional; mas, somente em 1997, foi reconhecida e oficializada como método terapêutico e científico pelo Conselho Federal de Medicina.[3,4,6]

"Equoterapia" é um termo bastante amplo, referindo-se às várias áreas que empregam o cavalo por equipes multidisciplinares, com objetivos terapêuticos variados. A equipe de equoterapia pode ser composta por profissionais da área da saúde, sendo eles médicos, fisioterapeutas, terapeutas ocupacionais, fonoaudiólogos e psicólogos. Profissionais da área da educação são representados na atuação de pedagogos, psicopedagogos e educadores físicos. A área da equitação tem importante atuação com instrutores de equitação capacitados para orientar e treinar pacientes e atletas paraequestres. A atuação desses profissionais varia conforme o perfil clínico e objetivos terapêuticos determinados após avaliação específica. Todos os profissionais que atuam na terapia assistida por cavalos devem ter formação específica com cursos de equoterapia e noções de equitação, garantindo a segurança e a eficácia do tratamento.[3,5,6,7]

Segundo a ANDE Brasil (Associação Nacional de Equoterapia), a equoterapia se divide em quatro programas, descritos a seguir.

Hipoterapia

A Associação Americana de Hippoterapia (American Hippotherapy Association) define hipoterapia como um termo que refere-se ao uso do movimento do cavalo, como uma estratégia, por fisioterapeutas, terapeutas ocupacionais e fonoaudiólogos para tratar deficiências e limitações funcionais.[5]

Hipoterapia significa literalmente "o tratamento com a ajuda do cavalo" e o termo vem da palavra grega "*hippos*", que significa cavalo. Em hipoterapia, o cavalo influencia o paciente, em vez de o paciente controlar o cavalo, é focada principalmente na restauração e aquisição de movimento e funções neuromuscular em vez de metas equestres e esportivas. O paciente está posicionado sobre o cavalo e responde de forma ativa ao movimento gerado pelo passo do animal. O terapeuta direciona o movimento do cavalo, analisa as respostas do paciente e ajusta o tratamento e intervenções de acordo com cada caso. Esta estratégia é usada como parte de um programa de tratamento integrado para alcançar resultados funcionais, visando a estabilidade sobre os planos sensorial e motor, relacional, afetivo e psíquico (Figuras 16.1, 16.2 e 16.3).[2,3,5]

Figuras 16.1, 16.2 e 16.3 Atendimento de hipoterapia utilizando manta para montaria dupla (1 e 2) e montaria individual (3).
Fonte: arquivo pessoal.

Educação/Reeducação

Crianças, adolescentes e adultos com diversas deficiências ou transtornos podem ser beneficiados pelas abordagens educacionais feitas por psicológicos, psicoterapeutas e pedagogos com a ajuda do cavalo. Lidar com o cavalo treinado fortalece a autoconfiança e o senso de responsabilidade e facilita os pacientes a lidarem com medos e frustrações.

Não se consideram apenas as numerosas estimulações e funções motoras que o andar a cavalo solicita, mas também o componente relacional que se estabelece entre a pessoa e o animal e que enriquece este tipo de terapia, tornando-o um agente facilitador e motivacional para uma intervenção psicoterapêutica; nesta fase, o cavalo atua como instrumento pedagógico (Figura 16.4).[5,7]

Figura 16.4 Equoterapia: atividade lúdica de volteio terapêutico em grupo.
Fonte: arquivo pessoal.

Pré-esportivo

Quando montando, a pessoa tem a oportunidade de conhecer a sua própria influência sobre o cavalo. Isso já pressupõe um certo grau de experiência com o movimento sobre o cavalo e um maior grau de independência e autonomia. O contato mais próximo ao montar fortalece o relacionamento com o cavalo, o desenvolvimento motor e sócio-emocional. Esta forma de terapia pode ser realizada em sessões individuais ou como uma atividade em grupo, sempre com a utilização de capacete como equipamento de segurança.[7]

Nesta área, os pacientes são mais independentes e iniciam noções de equitação, o que propicia a exploração de áreas desconhecidas com grande sensação de aventura, liberdade e autonomia. Condução de rédeas e trabalho na sela com estribos são algumas das estratégias terapêuticas utilizadas. A ação do profissional de equitação é mais presente, necessitando, contudo, da orientação dos profissionais das áreas de Saúde e Educação (Figura 16.5).[5,6]

Prática Esportiva Paraequestre

O desporto equestre é possível graças ao desenvolvimento de ferramentas especiais e cavalos especialmente treinados para as pessoas com deficiência. O instrutor de equitação atuando no esporte adaptado para pessoas com deficiência deve ter conhecimentos gerais das várias deficiências e adaptações necessárias para o hipismo, nas áreas de adestramento paraequestre e volteio equestre adaptado.[5,7]

Figura 16.5 Equoterapia: paciente realizando atividade de condução de rédeas.
Fonte: arquivo pessoal.

A finalidade da prática esportiva paraequestre é preparar a pessoa com deficiência para competições paraequestres com o objetivo de se obter prazer pelo esporte, estimulando efeitos terapêuticos, melhoria da autoestima, da autoconfiança e da qualidade de vida, inserção social e preparando atletas de alta performance (Figura 16.6).[3,7]

Figura 16.6 Atleta durante prova de adestramento paraequestre.
Fonte: DKTHR, 2013. Foto: Julia Rau.

Similaridades entre Cavalo e Homem

O cavalo como um instrumento dinâmico de tratamento, em uma combinação de técnicas desenvolvidas para o tratamento de alterações neurofuncionais, cria uma alternativa eficaz para o tratamento de distúrbios neurológicos.[8]

O cavalo para a equoterapia deve ser dócil e os animais adultos são preferíveis por serem mais mansos, maduros e calmos. Quanto à altura, deve ter cerca de 1,50 m, o que facilita a assistência terapêutica ao paciente e não intimida a aproximação inicial. O cavalo de terapia deve ser acostumado com brinquedos, bolas e outros objetos lúdicos usados para facilitar alguns exercícios.[3,6]

O terapeuta na equoterapia obtém da utilização terapêutica do cavalo, o mais valioso estímulo tridimensional que é a vibração dorso do animal, produzida em benefício da reabilitação, força centrífuga, aceleração e da frenagem e cuja ação se dá constante e simultaneamente sobre o paciente montado. O movimento do cavalo é transferido para o corpo do paciente sentado em uma frequência de cerca de 90 a 110 passos por minuto, o que se compara à sequência média de movimentos da marcha de um adulto. As 2.700 a 3.300 repetições do passo em uma sessão de 30 minutos, combinadas com alta motivação do paciente, proporcionam a circunstância ideal para a prática de estratégias de aprendizagem motoras novas, à disposição do paciente para as tarefas funcionais na vida diária. Com o deslocamento do cavalo ao passo, o paciente é constantemente submetido a desequilíbrios que estimulam automaticamente reações de endireitamento do tronco para manutenção da postura sentada.[8]

Indicações e Contraindicações

A equoterapia é recomendada para pessoas de todas as fases da vida e desenvolvimento – desde crianças a idosos. Desordens neurológicas de diferentes etiologias e causas variadas, as indicações devem ser feitas com base em sintomas. Os seguintes sintomas raramente isolados são considerados indicações específicas, sendo principalmente:[4,5,7,8] paralisia cerebral; síndromes neurológicas; doenças cerebrovasculares; traumatismo cranioencefálico; doença de Parkinson; doença de Alzheimer; esclerose múltipla; demência; deformidade espinal; distrofias musculares; e deficiência visual e auditiva.

Há uma grande variedade de diagnósticos inespecíficos indicados para tratamento com equoterapia como dispraxia, déficits de integração sensorial, diminuição da coordenação motora grossa, alterações de equilíbrio, diminuição do planejamento motor, diminuição da relação espacial, a falta de consciência corporal e má postura.[7]

Na presença dos seguintes sintomas, pode ser realizado um trabalho pedagógico com o cavalo em estreita colaboração com os profissionais médicos e psicológico/psicoterapeutas:[5,7] autismo; esquizofrenia; dificuldades de atenção, aprendizagem, comportamento social, concentração e motivação; atrasos de desenvolvimento na área de percepção, habilidades motoras, habilidades sociais, de comunicação e linguagem, coordenação, cognição; transtornos Alimentares; medos; transtornos de personalidade; psicoses; transtorno de estresse pós-traumático; etranstornos dissociativos.

A indicação da equoterapia relativa à idade varia de crianças a partir de 18 meses de idade até adultos e idosos.[9,10]

Como outras técnicas de tratamento, a equoterapia enseja algumas precauções e contraindicações. Contraindicações relativas são manifestações clínicas ou patologias associadas que exigem uma avaliação para cada paciente e em cada fase da doença, a consulta com o médico é essencial para indicação de pacientes com:[3,4,5,7,8] luxação do quadril; doenças cardíacas; doença pulmonar obstrutiva crônica; diabetes juvenile; alérgico a pêlos de cavalo ou poeira; escoliose (ângulo de Cobb 20-40°); alterações graves de equilíbrio; e epilepsias de difícil controle.

As contraindicações absolutas são: dor aguda; doenças inflamatórias agudas; úlceras de pressão; distúrbios de coagulação do sangue; osteoporose severa; epilepsia com crises de grande mal não controladas; asma alérgica; escoliose estrutural (> 49°); instabilidade atlantoaxial; psicose aguda; transtornos suicidas agudos; e medo ou ansiedade intransponíveis.

É importante destacar que todo paciente deve ser submetido à avaliação médica e fisioterapêutica antes de iniciar o tratamento de equoterapia. A lista de indicações e contraindicações contém importantes informações que devem ser analisadas individualmente e não devem ser consideradas conclusivas.

Mecanismos Neurofisiológicos

Durante a sessão de equoterapia, o paciente deve ser devidamente posicionado de maneira a inibir posturas e padrões patológicos, mantendo o alinhamento postural adequado para montaria e aproximando seu centro de gravidade ao do cavalo, permitindo, assim, a melhor transferência dos movimentos gerados pelo passo do animal à pelve do paciente. Trabalham-se os ajustes do tronco e o equilíbrio, solicitando respostas de endireitamento do tronco, semelhantes à situação da marcha humana. Ainda pela postura da montaria, ocorre a melhora do tônus muscular por ser esta uma postura inibitória, mantendo ainda a musculatura em alongamento, mobilização passiva e estimulação vestibular lenta.[8,9]

O uso de técnicas manuais pressupõe o conhecimento das potencialidades de desenvolvimento neurofisiológico e do modo como estas podem ser influenciadas. Os conceitos neurofuncionais devem ser integrados no tratamento. Conseguir a melhor posição inibitória reflexa possível sobre o cavalo permite o início do treinamento muscular e do padrão de movimento impresso no paciente.[8]

Podem-se estimular variações de ativação muscular quando realizadas mudanças posturais, ou alternando o cavalo parado, ao passo e posteriormente ao trote, utilizando componentes de aceleração e desaceleração para aquisição de equilíbrio.[11,12]

Os benefícios desta terapia se estabelecem pela simultaneidade das informações sensoriais advindas do cavalo, do ambiente e da interação com o terapeuta e os exercícios propostos, atuando diretamente no processo de formação de esquemas corporais e na integração sensorial.[12,13]

A meta principal da equoterapia é a estabilidade postural automática em alinhamento com o centro da gravidade. Por meio de constantes desequilíbrios causados pela marcha, o cavalo desencadeia no paciente diversas reações de endireitamento postural para a manutenção da postura sentada. Os ajustes tônicos posturais, somados à estimulação vestibular, facilitam a percepção de simetria corporal, o fortalecimento muscular, alongamento e alinhamento corporal.[10,13]

O paciente posicionado corretamente sobre o cavalo recebe a ação do movimento tridimensional de uma maneira mais apropriada, influenciando significativamente a estabilidade da cabeça e tronco (Figura 16.7).[10,13]

A equoterapia vem sendo aplicada há mais de 50 anos nas patologias que afetam o sistema nervoso central. Estudos relataram benefícios incluindo a melhora da função motora grossa, gasto energético na marcha e coordenação postural e do tronco de pacientes submetidos ao tratamento com equoterapia.[8,14]

Na fase inicial de desenvolvimento motor e reabilitação, o cavalo pode ser especialmente visto como um terapeuta insubstituível. Enquanto o paciente está posicionado sobre o dorso do cavalo, o movimento deste mobiliza o tronco daquele, o que estimula e desperta a aprendizagem sensório-motora.[15]

A mobilização rítmica desempenhada pelo cavalo em padrões de movimento em harmonia não pode ser duplicada por nenhuma outra modalidade de terapia. Por meio de diagonais e sutis estímulos de movimento de rotação, o cavalo move-se continuamente em sequência rítmica e simétrica.[8]

Figura 16.7 Postura e alinhamento corporal durante a montaria.
Fonte: Strauss, 2000.

Os efeitos positivos que a equoterapia tem sobre a respiração podem ser explorados pelo fonoaudiólogo. Funções motoras da boca são ativadas, além disso, o paciente é motivado a estabelecer comunicação e contato com o cavalo. Estar ao ar livre oferece estímulos olfativos e entradas visuais variadas e diferenciadas de ambientes convencionais de terapia.[2,15,16]

Formato de Atendimento na Equoterapia

Especialmente na hipoterapia, em que o paciente não interfere de forma ativa na condução do cavalo, é utilizado o condutor – pessoa treinada para andar com o cavalo com ritmo e velocidade determinados pelo terapeuta de acordo com seus objetivos.

Após avaliação física, o terapeuta deve determinar a indicação de montaria dupla ou independente. Em pacientes com atraso motor ou déficits de equilíbrio, resultando na impossibilidade ou dificuldade de se manter sentado de forma independente, ou quando esta postura é prejudicada no momento em que o cavalo está ao passo, o terapeuta deve montar junto com o paciente, posicionado atrás deste sobre uma manta de terapia. Esta estratégia de atendimento visa a atuação do terapeuta de modo a facilitar o posicionamento do paciente (crianças ou adultos), ajustando a postura e alinhamento nos casos de ausência ou perda parcial do controle cervical, do tronco ou deficit de reações de equilíbrio.[6,7,8]

Equoterapia é realizada com um frequência de uma ou duas vezes por semana. A duração do tratamento depende da capacidade e desempenho do paciente, em média cada sessão tem cerca de 20 a 30 minutos. O paciente é acompanhado constantemente pelo terapeuta responsável.[7,8]

Rampa e plataforma podem ser utilizadas para facilitar a montaria, principalmente para cadeirantes, pacientes grandes e para facilitar o contato inicial com o cavalo. Pacientes com diminuição de sensibilidade na pelve ou nos membros inferiores não devem montar em sela, mas em uma manta bem macia e espessa para acolchoar bem o dorso do cavalo. Os pacientes com deficiências físicas variadas deverão ter adaptações específicas para cada quadro clínico, como rédeas e selas com alças e estribos fechados (Figura 16.8, 16.9 e 16.10).[3,5-7]

Figura 16.8 Rampa de acesso para facilitar a montaria de pacientes com dificuldades motoras.
Fonte: arquivo pessoal.

Figura 16.9 Paciente montado fazendo uso de adaptações nas rédeas com alças facilitando a preensão, e de estribo fechado para melhor posicionamento dos pés.
Fonte: arquivo pessoal.

Figura 16.10 Paciente montada em manta terapêutica, acompanhada por fisioterapeuta e condutor.
Fonte: arquivo pessoal.

A equoterapia auxilia o paciente a se organizar em relação ao seu espaço, a desenvolver a sequencialidade de seus atos até montar e comandar o cavalo, aprimorar percepções sensoriais, desenvolver o equilíbrio, a postura, a lateralidade, a motricidade, o esquema e conscientização corporal e o enriquecimento de seu vocabulário.[2]

A visão de cima do cavalo proporciona ao paciente outra forma de percepção visual. Muitas vezes acostumados com uma visão inferiorizada, um cadeirante ou um idoso com pouca mobilidade passa a ter um novo olhar quando se senta sobre o cavalo. Montados, os idosos, os deficientes físicos ou intelectuais desfrutam de uma percepção diferenciada e privilegiada do mundo ao redor. Em outras palavras, as respostas adaptativas do paciente para o ambiente e os movimentos do cavalo, eventualmente, resultam em melhorias na função.[3,6]

Exercícios de mudanças posturais enriquecem e estimulam diversos sistemas, além de serem um grande desafio e diversão para todas as idades.[12]

Opções de tratamento que englobam abordagens e estratégias de exercícios na equoterapia são: alterar o ritmo do cavalo e direção do passo; variar as posições sobre o cavalo para enfatizar áreas de pressão e contato; facilitar as respostas posturais, tais como supino, prono, e a posição quadrúpede, trocas posturais sobre o cavalo em movimento; fechar os olhos; alcance para facilitar a rotação do tronco, cruzar a linha média, e alcances bilaterais a fim de estimular integração e simetria (Figura 16.11, 16.12 e 16.13).[7,11,12]

A equoterapia oferece ao terapeuta uma oportunidade única. Os *inputs* que o movimento do cavalo proporciona ao paciente são naturais, rítmicos e ricos em estímulos sensoriais. O terapeuta pode usar o cavalo de muitas maneiras para criar uma experiência neuromotora distinta de qualquer outra terapia (Figura 16.14, 16.15 e 16.16).[2,12]

Figura 16.11 Paciente em postura quadrúpede acompanhada por fisioterapeuta.
Fonte: arquivo pessoal.

Figura 16.12 Paciente em montaria dupla, posicionada em pronação, recebendo estímulos de apoio de membros superiores.
Fonte: arquivo pessoal.

Figura 16.13 Atendimento em montaria dupla com estímulo de pontos-chave de membros superiores. Fonte: arquivo pessoal.

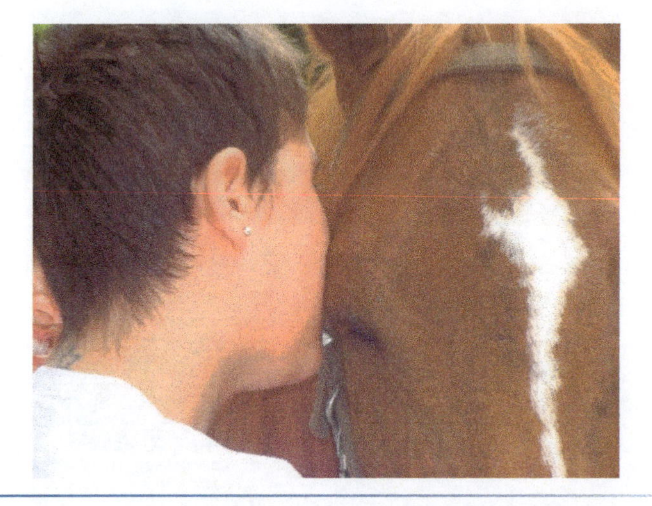

Figuras 16.14 Pacientes em contato com cavalo tendo nele motivador fundamental para reabilitação. Fonte: arquivo pessoal.

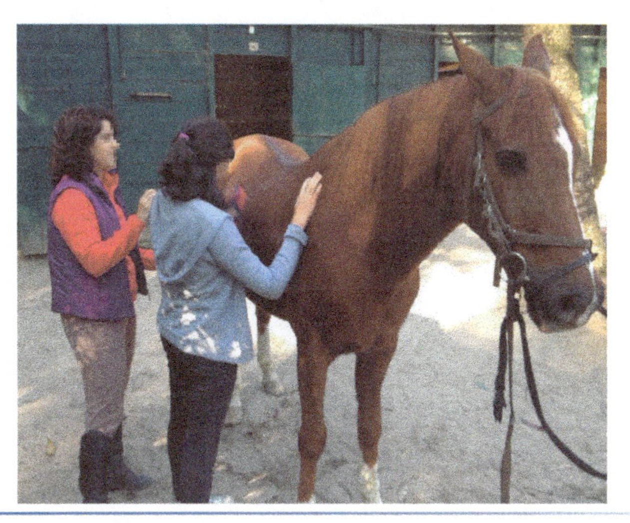

Figuras 16.15 e 16.16 Pacientes em contato com cavalo tendo nele motivador fundamental para reabilitação. Fonte: arquivo pessoal.

Terapia Assistida por Cães - TAC

Estudos comprovam: o cão, companheiro e melhor amigo do homem, traz diversos benefícios para a saúde e qualidade de vida, especialmente de pessoas idosas, com deficiência e hospitalizadas.[17]

Nos casos de demência, a TAC mostrou-se uma alternativa promissora para o tratamento de agitação/agressão e depressão. Os resultados sugerem que a utilização de animais – neste caso, cães – como complemento às terapias de reabilitação pode retardar a progressão dos sintomas neuropsiquiátricos em idosos moradores de instituições de longa permanência.[17,18]

Foi avaliada a eficácia de cães em visita a idosos institucionalizados e constataram-se a melhora do humor, a catalisação de interações sociais e a redução do estado apático diário da população estudadada. Os níveis de cortisol foram medidos na saliva, e o estado depressivo foi avaliado. Os resultados mostram um aumento tempo-dependente no comportamento social e que as interações espontâneas com os cães afetam o aumento diário na secreção de cortisol, tendo, portanto, um efeito motivacional.[19]

Vários estudos relataram alívio significativo da dor após a participação em visitas de cães-terapeutas. Pesquisas objetivas de redução da dor e dos sintomas relacionados à dor são apoiadas por estudos de medição diminuição catecolaminas e aumento de endorfinas em seres humanos que receberam visitas cães-terapeutas (Figura 16.17 e 16.18).[20]

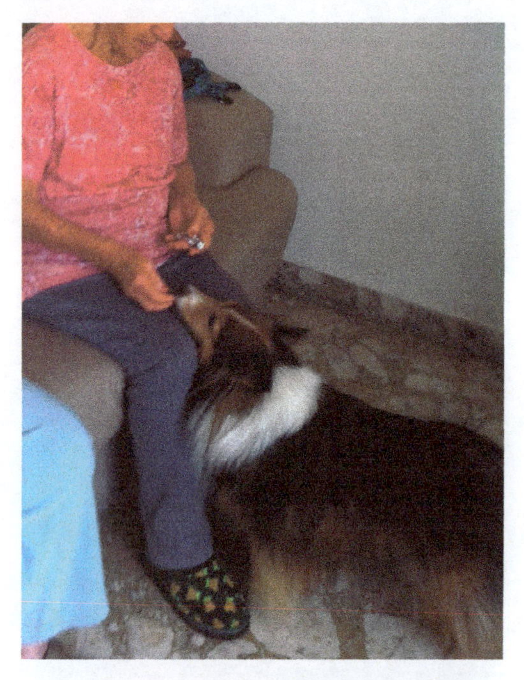

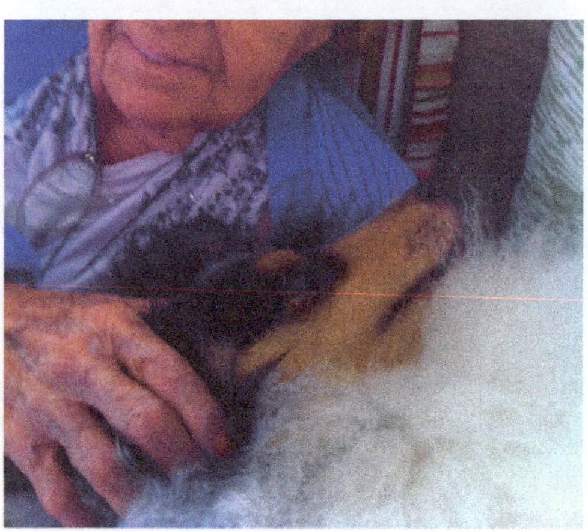

Figuras 16.17 e 16.18 Terapia Assistida por Cães aplicada a pacientes idosos em instituição de longa permanência.
Fonte: arquivo pessoal.

Enquanto a sabedoria convencional sempre afirmou o valor dos animais na promoção da saúde humana e bem-estar, só recentemente o seu papel terapêutico na medicina tornou-se um tópico de pesquisas. Em revisão realizada por Muñoz, na qual foram analisados artigos originais abordando TAC e doenças neurológicas, incluindo paralisia cerebral, transtornos globais do desenvolvimento, esclerose múltipla, lesão medular, acidente vascular cerebral e transtornos mentais, os autores observaram que os principais resultados terapêuticos foram mostrados com melhora na função motora de membros superiores, funções sociais e interação, redução do estresse, ansiedade e solidão (transtornos globais do desenvolvimento e transtornos mentais), e diminuição da espasticidade com melhor equilíbrio (esclerose múltipla, lesão medular, acidente vascular cerebral). Essas intervenções, realizadas com animais em pacientes neurológicos, demonstram um crescente número de evidências científicas sugerindo que eles são um complemento eficaz para outras terapias existentes. Há estudos dos efeitos evidentes da aplicação da TAC em crianças autistas, tanto com a participação terapêutica de cachorros, como sua presença no ambiente familiar. Nestas doenças, estudos de alta qualidade são necessários a fim de definir os programas mais apropriadas para a terapia assistida por cães.[21]

Terapias com Realidade Virtual e Videogames na Reabilitação

É notório que existe um crescente interesse em utilizar realidade virtual em ambientes terapeuticos. Os recursos da realidade virtual tem sido aplicados terapeuticamente em uma variedade de populações, que vão desde crianças a adultos mais velhos, [22,23] e em diferentes contextos, tais como: manejo da dor em pessoas que sofreram queimaduras,[24] transtorno de ansiedade,[25] comprometimento cognitivo e demência,[26,27] disfunções do assoalho pélvico,[28] além do tratamento em pessoas com autismo,[29] paralisia cerebral,[30] sequela de acidente vascular encefálico,[31] distúrbios de coordenação[32] e equilíbrio.[33]

Wille et al.[22] realizaram um estudo utilizando programas de realidade virtual com crianças que apresentavam déficits motores. Após a participação no programa com recursos de realidade virtual, a maioria dos participantes evidenciou melhorias na função do braço e um nível de motivação elevado. Os participantes relataram que gostaram da resposta direta proporcionada pelo programa de realidade virtual, os desafios dos jogos, e a competição ao buscar melhores scores. O programa de realidade virtual auxiliou os pacientes a atingir um senso de auto-suficiência e melhor controle sobre suas ações.[22]

Jogos de vídeo game podem também ser usados em busca da melhora na função cognitiva em pacientes adultos idosos. Pesquisas vem sendo realizadas para analisar a utilização de software e outras tecnologias nas terapias cognitivas. Dentre os que vem sendo utilizados citamos o *Brain Age*™ do Nintendo DS® e o *Brain Fitness Program*™. Os idosos que fizeram uso dos programas de computador apresentaram melhora significativa na memória, atenção e velocidade de processamento no raciocínio. A pesquisa foi conduzida para desenvolver programas de software que possam ser facilmente acessíveis, fornecer estimulação visual e auditiva, além de serem motivantes, lúdicos e envolventes para adultos idosos.[34]

Outros estudos indicam que idosos tiveram melhoras significativas no controle das funções, força muscular, habilidades de raciocínio e a capacidade de alternar tarefas depois de jogar vídeo game. Os resultados mais significativos no funcionamento cognitivo foram notados após 23,5 horas de jogo, ao longo de um período de cinco semanas, o que sugere a importância do tempo prolongado para que um indivíduo adquira uma nova habilidade ou se ajuste a uma nova tarefa.[35,36] O controle remoto do Nintendo Wii™ usa uma combinação de acelerômetros e de detecção de infravermelho para determinar sua posição no espaço, quando apontado para a barra de sensor. Este modelo permite ao usuário controlar o jogo por meio de gestos físicos do braço ou usando os botões tradicionais do controle remoto.[22]

O Nintendo® Wii Fit™ baseia-se em exercícios que desenvolvem várias atividades, como musculação, jogos de equilíbrio, aeróbica e yoga. O *Wii Balance Board*™ é uma plataforma que registra transferência de peso do indivíduo, comunicando-se ao sistema Wii™. O usuário controla o jogo através do deslocamento do seu peso, equilíbrio e outros meios; concomitantemente o personagem virtual no jogo responde a essas mudanças registradas pela prancha de equilíbrio Wii™.[22]

O Nintendo Wii™ como ferramenta complementar nas terapias de reabilitação motora e cognitiva tem boa aplicabilidade com benefícios no equilíbrio quando utilizado como complemento nas sessões de fisioterapia. Os efeitos foram comprovados em estudos que utilizaram a Escala de Equilíbrio Berg e demonstram aumentar clinicamente pontuações do equilíbrio, bem como melhorar a qualidade de vida em pacientes com Doença de Parkinson e idosos com deficits de equilíbrio.[37-39] Em estudo realizado por Tibbs et al,[39] os pesquisadores observaram que os participantes utilizando o Nintendo Wii™ gostaram do aumento da socialização, quando usando o Wii™ em um ambiente de tratamento em grupo.

Profissionais da fisioterapia e terapia ocupacional constatam que o Nintendo Wii™ e Xbox 360™ (utilizando sensor Kinect™) permitem aos jogadores participar fisicamente em um jogo, o que ajuda a manter e recuperar suas habilidades motoras.[23,25,37]

Devido à recente descoberta desse recurso ainda há poucas pesquisas, no entanto, os resultados sinalizam a eficácia da utilização dos vídeogames com pacientes em reabilitação neurológica, mas salientam a importância de mais estudos aprofundados na complementação das terapias pela realidade virtual (Figura 16.19).[22,36,39,40]

Figura 16.19 Paciente durante sessão de fisioterapia sendo estimulado equilíbrio e motivação com uso do Nintendo Wii.™
Fonte: arquivo pessoal.

Conclusão

Em contraste com a configuração das formas de terapia tradicional, as técnicas utilizadas nas terapias complementares apresentadas oferecem oportunidade para que os pacientes estejam em contato com animais, ou com jogos eletrônicos, tanto em um ambiente ao ar livre ou mesmo em local fechado, mas tendo como fator comum a presença do elemento lúdico que proporciona ao paciente uma forma divertida de terapia. A diversificação das ferramentas e a variação no formato das sessões terapêuticas tem como um dos principais objetivos reforçar ou despertar o interesse e motivação dos pacientes no ambiente terapêutico. A utilização de recursos diversos busca, além dos objetivos terapêuticos clássicos, contribuir para outros ganhos. O paciente pode evoluir de forma ampla no condicionamento do seu estado físico, trabalhando sua auto-estima proporcionando melhora no aspecto emocional e desenvolvimento intelectual.

O equilíbrio e o movimento são preocupações comuns para pacientes em recuperação de lesões cerebrais ou movimento e coordenação motora grossa, como caminhar e levantar. Embora o tratamento para cada paciente tenha especificidades e atenda as necessidades primárias do quadro clinico apresentado, incluir ferramentas e técnicas que possam ser fonte de prazer e venha trabalhar a motivação nas sessões terapêuticas é fator a observar e considerar fortemente. A diversidade tanto no ambiente como no formato das sessões terapêuticas provoca uma mudança no ritmo dos exercícios regulares, agindo como elemento fecilitador de ganhos funcionais.

As Terapias Assistidas por Animais são também uma forma de trabalho que pode ser utilizada como recurso para entretenimento na rotina das terapias. Uma cavalgada, ou o brincar e acariciar um animal, deve ser visto como poderoso instrumento motivacional além de todo o aspecto cinesioterapêutico.

A interação com animais e a utilização terapêutica de artefatos tecnológicos vem enriquecer as sessões terapêuticas oferecendo a oportunidade de se trabalhar, além dos objetivos típicos, fatores psicológicos, sociais, motivacionais e familiares para pacientes de todas as idades e com diferentes demandas. A presença do animal no ambiente terapêutico oferece um efeito positivo sobre o paciente e sobre os acompanhantes.

Ao inserir no ambiente terapêutico equipamentos eletrônicos que fazem uso da realidade virtual com controles e dispositivos sensíveis ao movimento do corpo, é possível enriquecer o processo terapêutico; em conjunto com jogos de vídeo games que exigem movimentos corporais semelhantes aos exercícios de terapia tradicional, a reabilitação complementada pela tecnologia auxilia na recuperação e restauração de diversos sistemas do corpo humano, facilitando ao paciente realizar tarefas funcionais diárias ou atividades recreativas.

Diversificar as ferramentas para incrementar e enriquecer o momento terapêutico deve ser uma constante. Os terapeutas devem ter criatividade e constante espírito de inovação na busca da boa evolução dos seus pacientes. Porém, com o cuidado de estar baseado em pesquisas, tendo em vista a ampla necesssidade de investimento em pesquisas e comprovações a fim de ampliar e fortalecer cientificamente estes recursos complementares à reabilitação.

Referências Bibliográficas

1. Granados AC, Agís IF. Why children with special needs feel better with hippotherapy sessions: a conceptual review. J Altern Complement Med 17(3):191-7, 2011.
2. Bánszky N, Kardos E, Rózsa L, Gerevich J. The psychiatric aspects of animal assisted therapy. Psychiatria Hungarica: A Magyar Pszichiatriai Tarsasag tudomanyos folyoirata, 27(3):180-90, 2012.
3. Botelho LAA, Santos RB, Santos LP. Equoterapia. In: Greve, JM, editor. Tratado de Medicina de Reabilitação. 1a Ed. São Paulo: ed. Roca, p. 277-281, 2007.
4. Medeiros M, Dias E. Equoterapia – Noções Elementares e aspectos Neurocientíficos. Rio de Janeiro: Ed. Revinter, 2008.

5. Professional Association of Therapeutic Horsemanship International (PATH Intl.) – Learn About EAAT: Section Specialty Disciplines/EAAT Definitions/Disponível na Internet: http://www.pathintl.org/resources-education/resources/eaat.
6. Botelho LAA, Santos RB, Equoterapia. In: Lianza S, editor. Tratado de Medicina Física e Reabilitação. 4a Ed. São Paulo: Guanabara Koogan p. 444-9, 2007.
7. Deutsches Kuratorium fur Therapeutisches Reiten (DKTHR) - Therapeutisches Reiten - Reit sport fuer menschen mit behinderungen/Heilpaedagogische-foerderung/Indikationen - kontraindikationen. Disponível na Internet: https://www.dkthr.de.
8. Strauss I. Hippotherapie, neurophyisiologische Behandlung mit und auf dem Pferd. 3rd ed. Stuttgart: Hippokrates; 2000.
9. Araújo TB, Oliveira RJ, Martins WR, Moura PM, Copetti F, Safons MP. Effects of hippotherapy on mobility, strength and balance in elderly. Archives of Gerontology and Geriatrics 56(3):478-81, 2013.
10. Toigo T, Leal Júnior ECP, Ávila SN. O uso da equoterapia como recurso terapêutico para melhora do equilíbrio estático em indivíduos da terceira idade. Revista Brasileira de Geriatria e Gerontologia 11(3):391-403, 2008.
11. Santos RB, Cyrillo FN, Sakakura MT, Perdigão AP, Torriani C. Comparative electromyographic analysis of lumbar erectors recruitment at stand position and therapeutic riding positions. Proceedings of XII International Congress of Therapeutic Riding FRDI. Brasília, Brazil; 2006.
12. Santos RB, Borges FP, Cyrillo, FN. Sensory Integration applied to hippotherapy. FRDI 2009: Proceedings of XIII International Congress of Therapeutic Riding, Munster, Germany 2009.
13. Zadnikar M, Kastrin A. Effects of hippotherapy and therapeutic horseback riding on postural control or balance in children with cerebral palsy: a meta-analysis. Developmental Medicine & Child Neurology 53(8):684-91, 2011.
14. McGibbon NH, Benda W, Duncan BR, Silkwood-Sherer D. Immediate and Long-Term Effects of Hippotherapy on Symmetry of Adductor Muscle Activity and Functional Ability in Children With Spastic Cerebral Palsy. Arch Phys Med Rehabil (90): 966-74, 2009.
15. Whalen CN, Case-Smith J. Therapeutic Effects of Horseback Riding Therapy on Gross Motor Function in Children with Cerebral Palsy: A Systematic Review. Physical & Occupational Therapy in Pediatrics 32(3): 229-42, 2012.
16. Bass MM, Duchowny CA, Llabre MM. The effect of therapeutic horseback riding on social functioning in children with autism. J Autism Dev Disord 39(9):1261-7, 2009.
17. Nordgren L, Engström G. Animal-Assisted Intervention in Dementia: Effects on Quality of Life. Clin Nurs Res. 2013 Jun.
18. Majić T, Gutzmann H, Heinz A, Lang UE, Rapp MA. Animal-Assisted Therapy and Agitation and Depression in Nursing Home Residents with Dementia: A Matched Case-Control Trial. Am J Geriatr Psychiatry 21(7):696-708, 2013 Jul.
19. Berry A, Borgi M, Terranova L, Chiarotti F, Alleva E, Cirulli F. Developing effective animal-assisted intervention programs involving visiting dogs for institutionalized geriatric patients: a pilot study. Psychogeriatrics 12(3):143-50, 2012 Sep.
20. Marcus DA. The science behind animal-assisted therapy. Curr Pain Headache Rep 17(4):322, 2013 Apr.
21. Muñoz LS, Máximo BN, Valero AR, Atín AMA, Varela DE, Ferriero G. Animal assisted interventions in neurorehabilitation: A review of the most recent literature. Neurologia. 2013 Apr 30.
22. Wille D, Eng K, Holper L, Chevrier E, Hauser Y, Kiper D, et al. Virtual reality-based paediatric interactive therapy system (PITS) for improvement of arm and hand function in children with motor impairment - a pilot study. Developmental Neurorehabilitation 12(1):44-52, 2009.
23. Bateni H. Changes in balance in older adults based on use of physical therapy vs the Wii Fit gaming system: a preliminary study. Physiotherapy 2(4):1-6, 2011.
24. Luo H, Cao C, Zhonh J et al. Adjunctive virtual reality for procedural pain management of burn patients during dressing change or physical therapy: A systematic review and meta-analysis of randomized controlled trials. Wound Repair Regen. 2018.
25. Oing T, Prescott J. Implementations of Virtual Reality for Anxiety-Related Disorders: Systematic Review. JMIR Serious Games. 2018;6(4):e10965.
26. Ge S, Zhu Z, Wu B, McConnell ES. Technology-based cognitive training and rehabilitation interventions for individuals with mild cognitive impairment: a systematic review. BMC Geriatr. 2018;18(1):213.
27. Diaz-Perez E, Florez-Lozano JA. Virtual reality and dementia. Rev Neurol. 2018 May 16;66(10):344-352.
28. Ellington DR, Shum PC, Dennis EA et al. Female Pelvic Floor Immersive Simulation: A Randomized Trial to Test the Effectiveness of a Virtual Reality Anatomic Model on Resident Knowledge of Female Pelvic Anatomy. J Minim Invasive Gynecol 2018 Sep 12. pii: S1553-4650(18)30450-3.

29. Mesa-Gresa P, Gil-Gómez H, Lozano-Quilis JA, Gil-Gómez JA. Effectiveness of Virtual Reality for Children and Adolescents with Autism Spectrum Disorder: An Evidence-Based Systematic Review. Sensors (Basel). 2018;18(8):2486.
30. Rathinam C, Mohan V, Peirson J et al. Effectiveness of virtual reality in the treatment of hand function in children with cerebral palsy: A systematic review. J Hand Ther. 2018 Jul 13. pii: S0894-1130(17)30107-2.
31. Aminov A, Rogers JM, Middleton S, Caeyenberghs K, Wilson PH. What do randomized controlled trials say about virtual rehabilitation in stroke? A systematic literature review and meta-analysis of upper-limb and cognitive outcomes. J Neuroeng Rehabil. 2018;15(1):29.
32. Cavalcante Neto JL, de Oliveira CC, Greco AL et al. Is virtual reality effective in improving the motor performance of children with developmental coordination disorder? A systematic review. Eur J Phys Rehabil Med. 2018 Oct 4.
33. Schoder J, van Criekinge T, Embrechts E et al. Combining the benefits of tele-rehabilitation and virtual reality-based balance training: a systematic review on feasibility and effectiveness. Disabil Rehabil Assit Technol. 2018 Oct 14:1-9.
34. Vance DE, McNees P, Meneses K. Technology, cognitive remediation, and nursing. Journal of Gerontological Nursing 35(2):50-56, 2009.
35. Basak C, Boot WR, Kraemer AF, Voss M W. Can training in a real-time strategy video game attenuate cognitive decline in older adults? Psychology and Aging 23(4):765-777, 2008.
36. Jorgensen MG, Laessoe U, Hendriksen C, Nielsen OB, Aagaard P. Efficacy of Nintendo Wii training on mechanical leg muscle function and postural balance in community-dwelling older adults: a randomized controlled trial. J Gerontol A Biol Sci Med Sci 68(7):845-52, 2013.
37. Bainbridge E, Bevans S, Keeley B, Oriel K. The effects of the Nintendo Wii fit on community-dwelling older adults with perceived balance deficits: A pilot study. Physical & Occupational Therapy in Geriatrics 29(2):126-135, 2011.
38. Mhatre PV, Vilares I, Stibb SM, Albert MV, Pickering L, Marciniak CM, Kording K, Toledo S. Wii Fit Balance Board Playing Improves Balance and Gait in Parkinson Disease. PM R. 2013 Jun 11.
39. Tibbs JR, Williams B, Doherty NL, Bender A, Mattox H. The effect of the Nintendo Wii on balance: A pilot study supporting the use of the Wii in occupational therapy for the well elderly. Occupational Therapy in Health Care 25(2-3):131-139, 2011.
40. Clark R, Kraemer T. Clinical uses of Nintendo Wii Bowling simulation to decrease fall risk in an elderly resident of a nursing home: A case report. Journal of Geriatric Physical Therapy 32(4):174-180, 2009.

A

B

C

D

E

L

M

N

O

P

Q

R

S

T

V